*Faisons le Point*

# Faisons le Point

## A course in advanced French

**Eric Astington** M.A., M.Ed., Ph.D., F.I.L.

*Formerly Head of the
Modern Languages Department,
Elizabeth Gaskell College of Education,
Manchester*

## HEINEMANN EDUCATIONAL BOOKS
### LONDON

Heinemann Educational Books Ltd
22 Bedford Square, London WC1B 3HH
LONDON EDINBURGH MELBOURNE
HONG KONG SINGAPORE KUALA LUMPUR NEW DELHI
IBADAN LUSAKA NAIROBI JOHANNESBURG
EXETER (NH) KINGSTON PORT OF SPAIN

ISBN 0 435 37050 2

Filmset in Great Britain by
Northumberland Press Ltd, Gateshead, Tyne and Wear
Printed by Richard Clay (The Chaucer Press) Ltd,
Bungay, Suffolk

# Preface

This book is an attempt to chart a course through the linguistic territory which opens up before the learner who has acquired a certain mastery of the 'basic minimum' vocabulary and structures and who wishes now to acquire a 'wider' knowledge of the language. Selection of material to be learned is still essential for, as Comenius stated in *The Great Didactic*: "Complete and detailed knowledge of a [foreign] language is quite unnecessary"—and, indeed, for the non-native, quite unattainable. Selection on the basis of word-counts is not possible at this stage, for differences in frequency of occurrence are no longer statistically significant, and, in any case, 'useful' words are not necessarily the most frequent ones, as determined by word-counts of any kind.

It seems to me that each human activity has its own 'micro-language', reflecting an aspect of the national culture, 'culture' here being taken in its widest sense of 'how people live'. Since each 'micro-language' has not only its own vocabulary but also, to a certain extent, its own most used structures, I thought that a book presenting some of these 'micro-languages' would help to guide the learner from a 'basic' to a 'wider' knowledge of contemporary French language and way of life, and, by developing greater powers of expression, to move from a 'directed' to a 'liberated' command of the language.

The search for suitable texts extended over many years for it is not easy to find passages which are sufficiently rich in both vocabulary and syntactic structures, which are of interest, which are a coherent whole without being over-long, and which lend themselves to oral work (intensive questioning by the teacher with students' books closed, intensive questioning by the students with the teacher's book closed, re-telling of the text by the students, perhaps from the point of view of someone other than the narrator, with all books closed) and to oral and written exploitation (discussion, essay, translation).

All the texts here presented have been tried in the classroom over a period of ten years and have been found to meet the above criteria. Initial presentation has been either orally by the teacher or on pre-recorded tape, in either case without the students having the text before them at first, and this procedure is recommended, with the teacher elucidating new words and expressions in terms of known 'basic' vocabulary and explaining items of 'cultural' interest. If it is desired, written answers to the questions after each text can be used as a comprehension check.

All linguistic exercises are more or less artificial but I have tried to reduce this artificiality to a minimum in the structural exercises, by using patterns which approximate to real conversational exchanges, even if, at times, these exchanges are at the low level of 'phatic communication', i.e. simple re-statement of what the other speaker has just said—a necessary and useful linguistic skill! The vocabulary used in the exercises is normally that of the chapter, in order to facilitate learning of the vocabulary by repetition and also to enable attention to be concentrated on the structure.

The exercises, too, have been tried in the classroom and often extensively re-written in the light of this experience. No apology is offered for the inclusion of some exercises bearing on structures, particularly verb con-structions, which students *ought* to know at this level, but which analysis of error conducted on students' oral and written work shows that they have not yet mastered.

It will be seen from the table of contents that, in many cases, a structure has been developed gradually over a series of exercises occurring in different chapters; the feeling for the use of the subjunctive, for example, cannot be given in one week, or in one month, or in one term, or even one year—it will only develop slowly through practice of the various structures in which a subjunctive is required.

The introductory examples of the use of the structure, with their English translation, at the head of each exercise are, as far as possible, genuine samples of contemporary French usage; my indebtedness to the news broadcasts of 'France-Inter', particularly 'Douze-Quatorze', and to the pages of Le Monde and L'Express will be apparent and I must confess to note-taking and eaves-dropping during visits to France.

The inclusion of verb-study from chapter 4 onwards is explained by analysis of error and by my own experience in attempting to learn languages, both of which have convinced me that complete mastery of the verb system of a language is absolutely necessary and that anything less than this complete mastery leads to at least partial failure to communicate and hence to frustra-tion. Many students at this stage still have difficulty in distinguishing between futures and conditionals and many find modal auxiliaries ('may have', 'could have', 'ought to have done') hard to handle. Usually the verb practised is one which has occurred in the text of the chapter and, often, also in one of the structural exercises.

The essay subjects arise out of the subject-matter of the chapter and, in the early stages, it is recommended that they should first be discussed orally in class. A choice has been offered so that more able or more adventurous students may attempt something a little more difficult.

The English passages for translation into French are intended purely as testing material. Each passage is based on the material of the chapter, very closely in the early chapters, but in every case the five structures practised in the exercises appear in the passage for translation, together with structures from earlier chapters, so that there is revision and progression. The same principle of progressive revision has been observed in the twenty passages of French for translation into English, each one of which deals with the same topic as the corresponding pair of chapters.

Since there is a certain overlap in the topics chosen as centres of interest, vocabulary and structures presented earlier tend to reappear later. Again, as a learner of languages, I remember how I welcome the reappearance of known items in an unknown text, and I was pleased to find that my choice of texts permitted this pleasant feeling of partial familiarity.

A language is a system of systems (sounds, words, structures, meanings) and only systematic teaching can ensure effective learning. It is my hope, based on years of experience and experiment, that I have provided material for such systematic teaching and learning in this book.

E.A.

# *Contents*

*Le logement*

1  Un grand immeuble (Henri Troyat) — 1
A  Adjectival phrases with 'de': 'une tête de femme' — 2
B  Adjectival phrases with 'à': 'une femme aux yeux inquiets' — 3
C  'Carrelé de/couvert de/encombré de/entouré de/garni de/rempli
    de/revêtu de/tapissé de' — 4
D  Present subjunctive of regular '-er' verbs after 'vouloir que' — 4
E  Present subjunctive of regular '-ir' and regular '-dre' verbs and
    of most irregular verbs — 5

2  A la recherche d'un appartement (Jules Romains) — 8
A  Subjunctive after 'il faut que' — 9
B  Subjunctives with unpredictable stem ('faire', 'pouvoir', 'savoir',
    'avoir', 'être') — 10
C  Subjunctive after 'demander/exiger que' — 11
D  Subjunctive after 'ce n'est pas que' — 12
E  Subjunctive after verbs of emotion — 12


*Grand ensemble ou pavillon?*

3  Un grand ensemble: la cité de Sarcelles (*Le Monde*) — 15
A  Present subjunctive with two stems. 'Que' + subjunctive expressing
    an alternative — 16
B  'Déterminer/décider/forcer/obliger quelqu'un à faire quelque
    chose' — 18
C  Expressions of distance: 'à onze kilomètres de Paris' — 19
D  Verbs used impersonally — 20
E  'Servir à faire quelque chose' — 20

4  Une maison élevée en une seule nuit! (Marcel Aymé) — 23
A  Imperfect subjunctive, third person singular — 24
B  Imperfect subjunctive after the imperfect of 'vouloir que' — 26
C  'De' as a supporting particle before the infinitive: 'la première
    besogne fut de creuser quatre trous' — 27
D  Repetition of the preposition — 27
E  'Assez/trop ... pour que', followed by the subjunctive — 28
   Verb study: 'construire', etc. — 29

*Maisons de campagne*

5 La villa «La Pelouse» (Pierre Benoît)                                         31
A 'Savoir/désirer/croire/dire' + direct object + adjective: 'elle savait
   la propriété déserte'                                                        32
B 'Sans que', followed by the subjunctive                                      33
C Conditional sentences: the unreal past: 'Si les contrevents avaient
   été fermés, Anne n'aurait pu rien voir'                                     34
D 'Oser faire quelque chose'                                                   35
E Adverbial phrase replacing a long adverb ending in '-ment'                   36
   Verb study: 'venir', etc.                                                   36

6 Une maison dauphinoise (Georges Sonnier)                                     38
A 'Plaire à quelqu'un'                                                         39
B 'Bien que', followed by the subjunctive                                      40
C Use of the adverbial pronoun 'en', replacing the possessive
   adjective when referring to a thing                                         41
D Past participle in absolute constructions (transitive verbs): 'Le
   concert fini, . . .'                                                        42
E 'Faire d'une chose une autre'                                               43
   Verb study: 'plaire', etc.                                                  43

*L'ameublement*

7 Réveil dans une chambre étrange (Julien Green)                               46
A 'Faire' + intransitive verb + direct object; 'faire' + transitive verb
   + indirect object                                                          47
B 'Ne pas' before the present infinitive                                       48
C 'S'attendre à quelque chose'                                                49
D 'Ne' in a subordinate clause after a comparative                            50
E 'Dont' replacing a relative pronoun introduced by 'de': 'le village
   dont je m'approchais'                                                       50
   Verb study: 'faire'                                                         51

8 Une chambre à soi (Simone de Beauvoir)                                       53
A Stressing of a statement: 'ce qui . . ., c'est . . .'                        55
B Noun replacing a clause or a phrase                                          56
C The preposition 'à' introducing the complement of a noun: 'un
   poêle à pétrole', 'un poste à temps partiel'                               57
D Noun linked to an infinitive by the preposition 'de': 'l'occasion
   de voir ce film'                                                            57
E Position of certain adverbs with negative                                    58
   Verb study: 'ouvrir', etc.                                                  59

*Les travaux de ménage*

9    Les travaux de ménage sont à n'en plus finir! (Gabriel Chevallier)    61
A    Active infinitive with passive sense: 'maison à vendre'    62
B    Inversion of verb and subject in a relative clause introduced by 'que'    63
C    Past participle used absolutely (intransitive verbs): 'Sa servante partie, ...'    64
D    'Penser à faire quelque chose'    65
E    Pronominal verbs with passive meaning: 'cet article se vend bien'    65
   Verb study: 'atteindre', etc.    66

*La nourriture et la boisson*

10    Le petit déjeuner (Léna Leclercq)    68
A    Compound adjectives of colour are invariable    70
B    'Dans' = 'out of': 'prendre ... dans le buffet/manger ... dans une assiette/boire ... dans une tasse'; 'sur' = 'from', 'off': 'ramasser ... sur un fauteuil'    70
C    Infinitive as subject of the sentence: 'Vivre est pénible'    71
D    'Enlever/prendre/arracher/acheter/emprunter/voler/cacher quelque chose à quelqu'un'    72
E    'De' as a supporting particle after indefinites: 'quelque chose de nouveau', 'rien', 'quelqu'un', 'personne'    73
   Verb study: 's'asseoir'    74

11    Un repas copieux (Henri Troyat)    76
A    More pronominal verbs with passive meaning: 'ça se mange facilement'    78
B    'Empêcher quelqu'un de faire quelque chose'    78
C    'La façon dont .../la manière dont .../l'air dont .../le geste dont ...'    79
D    'Avoir de la peine à faire quelque chose'    80
E    'Toucher à quelque chose'    81
   Verb study: 'boire'    82

12    Un filet de bœuf saignant (Jules Romains)    84
A    'Ce que la faim a d'irritable ...'    85
B    Subjunctive in a relative clause after a preceding negative    86
C    Subjunctive in a hypothetical relative clause    87
D    Subjunctive after 'penser', 'croire', used negatively    88
E    Subjunctive after 'si (adjective) que ...'    89
   Verb study: 'servir', etc.    89

*En famille*

13 Mère et fille (Marie-Anne Desmarest)                                    92
A Multiple negation: 'plus/jamais/rien/personne/que/aucun/nulle
   part'                                                     94
B 'Prier quelqu'un de faire quelque chose'                                 95
C 'Être à quelqu'un de faire quelque chose'                               96
D 'Quelque' + noun + 'que', followed by the subjunctive                   96
E 'Alors que' indicating contrast                                          97
  Verb study: 'vouloir'                                          98

14 Père et fille (Hervé Bazin)                                            100
A Conditional sentences: possible but doubtful realization                101
B 'Être censé faire quelque chose'                                        102
C 'Envers'                                                                103
D Noun + 'de' + infinitive                                               104
E 'Faire semblant de faire quelque chose'                                105
  Verb study: 'joindre', etc.                                   106

*Au collège*

15 Le nouveau professeur (Jean-Jacques Gautier)                          108
A 'Il semble que' + subjunctive                                          110
B 'Passer pour', 'être considéré comme'                                  111
C 'Au moment de' + infinitive, relating to the subject of the main
   clause                                                  112
D 'Ne ... ni ... ni ...', without article                               113
E 'Que' indicating immediate time succession                            113
  Verb study: 'lire', etc.                                     114

16 Les jours les plus heureux de la vie (Alexandre Arnoux)              117
A 'Plus de ...' with the meaning 'il n'y a plus de ...' or 'qu'il
   n'y ait plus de ...'                                   119
B Negation of a past participle with 'non'                               119
C 'Ne ... que ...': 'que' immediately preceding the part of the
   sentence which it limits                               120
D 'Lequel', etc., after indirect complement                             121
E 'D'autant plus que ...'                                                122
  Verb study: 'résoudre', etc.                                 123

*La toilette*

17 Quelle robe mettre? (Thyde Monnier)                                   125
A 'Si' + imperfect, to propose, offer or suggest something: 'Si on
   chantait?'                                             127

B 'Être obligé/forcé de faire quelque chose'    128
C Subjunctive after impersonal expressions of emotion    129
D 'Que' in an exclamation; 'combien' in indirect speech    130
E Subjunctive after 'pour que'    131
   Verb study: 'mettre', etc.    131

18 Comment être parfaitement habillé (Pierre Daninos)    134
A Definite article used as a possessive adjective in descriptions: 'Il regardait l'écriteau, les mains dans les poches'    136
B 'Il est (adjective) que ...'    136
C 'Ne faire que' followed by the infinitive    137
D Masculine adjective used as an abstract noun: 'L'important, c'est ...'    138
E 'Il vaut mieux' + infinitive; 'il vaut mieux que' + subjunctive    139
   Verb study: 'rire', etc.    139

*L'hôtel*

19 Un petit hôtel familial au bord de la mer (Philippe Diolé)    142
A The passive, with the agent introduced by 'par'    143
B 'On', followed by active verb, with passive meaning    144
C Verbs used impersonally    145
D Subjunctive after 'aimer mieux'    146
E 'Parvenir à faire quelque chose'    146
   Verb study: 'paraître', etc.    147

20 Le hall d'un palace (Roger Stéphane)    149
A 'Non que' followed by the subjunctive    150
B Past participle used absolutely with 'aussitôt', 'une fois'    151
C 'Attendre que' followed by the subjunctive    152
D 'Il y a (une heure) que ...'    153
E 'Infinitive preceded by 'à', with the value of a causal or conditional clause or phrase    154
   Verb study: 'tenir', etc.    155

*Le café*

21 «Le Flore» à Saint-Germain-des-Prés (François Ponthier)    157
A 'Peu' before an adjective, with negative value    158
B 'Faillir faire quelque chose'    159
C Use of a noun in place of a verb: 'à notre départ de Rome'    160
D Adverbial periphrasis: 'd'un ton sec', 'd'un air content', 'd'une manière concise'    161
E 'Éviter de faire quelque chose'    162
   Verb study: 'apercevoir', etc.    162

22 La petite fille des propriétaires descend regarder le café le soir
    (Henri Troyat)      164
A Inversion of verb and subject after 'sans doute'      166
B Relative clause corresponding to a present participle in English      166
C 'S'occuper de quelque chose/de quelqu'un'      167
D Subjunctive after 'avant que'      168
E Past participle with the value of a phrase or a clause      169
    Verb study: 'courir', etc.      169


*La ville et l'urbanisme*

23 Prise de contact avec une ville de province (Edward de Capoulet-
    Junac)      172
A Omission of the article in an apposition      173
B 'Renoncer à faire quelque chose'      174
C 'Seul' in apposition = 'seulement'      175
D 'Trop/assez ... pour que', followed by the subjunctive      176
E 'Se hâter de faire quelque chose'      177
    Verb study: 'conclure', etc.      177

24 Une ville satellite: Sarcelles (*Le Monde*)      179
A 'Faire/laisser/voir/entendre', followed by an active infinitive, with
    passive meaning      181
B 'Quiconque'      182
C Inversion of verb and subject in a relative clause introduced by
    'où'      183
D 'Il faut du temps pour faire quelque chose'      184
E Use of definite article with abstract nouns      185
    Verb study: 'acquérir', etc.      186


*La circulation*

25 «Faut que ça roule!» (*L'Express*)      188
A 'Penser de'      190
B 'Penser à'      191
C More adjectival phrases with 'de': 'les heures de pointe'      191
D 'Comment se fait-il que ...?' followed by the subjunctive      192
E Inversion of verb and subject after 'peut-être'      193
    Verb study: 'voir', etc.      194

26 Une grève des transports à Paris (Alexandre Arnoux)      196
A More cases of the use of a noun instead of a verb, with time
    expressions: 'avant l'arrêt du train'      197
B 'Arriver à faire quelque chose'      199

C 'Que de ...!' = 'what a lot of ...!'     199
D 'Mettre/passer/perdre du temps à faire quelque chose'     200
E 'Arracher/emprunter/acheter/voler/prendre/cacher quelque chose
    à quelqu'un' (with pronouns)     201
    Verb study: 'cueillir', etc.     202

*Les magasins*

27 Un quartier commerçant (Henri Bosco)     204
A Position of adjectives with the noun     205
B 'Y' = 'à/dans' + noun or pronoun     207
C 'En' = 'de' + noun or pronoun     208
D 'Sentir' = 'to smell of'     209
E Stressing of a statement: 'c'est là ...'     209
    Verb study: 'sentir', etc.     210

28 Le Grand Magasin (J. M. G. Le Clézio)     212
A 'Faire' + infinitive of an intransitive verb + noun: 'cette réponse a
    fait sourire la jeune fille'     213
B 'Où' = 'dans/sur lequel, laquelle', etc.; 'd'où' = 'duquel, de
    laquelle', etc.     214
C 'Ce qui' intercalated in a sentence; additional information is given     215
D Adjectives used as adverbs and therefore invariable     216
E Omission of the article in an enumeration     216
    Verb study: 'suivre', etc.     217

*La banlieue*

29 Une bicoque difficile à trouver (Roger Ikor)     219
A Stressing of the direct object, placed at the beginning of the
    clause and repeated as a pronoun: 'cette lettre, tu l'as envoyée?'     221
B Conditional perfect in a time clause     221
C 'Entendre parler de ...', 'entendre dire que ...'     223
D Present participle with the value of a causal clause     223
E Imperfect of 'devoir': 'ça devait arriver'     224
    Verb study: 'prendre', etc.     225

30 La résidence «Brocéliande» (Gilbert Cesbron)     227
A Use of the perfect and past historic of 'avoir', 'être', 'devoir',
    'pouvoir', 'savoir'     229
B Agreement or non-agreement of the present participle     229
C 'Changer de (complet)'     230
D 'Depuis' + imperfect, to indicate an action still taking place     231
E 'N'importe quel/qui/quoi/où/comment/quand/lequel'     232
    Verb study: 'savoir'     232

*La campagne et l'agriculture*

31 A la recherche de la détente (Paul Guth)                     235
  A 'Dès (l'aube), dès mon retour', etc.                        236
  B Perfect passive: 'j'ai été réveillé par des tracteurs'       237
  C Verbs of perception followed by the infinitive; order of words 238
  D Inversion in relative clauses, introduced by 'que'          239
  E 'Aller/devoir/falloir/pouvoir/savoir/valoir mieux/vouloir'
       + pronouns + infinitive: 'voulez-vous aller le chercher?' 240
    Verb study: 'croître', etc.                                 241

32 Évolution de la population paysanne en Bresse (Roger Vailland) 243
  A 'Distant de/long de/large de/haut de/profond de/épais de ...' 244
  B 'Plus de', 'moins de', followed by a numeral                245
  C 'Ne ... aucun'; 'aucun ... ne ...'                          246
  D Stressing of the pronoun subject                            247
  E 'Profiter de/disposer de ...'                               247
    Verb study: 'vivre', etc.                                   249

*L'auto*

33 CH ... GB ... USA ... TT3X ... F ... (Pierre Daninos)        251
  A 'S'amuser à faire quelque chose'                            253
  B 'Être étonné/enchanté/ravi/surpris de faire quelque chose'; 're-
       gretter de faire quelque chose'                          253
  C 'Paraître faire quelque chose'                              254
  D Names of countries and their inhabitants                    255
  E Prepositions with names of countries                        255
    Verb study: 'aller', 's'en aller'                           258

34 La première promenade en auto (Henri Troyat)                260
  A 'Cesser/décider/essayer/éviter/finir/oublier/proposer/refuser de
       faire quelque chose'                                     262
  B 'Accuser/empêcher/prier/remercier quelqu'un de faire quelque
       chose'                                                   263
  C Subjunctive after 'pourvu que'                              264
  D Present subjunctive after 'il faudra que'                   265
  E 'Le' relating back to a previous statement                 265
    Verb study: 'dire', etc.                                    266

*Transports ferroviaires*

35 Train omnibus et train de marchandises (André Dhôtel)       268
  A Past anterior (literary style)                              269

B 'S'approcher de'    270
C 'Penser faire quelque chose'    271
D 'De façon que/de manière que/de sorte que', followed by the subjunctive, expressing aim or intention    272
E 'Avoir peur/craindre' + 'ne' + subjunctive    273
   Verb study: 'craindre', etc.    274

36 Départ du rapide de Rome (Michel Butor)    276
A 'Faire faire quelque chose par quelqu'un'    278
B Future perfect in a time clause    278
C 'Avoir du mal à faire quelque chose'    279
D 'Aller' + present participle, marking the continuity of the action: 'le nombre des femmes salariées va augmentant'    280
E 'De sorte que', followed by the indicative, indicating a result or consequence    281
   Verb study: 'rompre', etc.    282

*Transports maritimes et aériens*

37 Première traversée (Gérard Bauër)    284
A 'Quoi que ce soit'; 'quoi que' followed by the subjunctive    286
B 'Ne' in a subordinate clause, after a comparison    287
C Subjunctive after 'jusqu'à ce que'    287
D 'Ne ... que' = 'not until'    288
E Conditional perfect in a time clause    289
   Verb study: 'écrire', etc.    290

38 Votre vol: conseils et renseignements (Air-France)    292
A 'Il suffit de' + infinitive    294
B 'Contraindre quelqu'un à faire quelque chose'    294
C 'Quel que soit ...'; 'quel que fût ...'    295
D 'Il est interdit/recommandé/conseillé/déconseillé de faire quelque chose'    296
E Subjunctive after 'il est possible que'    297
   Verb study: 'pouvoir'    298

*La mer et la plage*

39 Nuit sur la plage (Raymond Jean)    300
A 'S'attendre à ...'; 's'attendre à ce que', followed by the subjunctive    301
B 'Jouir de quelque chose'    302
C 'Impossible à prévoir'; 'facile à dire', etc.    303
D Subjunctive after 'il se peut que'    303

E 'Trouver bon/étrange/incroyable que', followed by the subjunctive    304
   Verb study: 'croire'    305

40 Saint-Tropez en été (Joseph Peyré)    307
A 'Se voir' with passive meaning    309
B 'Transformer quelqu'un/quelque chose en ...'    310
C 'Jusqu'au moment où', followed by the indicative    310
D 'Échapper à quelque chose/à quelqu'un'    311
E 'Faire mieux de' + infinitive    312
   Verb study: 'fuir', etc.    313

Translation Passages    315

# 1 *Un grand immeuble*

Gérard tira son carnet: «Lequesne. Cour C, Escalier 30, sixième à gauche.» Il passa devant la loge de la concierge et entra dans la première cour.

Des portes obscures, numérotées de 1 à 125, ouvraient sur des cours bétonnées, marquées A, B, C, D, E. Et dans chaque cour, il y avait un tas de sable pour les gosses. Les murs de brique étaient carrelés de fenêtres. Une de ces croisées était celle de Lequesne, Gérard ne savait plus laquelle. Il n'était venu que deux fois chez son camarade. Et aujourd'hui même, il ne l'avait pas averti de sa visite. Ça l'avait pris tout à coup: un besoin de lui parler, de le voir.

L'ascenseur était bloqué au troisième. L'escalier sentait la mangeaille refroidie et l'eau de Javel. Des voix criardes et des bruits de vaisselle traversaient les portes de contre-plaqué. Chaque famille était parquée dans son appartement, avec ses joies, ses tristesses, ses manies, et une mince couche de ciment la séparait seule des familles de gauche, de droite, d'en-dessus, d'en-dessous, qui, elles aussi, avaient leurs joies, leurs tristesses, leurs manies. Un monceau de vies humaines, découpé en cubes et mis en boîte.

Quand il atteignit le palier du sixième étage, Gérard était tellement essoufflé qu'il dut s'appuyer à la cage de l'ascenseur. Chez les Lequesne, une machine à coudre martelait sourdement le silence. Lorsqu'il sonna, la machine à coudre se tut. Il y eut des portes ouvertes, refermées, des pas pressés, une voix inconnue qui disait: «J'y vais», et la porte s'entrouvrit.

Une tête de femme, crayeuse, maigre, aux yeux inquiets, apparut. Lequesne ne l'avait jamais présenté à sa mère. Ce devait être elle, sans doute.

— Vous voulez voir Julien? Attendez une seconde.

Elle appela Julien. De nouveau, des portes ouvertes, refermées, un pas que se rapproche.

— Le voici.

La femme s'éloigna.

— Bonjour, Fonsèque.

Lequesne l'introduisit dans le vestibule, qui était un couloir tapissé de papier gris et encombré de malles.

— Vous ne m'attendiez pas, dit Gérard, je vous dérange.

— Mais non.

Le jeune homme était vêtu d'un pantalon noir et d'un chandail olive. Il semblait gêné par cette visite. Il souriait pauvrement, regardait cette porte, à droite, par où sa mère avait fui. Sur le parquet traînaient des lambeaux d'étoffe et des fils blancs.

— Vous m'excuserez, reprit-il, nous ne pourrons pas aller dans ma chambre, parce que ma mère en a besoin pour ses travaux de couture. Voulez-vous que nous descendions prendre un verre dans un café que je connais, à deux pas d'ici? Je passe une veste et je reviens.

(Henri Troyat, L'Araigne, Plon, 1938, pp 83–85)

| | |
|---|---|
| un ascenseur, *lift* | un étage, *floor, storey* |
| le béton, *concrete* | le dernier étage, *top storey* |
|   le béton armé, *reinforced concrete* | au dernier étage, *on the top floor* |
| bétonner, *to concrete* | un immeuble, *block of flats* |
| la brique, *brick* | un grand immeuble; une tour, *high-* |
| la cage de l'ascenseur, *lift-shaft* |   *rise flats; tower block* |
| la cage de l'escalier, *stair-well* | la loge, *porter's lodge; theatre box* |
| le carreau, *tile (flooring or wall)* | la marche, *step, stair (of flight of stairs)* |
| carrelé de, *tiled with; chequered with* | le palier, *landing (of stairs)* |
| le ciment, *cement* | le papier peint, *wallpaper* |
| le/la concierge, *(house) porter/portress* | le parquet, *flooring* |
| le contre-plaqué, *plywood* | tapisser (une pièce), *to paper (a room)* |
| la couche (de ciment, de peinture), *coat,* | tapissé de (papier gris), *decorated with* |
|   *coating, layer* |   *(grey paper)* |
| la croisée, *casement window* | |

## Comprehension

1 Pourquoi Gérard a-t-il dû consulter son carnet?
2 Grâce à quoi a-t-il pu s'orienter?
3 En montant l'escalier, qu'est-ce qu'il a entendu?
4 Comment a-t-il su qu'il y avait quelqu'un chez les Lequesne?
5 Pourquoi Lequesne n'a-t-il pas fait entrer Gérard dans sa chambre?
6 Qu'est-ce qu'il a proposé de faire?

## Structural Exercises

1A *Adjectival phrases with 'de': 'une tête de femme'*

| | |
|---|---|
| Une tête de femme apparut. | A woman's head appeared. |
| Au début, ce n'était qu'une histoire de gosse. | In the beginning, it was only a kid's story. |
| Une auberge de jeunesse. | A youth hostel. |
| Une sortie de secours. | An emergency exit. |

**Exemple:** C'était la tête de Mme Dutronc que vous avez vue?
**Réponse:** Je ne sais pas si c'était la tête de Mme Dutronc, mais c'était bien une tête de femme.

**Exemple:** C'était le klaxon de la Citroën qui vous a réveillé?

**Réponse:** Je ne sais pas si c'était le klaxon de la Citroën, mais c'était bien un klaxon d'auto.

**Exemple:** C'était le manteau du professeur qui était accroché là?
**Réponse:** Je ne sais pas si c'était le manteau du professeur, mais c'était bien un manteau d'homme.

1 C'était la tête de M. Legrand qui s'est montrée à la croisée?
2 C'était la voix du petit Pierre que vous avez entendue sur le palier?
3 C'était le chapeau de la petite Marie que vous avez trouvé devant la loge de la concierge?
4 C'était la voix de votre voisine que vous avez entendue à travers la mince couche de ciment?
5 C'était le visage du président qui a paru sur l'écran de télévision?
6 C'était le soulier du mort que les policiers ont découvert dans la cage de l'ascenseur?
7 C'était le bruit de l'avion de Londres qui vous a réveillé?
8 C'était le parapluie de Mme Mauger que le concierge a trouvé?

$$\star \quad \star \quad \star$$

1B *Adjectival phrases with 'à': 'une femme aux yeux inquiets'*

| | |
|---|---|
| Des ouvriers au maigre salaire et à la famille nombreuse. | Workmen with an inadequate wage and a large family. |
| Le monsieur aux lunettes. | The gentleman with spectacles. |
| Cette jungle est faite de grands arbres aux troncs géants. | This jungle is made up of tall trees with gigantic trunks. |
| Une bonne sauce aux champignons. | A good mushroom sauce. |

**Exemple:** C'est l'homme qui a la moustache?
**Réponse:** Oui, justement, c'est l'homme à la moustache.

**Exemple:** C'est la femme qui a les yeux inquiets?
**Réponse:** Oui, justement, c'est la femme aux yeux inquiets.

**Exemple:** C'est la jeune fille qui a le pantalon rouge?
**Réponse:** Oui, justement, c'est la jeune fille au pantalon rouge.

1 C'est la chambre qui a la croisée ouverte?
2 C'est l'immeuble qui a la cour bétonnée?
3 C'est l'homme qui a les cheveux blancs?
4 C'est le couloir qui a les murs carrelés?
5 C'est l'appartement qui a le papier peint jaune?

6 C'est le vestibule qui a le parquet luisant?
7 C'est la porte qui a le numéro peint en rouge?
8 C'est l'escalier qui a les marches irrégulières?

★  ★  ★

1C '*Carrelé de/couvert de/encombré de/entouré de/garni de/rempli de/ revêtu de/tapissé de*'

| | |
|---|---|
| Un vestibule encombré de malles. | A hall cluttered with trunks. |
| Un couloir tapissé de papier gris. | A corridor papered in grey. |
| Le sol était couvert de feuilles. | The ground was covered with leaves. |
| Ce texte est rempli d'erreurs. | This text is full of mistakes. |
| Le jardin était entouré d'une clôture. | The garden was surrounded by a fence. |

**Exemple:** Vous avez dit que des malles encombraient le vestibule?
**Réponse:** Oui, le vestibule était encombré de malles.

**Exemple:** Vous avez dit qu'une lettre marquait chaque cour?
**Réponse:** Oui, chaque cour était marquée d'une lettre.

**Exemple:** Vous avez dit que des carreaux couvraient le mur?
**Réponse:** Oui, le mur était couvert de carreaux.

1 Vous avez dit que des jardins entouraient le grand immeuble?
2 Vous avez dit que des croisées carrelaient les murs de brique?
3 Vous avez dit que des tas de sable remplissaient la cour?
4 Vous avez dit que des boîtes encombraient le palier?
5 Vous avez dit que des tapis couvraient le parquet?
6 Vous avez dit que du papier bleu tapissait la loge de la concierge?
7 Vous avez dit qu'une couche de ciment revêtait la cage de l'ascenseur?
8 Vous avez dit qu'un marteau garnissait chaque porte?

★  ★  ★

1D *Present subjunctive of regular '-er' verbs, after 'vouloir que'*

The stem of the present subjunctive of these verbs is that of the indicative: 'donn-, aid-, pass-', etc.; only the first and second persons of the plural have endings which differ from those of the indicative: nous donnIONS, vous donnIEZ; nous aidIONS, vous aidIEZ; nous passIONS, vous passIEZ.

**Exemple:** Vous voulez que je sonne?
**Réponse:** Oui, je veux que vous sonniez.

4

1 Vous voulez que je ferme la porte?
2 Vous voulez que j'entre?
3 Vous voulez que je joue du piano?
4 Vous voulez que je parle à la concierge?
5 Vous voulez que je découpe la viande?
6 Vous voulez que je passe chez Mme Martin?
7 Vous voulez que je m'approche?
8 Vous voulez que je m'éloigne?

**Exemple:** Henri et Jean, ouvrez la porte!
**Réponse:** Vous voulez que nous ouvrions la porte?

9 Passez un manteau, les enfants!
10 Madeleine et Nicole, jouez avec les autres enfants!
11 Vous autres, tirez la table!
12 Parlez français, vous autres!
13 Poussez la voiture, mes amis!
14 Éloignez-vous, les enfants!
15 Vous deux, excusez-vous!
16 Claudine et Denise, lavez-vous!

**Exemple:** Vous ne demandez pas son adresse?
**Réponse:** Ah, vous voulez que je demande son adresse?

17 Vous ne déjeunez pas ici?
18 Vous ne renvoyez pas l'ascenseur?
19 Vous ne rangez pas vos affaires?
20 Vous ne brûlez pas la lettre?
21 Elle n'arrivera pas de bonne heure?
22 Ils ne commenceront pas avant lui?
23 Il ne bétonnera pas la cour?
24 Ils ne resteront pas ici?

\*　　\*　　\*

1E *Present subjunctive of regular '-ir' and regular '-dre' verbs and of most irregular verbs*

The stem is that of the third person plural of the indicative:

| | | |
|---|---|---|
| remplir | ils REMPLISSent | que je REMPLISSe |
| perdre | ils PERDent | que je PERDe |
| dire | ils DISent | que je DISe |
| éteindre | ils ÉTEIGNent | que j'ÉTEIGNe |

The endings are always: -E, -ES, -E, -IONS, -IEZ, -ENT.

| | |
|---|---|
| Voulez-vous que je réponde à cette lettre? | Do you want me to answer this letter? |
| Je voudrais que cette tentative réussisse. | I would like this attempt to succeed. |
| Je veux que vous vous asseyiez là. | I want you to sit there. |
| A quelle heure voulez-vous qu'il parte? | What time do you want him to leave? |
| Voulez-vous que je mette les bagages là? | Do you want me to put the luggage there? |
| Voulez-vous que nous descendions prendre un verre? | Shall we go down and have a drink? |

**Exemple:** Vous voudriez que je leur écrive plus tard?
**Réponse:** Non, je voudrais que vous leur écriviez maintenant.

1 Vous voudriez que je leur dise cela plus tard?
2 Vous voudriez que je rende visite à vos amis plus tard?
3 Vous voudriez que je parte plus tard?
4 Vous voudriez que je descende le voir plus tard?
5 Vous voudriez que nous choisissions le papier peint plus tard?
6 Vous voudriez que nous sortions plus tard?
7 Vous voudriez que nous mettions la table plus tard?
8 Vous voudriez que j'éteigne plus tard?

**Exemple:** Je vais lire cette lettre.
**Réponse:** Mais je ne veux pas que vous la lisiez!

9 Je vais traduire ce passage.
10 Je vais peindre la maison moi-même.
11 Je vais punir mon fils.
12 Je vais lui permettre de revenir.
13 Je vais répondre à cette lettre.
14 Il va mettre son vieux complet.
15 Le taxi va suivre votre voiture.
16 Il va conduire vite.

## Essay Subjects

1 «Un monceau de vies humaines, découpé en cubes et mis en boîte.» Développez cette idée, précisant les inconvénients des grands immeubles, puis imaginez la réponse d'un locataire qui ne voit que des avantages à habiter un nouvel immeuble.
2 Gérard et Julien arrivent au café. Imaginez leur conversation et la suite de l'histoire.

# Translation

The other day I went to visit my friend Robert Chavant who lives on the top floor of a big block of flats. As I was passing the porter's lodge I heard a woman's voice saying: "Whom do you want to see, young man?" I told her and added that I knew the way: staircase 20, fifth on the right.

She warned me that the lift was stuck and that I would have to take the stairs. Six storeys! What a lot of steps! When I reached the landing of the sixth floor I was so out of breath that I had to lean against the lift-shaft.

I rang and a young girl with fair hair, dressed in green slacks and a yellow sweater, opened the door. Robert had never introduced me to his sister, but I thought that this must be she. "Robert isn't at home," she said, "but I know where he is. Do you want me to phone him to tell him you are here?"

"You're very kind," I said. Whilst she was phoning I waited in the entrance hall, the walls of which were covered with photographs. She soon returned, saying: "Robert would like you to go down to the Café des Sports. Turn left on going out of the main entrance and the café is about 200 metres away."

## 2 A la recherche d'un appartement

La concierge examina le mot que lui remit Henri.

— Ah, c'est de M. Antonelli. C'est différent. J'ai ordre de ne laisser personne visiter. Bien entendu, tout ce que je peux, c'est de vous faire visiter. Il faut que ça passe par le gérant.

Ils étaient entrés par une allée bitumée qui traversait une petite cour donnant sur la rue. La cour était flanquée sur la droite d'un petit bâtiment de deux étages, perpendiculaire à la rue, où se trouvait la loge de la concierge. Le fond de la cour était occupé par un bâtiment plus élevé, plus noirâtre, qui se raccordait en angle droit au précédent. Vers le milieu du bâtiment noirâtre, une ouverture donnait passage vers une seconde cour. La concierge, des clefs à la main, les conduisait par là.

— Oh! dit-elle, chemin faisant, c'est une maison bien tranquille et bien habitée. Spécialement le corps de bâtiment où nous allons. Le logement est au dernier étage, sous les combles. En dessous, c'est un vieux locataire qui ne demande qu'une chose: qu'on ne fasse pas de bruit au-dessus de sa tête. Vous n'avez pas d'enfants?

— Non. Nous ne sommes pas encore mariés. Nous ne sommes que fiancés. Nous attendons pour nous marier d'avoir un logement.

— Regardez-moi comme c'est joli de ce côté-ci.

Il se déployait en effet devant eux un petit espace gazonné, avec des arbustes, qui méritait pleinement le nom de jardin. Henri découvrait ces humbles aspects avec ravissement.

— Je m'étonne que l'on soit si haut, dit-il, et que l'on ait ces vues si inattendues; les monuments de Paris sont distribués de façon si peu habituelle que l'on hésite à les reconnaître.

Un autre petit bâtiment flanquait à droite ce second jardin. Lui aussi se raccordait, en angle droit, au bâtiment central plus noirâtre.

— C'est là-haut, dit la concierge. Vous voyez les fenêtres. Vous avez tout l'étage. Ce n'est pas que ce soit bien grand.

Là-haut, les émerveillements d'Henri recommencèrent. Il trouva que les deux pièces principales feraient l'une une chambre à coucher, l'autre un salon-salle à manger de dimensions parfaites, la troisième une petite pièce de travail, dont les murs se garniraient de casiers à livres. Il estima, d'un coup d'œil, que la suggestion d'Antonelli relative à l'agencement d'une petite salle de bains ne se heurtait à aucune difficulté majeure. Quant à la vue, il ne cessait de s'en extasier en passant d'une fenêtre à la suivante.

— Regarde-moi, disait-il à Geneviève, ces échappées et ce qu'elles ont d'inattendu!

Il fut un peu déçu par ce qui semblait chez Geneviève un manque injuste d'enthousiasme.

—Mais si, je t'assure, disait-elle. Je trouve tout cela très gentil. Je m'habituerai au quartier.

Pour témoigner de son bon vouloir, elle demanda à la concierge où étaient les commerçants les plus proches.

(Jules Romains, *Une Femme singulière*, Flammarion, 1957, pp 257–260)

---

agencer (une salle de bains), *to arrange, to convert (a bathroom)*
une allée, *path, walk*
en angle droit à, *at right angles to*
un arbuste, *bush, shrub*
un architecte, *architect*
les combles (*m.*), *roof timbers; roofing*
  sous les combles, *in the attic, in the garret*
le corps de bâtiment, *main building*
donner sur, *to look out on to; to give on to (of buildings, windows)*

une échappée (de vue), *vista*
garnir de, *to provide with*
le gazon, *turf*
le gérant, *manager*
  gérer, *to manage (a business, hotel, etc.)*
le locataire, *tenant*
le logement, 1. *lodgings;* 2. *housing*
le monument, *public or historic building*
la pièce, *room (in house)*
  un appartement à cinq pièces, *a five-roomed flat*

---

## Comprehension

1 Qu'est-ce qui a décidé la concierge à faire visiter Henri et Geneviève?
2 Selon elle, comment était la maison?
3 Qu'est-ce que le locataire d'en dessous exigeait à tout prix?
4 De quoi Henri s'étonnait-il?
5 Quels projets avait-il quant à l'aménagement de l'appartement?
6 Comment Geneviève semblait-elle réagir?

## Structural Exercises

### 2A *Subjunctive after 'il faut que'*

| | |
|---|---|
| Il faut que nous traversions le fleuve quelque part. | We must cross the river somewhere. |
| Il faut que vous emportiez des vêtements de rechange. | You must take a change of clothes with you. |
| Il faudra que vous y pensiez. | You will have to think about it. |
| Il faudra que je leur rende une seconde visite. | I shall have to pay them a second visit. |

**Exemple:** Je ne peux pas passer par là.
**Réponse:** Mais il faut que vous passiez par là.

9

**Exemple:** Nous ne pouvons pas traverser la rue de la République.
**Réponse:** Mais il faut que vous traversiez la rue de la République.

**Exemple:** La concierge ne peut pas nous conduire par là.
**Réponse:** Mais il faut qu'elle vous conduise par là.

1 Je ne peux pas recommencer.
2 Je ne peux pas attendre.
3 Je ne peux pas finir ce travail aujourd'hui.
4 Vous ne pouvez pas partir aujourd'hui.
5 Il ne peut pas dormir ici.
6 Vous ne pouvez pas mettre les meubles là.
7 Le taxi ne peut pas suivre notre voiture.
8 Je ne peux pas répondre à cette question.

★　　★　　★

**2B** *Subjunctives with unpredictable stem* (*'faire', pouvoir', 'savoir', 'avoir', 'être'*)

| faire: | je fasse | tu fasses | il/elle fasse |
|---|---|---|---|
| | nous fassions | vous fassiez | ils/elles fassent |
| pouvoir | je puisse | tu puisses | il/elle puisse |
| | nous puissions | vous puissiez | ils/elles puissent |
| savoir: | je sache | tu saches | il/elle sache |
| | nous sachions | vous sachiez | ils/elles sachent |
| avoir: | j'aie | tu aies | il/elle AIT |
| | nous AYONS | vous AYEZ | ils/elles aient |
| être: | je SOIS | tu SOIS | il/elle SOIT |
| | nous SOYONS | vous SOYEZ | ils/elles soient |

| | |
|---|---|
| Il faut que le navire soit solide. | The ship has to be sturdy. |
| Il faudrait qu'il y ait davantage de piscines. | There ought to be more swimming-pools. |
| Faut-il que je le fasse? | Do I have to do it? |
| Je ne veux pas qu'il puisse nous contredire. | I don't want him to be able to contradict us. |
| Nous voulons que le consommateur sache ce qu'il a à payer. | We want the consumer to know what he has to pay. |

**Exemple:** Je ferai ce travail tout de suite. Ça va?
**Réponse:** Oui, il faut que vous le fassiez tout de suite.

**Exemple:** Vous pourrez partir demain. Ça va?
**Réponse:** Oui, il faut que je puisse partir demain.

**Exemple:** Une salle de bains sera aménagée. Ça va?
**Réponse:** Oui, il faut qu'une salle de bains soit aménagée.

1 Elle fera cette traduction ce matin. Ça va?
2 Nous serons au bureau demain. Ça va?
3 Vous aurez les clefs demain. Ça va?
4 Il pourra vous recevoir demain. Ça va?
5 Vous saurez le prix de l'appartement aujourd'hui. Ça va?
6 Il aura ce renseignement demain. Ça va?
7 Votre voiture sera prête pour ce soir. Ça va?
8 Je ferai les réparations maintenant. Ça va?
9 Je pourrai vous accompagner demain. Ça va?
10 Il y aura moins de bruit. Ça va?

\* \* \*

## 2C *Subjunctive after 'demander/exiger que'*

| | |
|---|---|
| Il a demandé que je sois là. | He asked that I should be there. |
| Je demande que vous m'écoutiez. | I'm asking that you listen to me. |
| Les bandits exigent que la rançon soit payée dans un délai de trois jours. | The bandits demand that the ransom be paid within a time limit of three days. |
| Vous n'exigez pas que votre secrétaire traduise automatiquement vos pensées en paroles? | You don't demand that your secretary should automatically translate your thoughts into words? |

**Exemple:** On ne fera pas de bruit. C'est ce que vous demandez?
**Réponse:** Oui, je demande qu'on ne fasse pas de bruit.

**Exemple:** Nous serons ici à huit heures. C'est ce que vous demandez?
**Réponse:** Oui, je demande que vous soyez ici à huit heures.

**Exemple:** Le gérant ne saura pas votre nom. C'est ce que vous demandez?
**Réponse:** Oui, je demande qu'il ne sache pas mon nom.

1 Il y aura au moins six pièces. C'est ce que vous demandez?
2 Le locataire n'est pas marié. C'est ce que vous demandez?
3 Elle pourra vous aider dans votre travail. C'est ce que vous demandez?
4 La bonne sait parler français. C'est ce que vous demandez?
5 On pourra agencer une salle de bains. C'est ce que vous demandez?
6 La femme de ménage fera le marché. C'est ce que vous demandez?
7 Le locataire n'aura pas d'enfants. C'est ce que vous demandez?
8 Je ferai le ménage maintenant. C'est ce que vous demandez?

\* \* \*

## 2D  Subjunctive after 'ce n'est pas que'

| | |
|---|---|
| Ce n'est pas que l'appartement soit très grand. | It's not that the flat is very big. |
| Ce n'est pas que vous ayez des ennemis. | It's not that you have any enemies. |
| Ce n'est pas qu'il fasse beaucoup d'erreurs. | It's not that he makes a lot of mistakes. |
| Ce n'est pas que l'on puisse l'accuser de paresse. | It's not that he can be accused of laziness. |

**Exemple:** Pourquoi me regardez-vous ainsi? Est-ce que je suis en retard?
**Réponse:** Oh non, ce n'est pas que vous soyez en retard.

**Exemple:** Pourquoi me regardez-vous ainsi? Est-ce que je parle trop vite?
**Réponse:** Oh non, ce n'est pas que vous parliez trop vite.

Pourquoi me regardez-vous ainsi?

1 Est-ce que je fais des fautes?
2 Est-ce que j'ai oublié de signer?
3 Est-ce que je suis arrivé trop tard?
4 Est-ce que je vous dérange?

**Exemple:** Pourquoi me regardez-vous ainsi? Est-ce que vous avez quelque chose à me reprocher?
**Réponse:** Oh non, ce n'est pas que j'aie quelque chose à vous reprocher.

Pourquoi me regardez-vous ainsi?

5 Est-ce que vous êtes inquiet?
6 Est-ce que vous avez peur?
7 Est-ce que vous savez quelque chose de nouveau?
8 Est-ce que vous vous êtes trompé de porte?

★   ★   ★

## 2E  Subjunctive after verbs of emotion

| | |
|---|---|
| Je m'étonne que cet appartement leur plaise. | I'm astonished that they like this flat. |
| Je regrette qu'elle se soit trompée. | I'm sorry that she was mistaken. |
| Nous aimerions mieux qu'il fasse la commande lui-même. | We would prefer him to give the order himself. |

| Les syndicats déplorent que rien n'ait été dit des salaires ni du chômage. | The trade unions deplore the fact that nothing was said about wages or unemployment. |
| --- | --- |
| Je suis surpris que vous l'ayez reconnu. | I'm surprised that you recognized him. |

**Exemple:** Notre voisin de palier est malade. Je le regrette.
**Réponse:** Moi aussi, je regrette qu'il soit malade.

**Exemple:** Le gérant n'a pas téléphoné. Je m'en étonne.
**Réponse:** Moi aussi, je m'étonne qu'il n'ait pas téléphoné.

**Exemple:** Les gosses savent nager. J'en suis content.
**Réponse:** Moi aussi, je suis content qu'ils sachent nager.

1 L'architecte ne peut pas venir. Je le regrette.
2 Les visiteurs ne sont pas encore arrivés. Je m'en étonne.
3 Elle n'a pas perdu les clefs. J'en suis content.
4 Le jardin s'étend si loin. J'en suis surpris.
5 Ils ne font rien. Je le déplore.
6 Il ne sait pas le numéro de téléphone. Je m'en étonne.
7 Il y a un jardin. J'en suis content.
8 L'appartement ne leur plaît pas. Je le regrette.

## Essay Subjects

1 L'année dernière vous étiez à la recherche d'un appartement. Décrivez vos aventures.
2 On dit qu'une maison est confortable. Que faut-il entendre par « confort »? Que pensez-vous du confort?
3 Gérard, Julien, Henri. Quelles différences et quelles ressemblances voyez-vous entre ces trois jeunes hommes?

## Translation

Pierre and Madeleine are flat-hunting. They would like the flat not to be too far from Pierre's office and to have at least three rooms.

They are delighted that Pierre's friend, who is an architect, knows where there is a top floor flat to let. He gives them a note, asking that the concierge should let them visit (= *faire visiter*).

"I'm sorry that you can't come with us," says Madeleine. "We must have your advice about the conversion of the bathroom."

The concierge, a grey-haired woman, with keys in her hand, takes them up to the top floor and lets them see the flat. When they go, into the main room they are astonished that the views from the windows are so extensive. "It's not that we are very high up," says the concierge, "but the slope is very steep."

They learn that the tenant below has asked that no noise be made on the floor above. He will be pleased that they have no children.

"I think it's all very nice," Madeleine says to the concierge. "You will have to tell me where the nearest shops are."

# 3  Un grand ensemble: la cité de Sarcelles

D'année en année, la crise du logement s'est aggravée. Que l'on aille à Paris — îlots insalubres, banlieue surpeuplée, «meublés» scandaleux, taudis — ou en province, dans les grandes villes ou dans les bourgs en expansion, c'est partout pareil, la misère de notre habitat n'a cessé de s'étaler et de s'étendre. Le dernier recensement nous apprend que le quart des familles françaises habitent des locaux en état de surpeuplement critique.

Voilà donc ce qui a déterminé les urbanistes à implanter villes modernes et grands ensembles: la nécessité de loger dans les meilleures conditions possibles le maximum de sans-logis et de mal logés.

Sarcelles (Val d'Oise, à 11 kilomètres de Paris) comptait, en 1954, 8 397 habitants. Elle en compte maintenant près de 40 000, dont 27 000 dans le grand ensemble; 63% de ces derniers n'avaient jamais eu de logement à eux. Les nouveaux Sarcellois vivaient jusque-là dans des hôtels ou chez des parents, d'autres dans des meublés coûteux ou sordides. De nombreux couples avaient atteint cinq ans de vie commune sans posséder leur propre foyer.

Chez les L..., au quatrième étage de l'allée Paul Verlaine, on ne paraît nullement affecté à la pensée qu'il y a dans la ville quelques milliers d'appartements identiques. Ce couple occupe avec deux fillettes un appartement de la Société centrale immobilière de la Caisse des dépôts. (La Caisse des dépôts, fondée en 1816 pour centraliser et gérer l'épargne collective, est à la fois un organisme public et un banquier privé. Elle gère des fonds privés, notamment les dépôts des caisses d'épargne.)

Le loyer atteint 94 F par mois, et, avec le chauffage, l'eau et les charges, le montant de la quittance mensuelle est de 154,25 F. Il existe dans la ville d'autres types de logements. On compte par exemple sept cents appartements H.L.M. (habitations à loyer modéré), dont les loyers avec charges sont de 250 à 332 F par mois pour un logement de ce type. A noter que la grande majorité des locataires de Sarcelles bénéficient de l'allocation-logement.

M. et Mme L..., comme la plupart des habitants de Sarcelles, reconnaissent à leur logement trois qualités: confort, espace, lumière. Leur appartement, comme tous ceux de l'immeuble, occupe toute l'épaisseur de la construction. Du milieu de la salle de séjour-salle à manger, on a vue par deux grandes baies sur les deux façades: c'est-à-dire que le soleil est toujours présent. L'insonorisation est bonne, l'isolement vertical est meilleur que l'isolement horizontal. On entend moins le voisin du dessus que celui d'à-côté, car un vide important entre plancher et plafond sert à cacher toutes les canalisations de chauffage, d'eau, d'électricité.

La salle d'eau est un peu exiguë, mais la cuisine accepte facilement réfrigérateur et machine à laver. Quant au vide-ordures, il apparaît, ainsi que le séchoir chauffé, comme une conquête sociale de la ménagère.

(«Logement, notre honte, I», *Le Monde Hebdomadaire*, 17–23 avril 1958;
Maurice Denuzière, «Cités sans passé, I», *Le Monde Hebdomadaire*,
24–30 octobre 1963)

---

une allocation-logement, *housing grant*
  une allocation familiale, *child benefit*
la baie, *bay window*
la canalisation, *piping, pipes*
la cité, *housing estate; garden city*
  la cité universitaire, *university village;*
  *campus*
la construction, 1. *the act of building;*
  2, *structure, edifice*
construire, *to construct, build*
un ensemble, *housing development area*
le foyer, 1. *hearth;* 2. *home*
un îlot, *block of houses*
une agence immobilière, *estate agent's*
  *office*
la société immobilière, *building society*

insalubre, *unhealthy, insanitary*
l'insonorisation (*f.*), *sound-proofing*
l'isolement (*m.*), *insulation*
le local/les locaux, *premises*
le loyer, *rent*
la ménagère, *housewife*
le meublé, *furnished flat*
les ordures (*f.*), *dirt, refuse*
  le vide-ordures, *refuse chute*
la salle d'eau, *bathroom*
la salle de séjour, *living room*
le séchoir, *drying cupboard*
surpeuplé, *overcrowded*
le surpeuplement, *overcrowding*
le taudis, *slum*

---

## Comprehension

1 En quoi consiste exactement la crise du logement?
2 Quelles solutions les urbanistes ont-ils envisagées à ce problème?
3 Qu'est-ce que la plupart des nouveaux habitants de Sarcelles ont de particulier?
4 Qu'est-ce que les locataires doivent payer mensuellement en plus du loyer?
5 Comment se fait-il que le soleil soit toujours présent dans l'appartement de M. et Mme L.?
6 Quels avantages Mme L. voit-elle à son nouvel appartement?

## Structural exercises

3A *Present subjunctive with two stems 'Que' + subjunctive expressing an alternative*

| aller | | |
|---|---|---|
| | j'AILLE | nous ALLIONS |
| | tu AILLES | vous ALLIEZ |
| | il/elle AILLE | ils/elles AILLENT |
| boire | je boive | nous BUVIONS |
| devoir | je doive | nous DEVIONS |
| prendre | je prenne | nous PRENIONS |

| recevoir | je reçoive | nous RECEVIONS |
| tenir | je tienne | nous TENIONS |
| venir | je vienne | nous VENIONS |
| vouloir | je VEUILLE | nous VOULIONS |
| acheter | j'achète | nous ACHETIONS |

| | |
|---|---|
| Que ce soit aux États-Unis ou au Danemark, en Allemagne ou en France, les hommes d'état veulent, avant tout, freiner la hausse des prix. | Whether it be in the U.S.A. or in Denmark, in Germany or in France, statesmen want, above all, to halt the rise in prices. |
| Une nation israélienne est née, que nous le voulions ou non. | An Israeli nation has been born, whether we like it or not. |
| Le gouvernement ne peut échapper à l'alternative que voici, qu'il l'admette ou non. | The government cannot escape the present alternative, whether it admits it or not. |
| Que nous restions en capitalisme ou que nous acceptions le socialisme, l'essentiel est de moderniser nos institutions. | Whether we remain in the capitalist system or whether we accept socialism, the essential thing is to modernize our institutions. |
| Qu'ils soient restés chez eux ou qu'ils aient pris des vacances, les Français ont au moins un point en commun: le pessimisme. | Whether they have stayed at home or whether they have taken a holiday, the French have at least one thing in common: pessimism. |

**Exemple:** Je ne sais pas s'il viendra.
**Réponse:** Qu'il vienne ou non, ça ne fait rien.

**Exemple:** Je ne sais pas s'il boira son lait.
**Réponse:** Qu'il le boive ou non, ça ne fait rien.

**Exemple:** Je ne sais pas s'il recevra des lettres.
**Réponse:** Qu'il en reçoive ou non, ça ne fait rien.

1 Je ne sais pas si elle ira au marché.
2 Je ne sais pas si elle voudra le faire.
3 Je ne sais pas s'il doit bénéficier de l'allocation-logement.
4 Je ne sais pas s'il tiendra sa promesse.
5 Je ne sais pas si elle prendra les billets.
6 Je ne sais pas s'il viendra aujourd'hui.
7 Je ne sais pas s'il achètera le logement.
8 Je ne sais pas si elle voudra acheter la machine à laver.

**Exemple:** Je ne sais pas si nous viendrons.
**Réponse:** Que vous veniez ou non, ça ne fait rien.

**Exemple:** Je ne sais pas si nous achèterons ces meubles.
**Réponse:** Que vous les achetiez ou non, ça ne fait rien.

**Exemple:** Je ne sais pas si nous recevrons du courrier.
**Réponse:** Que vous en receviez ou non, ça ne fait rien.

9 Je ne sais pas si j'irai à Toulouse.
10 Je ne sais pas si je boirai ce vin.
11 Je ne sais pas si je prendrai le déjeuner ici.
12 Je ne sais pas si nous voudrons toucher cette allocation.
13 Je ne sais pas si nous viendrons vous voir.
14 Je ne sais pas si je voudrai payer cette somme.
15 Je ne sais pas si je tiendrai ma langue.
16 Je ne sais pas si je lui devrai de l'argent.

★　★　★

## 3B 'Déterminer/décider/forcer/obliger quelqu'un à faire quelque chose'

| | |
|---|---|
| Je n'ai pas pu le décider à partir. | I was unable to induce him to leave. |
| Voilà donc ce qui a déterminé les urbanistes à implanter villes modernes et grands ensembles. | That, then, is what made town-planners decide to establish new towns and housing estates. |
| Les circonstances l'ont forcé à prendre cette mesure. | Circumstances forced him to take this measure. |
| La persécution religieuse les a obligés à passer à l'étranger. | Religious persecution obliged them to emigrate. |

Make up questions following the model provided.

**Exemple:** Les urbanistes ont implanté villes modernes ou grands ensembles.
**Réponse:** Mais qu'est-ce qui les a déterminés à les implanter?

**Exemple:** Elle a quitté le foyer des étudiantes.
**Réponse:** Mais qu'est-ce qui l'a déterminée à le quitter?

1 Ils ont quitté ce meublé.
2 La ménagère a acheté la machine à laver.
3 Nous avons loué cette maison.
4 Le gouvernement a augmenté les allocations familiales.

**Exemple:** J'ai quitté le bourg.
**Réponse:** Mais qu'est-ce qui vous a forcé à le quitter?

**Exemple:** Nous avons payé cette augmentation.
**Réponse:** Mais qu'est-ce qui vous a forcés à la payer?

5 Ils ont habité cette banlieue surpeuplée.
6 J'ai vidé les ordures.
7 Il a occupé des locaux insalubres.
8 J'ai mis la machine à laver là.

\*    \*    \*

### 3C *Expressions of distance: 'à onze kilomètres de Paris'*

| | |
|---|---|
| Je connais un café à deux pas d'ici. | I know a café a stone's throw from here. |
| Ils habitent un appartement dans une cité neuve, à quatre kilomètres du centre de Bordeaux. | They live in a flat in a new housing estate, four kilometres from the centre of Bordeaux. |
| Son fils, sa bru et leurs deux enfants habitent à cinq minutes de chez lui. | His son, his daughter-in-law and their two children live five minutes away from his house. |

**Exemple:** Combien y a-t-il de Paris à Sarcelles? Onze kilomètres?
**Réponse:** Oui, Sarcelles est à onze kilomètres de Paris.

**Exemple:** Combien y a-t-il du Métro au meublé? Cinq cents mètres?
**Réponse:** Oui, le meublé est à cinq cents mètres du Métro.

**Exemple:** Combien y a-t-il de la salle d'eau au séchoir? Deux mètres?
**Réponse:** Oui, le séchoir est à deux mètres de la salle d'eau.

1 Combien y a-t-il du centre à la cité universitaire? Trois kilomètres?
2 Combien y a-t-il d'ici à l'ensemble? Deux kilomètres?
3 Combien y a-t-il de là au bureau de la société immobilière? Cinq minutes de marche?
4 Combien y a-t-il de Paris à Manchester en avion? Une heure?
5 Combien y a-t-il de Paris à Marseille en chemin de fer? Huit heures?
6 Combien y a-t-il de ce quartier élégant au taudis? Deux cents mètres?
7 Combien y a-t-il de la baie au vide-ordures? Trois mètres?
8 Combien y a-t-il de son logement à cet îlot insalubre? Deux pas?

\*    \*    \*

## 3D *Verbs used impersonally*

| | |
|---|---|
| Le vent se calmait, comme il arrive au coucher du soleil. | The wind was dropping, as happens at sunset. |
| Il souffle un petit vent frais. | A cool breeze is blowing. |
| Il existe dans la ville d'autres types de logement. | There are other types of housing in the town. |
| Il ne nous reste plus qu'à marcher le long du boulevard. | All that remains for us to do now is to walk along the boulevard. |
| Nous déjeunions dans la salle à manger quand il entra tout à coup un grand chien noir. | We were having lunch in the dining room when suddenly in came a big black dog. |

**Exemple:** D'autres types de logement existent dans la ville.
**Réponse:** Oui, il existe dans la ville d'autres types de logement.

**Exemple:** Le problème du surpeuplement reste toujours.
**Réponse:** Oui, il reste toujours le problème du surpeuplement.

**Exemple:** Du monde passe au bureau de poste.
**Réponse:** Oui, il passe du monde au bureau de poste.

1 Une seule pièce reste à tapisser.
2 Des constructions délabrées existent toujours dans ce quartier.
3 Beaucoup d'accidents arrivent sur cette autoroute.
4 Une belle construction neuve s'élève.
5 A cet endroit existait un îlot de taudis.
6 Par la baie entrait un bruit de circulation.
7 Une petite pluie fine tombait.
8 Un vent fort soufflait.

★ ★ ★

## 3E *'Servir à faire quelque chose'*

| | |
|---|---|
| Ce train spécial servira à présenter les produits français à l'étranger. | This special train will be used to display French products abroad. |
| La langue parlée sert aux hommes à communiquer entre eux. | Spoken language is used by men to communicate among themselves. |
| Cette espèce de couteau servait à découper la viande. | This sort of knife was used for cutting up meat. |
| C'étaient des pelles qui avaient servi à creuser des trous. | These were shovels that had been used for digging holes. |

Answer the following questions:

**Exemple:** A quoi sert le vide entre le plancher et le plafond?
**Réponse:** Il sert à cacher les canalisations.

**Exemple:** A quoi sert une machine à laver?
**Réponse:** Elle sert à faire la lessive.

**Exemple:** A quoi sert un réfrigérateur?
**Réponse:** Il sert à conserver certaines denrées.

1 A quoi sert l'allocation-logement?
2 A quoi sert l'insonorisation?
3 A quoi sert le vide-ordures?
4 A quoi sert un séchoir?
5 A quoi sert un grand ensemble?
6 A quoi sert une société immobilière?
7 A quoi sert une agence immobilière?
8 A quoi, sert une caisse d'épargne?

## Essay Subjects

1 Le problème du logement en Angleterre.
2 Le bruit dans la vie contemporaine.
3 «Chez les L..., on ne paraît nullement affecté à la pensée qu'il y a dans la ville quelques milliers d'appartements identiques.» Est-ce là votre façon de voir?

## Translation

Whether it is in Paris or in the provinces, everywhere there is a housing crisis. There has taken place (= *se produire*) a movement of population from the countryside to the towns; one quarter of French families live in overcrowded premises. This situation has induced town-planners to encourage the building of new towns and big housing estates.

One such town is Sarcelles, eleven kilometres from Paris, which used to be a village with the usual market square and with narrow streets. Now it is a town with wide boulevards, lined with tower blocks, in which there are thousands of identical flats which have served to house 27,000 people, many of whom had never had a home of their own.

The Legrands are pleased that the sound-proofing in their new flat is good. It is not that it is perfect, but they hear their upstairs neighbour less than their next-door neighbour, because there exists a large gap between floor and ceiling, which is used to hide all the piping.

They are equally delighted that the living room has two big bay windows, on the two fronts: whether it is sunny or whether it is raining, the room is well lit. "My wife wants you to go into the kitchen," says M. Legrand. "You must (= *Il faut que*) admire the fridge and the washing-machine."

# 4 *Une maison élevée en une seule nuit!*

(A Vaux-le-Devers, petit village du Jura, l'usage accorde à tout homme sans
toit, qu'il soit résident ou étranger, le droit de construire une maison sur
les terrains communaux, mais il faut qu'elle soit élevée en une seule nuit.
Arsène veut faire bénéficier de ce droit Urbain, son vieux valet de ferme.)

Il faisait encore jour, mais comme le soleil était couché, on pouvait se
mettre au travail. Jouquier, le maçon, venait d'arriver avec une voiture à
bras transportant ses outils et des sacs de chaux. Il promenait déjà son mètre
pliant sur le terrain et plantait des jalons dans la terre. La maison devait
se composer de deux pièces, l'une regardant la route et les haies, l'autre
la rivière. Arsène avait voulu que la façade vînt s'encadrer entre un
frêne et un cerisier distants de huit à dix mètres. Comme le temps était
mesuré, on avait décidé d'économiser sur la maçonnerie qui était le travail
le plus long et de multiplier les ouvertures. Chacune des pièces aurait deux
grandes fenêtres.

La première besogne fut de creuser quatre trous afin de planter les
montants aux quatre coins de l'édifice. Comme il s'agissait d'une construction
légère, les fondations devaient être peu profondes. Le menuisier et le
charpentier arrivèrent ensemble avec une voiture chargée de pièces de
charpente, de fenêtres, de portes et de planches. Sans prendre le temps
d'un bonjour, ils se mirent à décharger en rangeant les pièces dans un
ordre commode et profitèrent du reste de jour pour procéder à certains
assemblages.

Pendant que le charpentier mettait les éléments en place et les ajustait,
le menuisier clouait, rabotait les planches, enfonçait des coins. Jouquier
garnissait les intervalles de briques et de mortier. Arsène et Urbain faisaient
besogne de manœuvres, apportant les matériaux, creusant des trous et
modifiant, selon les besoins, l'inclinaison des phares à acétylène.

A une heure du matin, les travaux étaient assez avancés pour que le
charpentier se désintéressât des murs et commençât la mise en place de la
charpente. Arsène distribua des casse-croûte et fit circuler des bouteilles de
vin.

Quand le ciel commença à blanchir sur la forêt, les maçons en
avaient fini avec les murs extérieurs et travaillaient à la cloison intérieure.
Ayant déjà mis en place les fenêtres et les persiennes, le menuisier posait
les serrures des portes. Sur le toit, Arsène clouait les lattes où devaient
s'accrocher les tuiles de la toiture. On avait encore une heure devant soi
jusqu'au lever du soleil. La surface à couvrir n'était pas grande, mais
Arsène avait fait choix de petites tuiles plates qui faisaient nombre à la rangée.

Il fallut mettre quatre couvreurs au travail. Les autres faisaient la chaîne pour passer les tuiles.

La dernière tuile posée, les compagnons ramassèrent leurs outils et s'éloignèrent sans donner seulement un coup d'œil à la maison. Le soleil émergea derrière la ligne des bois dans un ciel de rose et de paille. Tous les oiseaux de l'été chantaient. Une cheminée se mit à fumer au milieu du village.

(Marcel Aymé, La Vouivre, Gallimard, 1943, pp 148–155)

| | |
|---|---|
| une ardoise, *slate* | le jalon, (*surveyor's*) *rod, stake* |
| la charpente, (*wooden*) *framework* | jalonner (la route), *to stake out, mark* |
| le charpentier, *carpenter* | *out* (*the way*) |
| le chaume, *thatch* | la latte, *lath, slat* |
| la chaux, *lime* | le maçon, *mason, bricklayer* |
|   blanchir un mur à la chaux, *to white-* | la maçonnerie, *masonry, brickwork* |
|   *wash a wall* | le manœuvre, *labourer* |
| clouer, *to nail* | le matériau, *building material* |
| le coin, *wedge* | le menuisier, *joiner* |
|   coincer, *to wedge* | le mètre pliant, *folding rule* |
| le compagnon, *workman* | le montant, *the upright* |
| le couvreur, *roofer, tiler* | le mortier, *mortar* |
| enfoncer (un clou), *to drive in* (*a nail*) | le terrain, *piece of ground, plot of land* |
| la fondation, *foundation* | le terrain à bâtir, *building site* |
| | la toiture, *roofing* |
| | la tuile, *tile* |

## Comprehension

1 A Vaux-le-Devers qu'est-ce que la tradition voulait, mais à quelle condition?
2 A quel moment de la journée a-t-on commencé le travail?
3 Qu'est-ce qu'on avait décidé pour abréger le travail autant que possible?
4 De quelle façon les travaux étaient-ils répartis entre les artisans?
5 Qu'est-ce qu'Arsène et Urbain faisaient pour aider les autres?
6 Qu'est-ce qui montre que les artisans se désintéressaient complètement de la maison, une fois leur travail terminé?

## Structural Exercises

### 4A *Imperfect subjunctive, third person singular*

Phonetically the form is identical to that of the past historic—but be careful of the spelling!

| *Past historic* | *Subjunctive* |
|---|---|
| il parla | Je m'étonnais qu'il parlât. |
| on ne répondit pas | J'étais surpris qu'on ne répondît pas. |
| elle ne revint pas | Je regrettais qu'elle ne revînt pas. |

There are three groups:

a) Verbs with infinitive ending in '-er' (including the verb 'aller'):

| Perfect | Past historic | Imperfect subjunctive |
|---|---|---|
| il a loué | il loua | il louât |
| elle a manqué | elle manqua | elle manquât |
| il est allé | il alla | il allât |

b) Verbs whose past historic resembles the past participle (i.e., all regular verbs with infinitive ending in '-ir' and most irregular verbs):

| | | |
|---|---|---|
| il a choisi | il choisit | il choisît |
| il s'est assis | il s'assit | il s'assît |
| elle a eu | elle eut | elle eût |
| elle a pris | elle prit | elle prît |

c) Verbs whose past historic *does not resemble* the past participle (including all regular verbs with infinitive ending in '-dre'):

| | | |
|---|---|---|
| il a entendu | il entendit | il entendît |
| elle est descendue | elle descendit | elle descendît |
| il s'est battu | il se battit | il se battît |
| elle a conduit | elle conduisit | elle conduisît |
| il a couvert | il couvrit | il couvrît |
| il a détruit | il détruisit | il détruisît |
| elle est devenue | elle devint | elle devînt |
| il a écrit | il écrivit | il écrivît |
| il a été | il fut | il fût |
| elle a fait | elle fit | elle fît |
| il est mort | il mourut | il mourût |
| elle a offert | elle offrit | elle offrît |
| il a ouvert | il ouvrit | il ouvrît |
| il a peint | il peignit | il peignît |
| il a tenu | il tint | il tînt |
| il est venu | il vint | il vînt |
| il a vu | il vit | il vît |

Exemple: « Je m'étonne qu'on soit si haut. » Qu'est-ce qu'il a dit?
Réponse: Il a dit qu'il s'étonnait qu'on fût si haut.

Exemple: « Je ne veux pas qu'elle me voie. »
Réponse: Il a dit qu'il ne voulait pas qu'elle le vît.

Exemple: « Il faut que cela passe par le gérant. »
Réponse: Il a dit qu'il fallait que cela passât par le gérant.

Qu'est-ce qu'il a dit?

1 « Il faut que j'examine le billet. »
2 « Il faut que le menuisier finisse le travail. »
3 « Il faut que je vous conduise par là. »
4 « Je regrette que le logement soit au dernier étage. »
5 « Je demande qu'on ne fasse pas de bruit. »
6 « Je m'étonne que le jardin s'étende si loin. »
7 « Je regrette qu'on ait perdu du temps. »
8 « C'est dommage que l'endroit ne lui plaise pas. »

Qu'est-ce qu'elle a dit?

9 « C'est dommage qu'on ne puisse pas voir la tour Eiffel. »
10 « C'est dommage que l'appartement ne soit pas très grand. »
11 « Il faut que l'architecte agence une salle de bains. »
12 « Je veux que personne ne soit déçu. »
13 « Il faut que je connaisse les noms des commerçants. »
14 « Je ne veux pas qu'il perde son temps. »
15 « Je suis contente qu'il puisse encore marcher. »
16 « Je ne veux pas qu'il sache que je suis là. »

N.B. The endings of the other persons of the (very little used) imperfect subjunctive are as follows:
je —sse, tu —sses, nous —ssions, vous —ssiez, ils/elles —ssent.
In all these cases the stem vowel has no circumflex accent.

★ ★ ★

4B *Imperfect subjunctive after the imperfect of 'vouloir que'*

**Exemple:** La maison a été construite ici. C'est ce que vous vouliez?
**Réponse:** Oui, je voulais qu'elle fût construite ici.

**Exemple:** Arsène a distribué des casse-croûte. C'est ce que vous vouliez?
**Réponse:** Oui, je voulais qu'il distribuât des casse-croûte.

**Exemple:** Il est revenu plus tard. C'est ce que vous vouliez?
**Réponse:** Oui, je voulais qu'il revînt plus tard.

1 Urbain a bénéficié de ce droit. C'est ce que vous vouliez?
2 Chacune des pièces a deux grandes fenêtres. C'est ce que vous vouliez?
3 Le couvreur est venu le lendemain. C'est ce que vous vouliez?
4 La toiture est en tuiles. C'est ce que vous vouliez?
5 Urbain a fait besogne de manœuvre. C'est ce que vous vouliez?
6 Le charpentier a pris la direction des travaux. C'est ce que vous vouliez?
7 Le menuisier a mis en place les persiennes. C'est ce que vous vouliez?
8 Urbain a posé la dernière tuile. C'est ce que vous vouliez?

★ ★ ★

## 4C 'De' as a supporting particle before the infinitive: 'la première besogne fut de creuser quatre trous'

Notre propos est d'étudier les métropoles régionales.

Our purpose is to study the regional capitals.

Le problème le plus difficile sera de trouver des utilisateurs.

The most difficult problem will be to find users.

Le premier réflexe de l'Amérique a été de ne pas croire à sa mort.

America's first reaction was not to believe in his death.

Une phase de la politique française a été de constituer les moyens scientifiques et techniques de notre propre défense.

One phase of French policy has been to build up the scientific and technical means for our self-defence.

Exemple: Quelle est la première besogne? Creuser quatre trous?
Réponse: Oui, la première besogne est de creuser quatre trous.

Exemple: Quelle est votre intention? Étudier?
Réponse: Oui, mon intention est d'étudier.

Exemple: Quel était le droit d'Urbain? Construire une maison sur les terrains communaux?
Réponse: Oui, son droit était d'y construire une maison.

1 Quelle est la première chose à faire? Jalonner la route?
2 Quelle sera ma tâche? Clouer les lattes?
3 Quel est l'essentiel? Mettre en place la charpente?
4 Quel est son souhait le plus cher? Acheter un terrain à bâtir?
5 Quel est son désir? Prendre la direction des travaux?
6 Quelle était la tâche d'Arsène et d'Urbain? Apporter les matériaux?
7 Quelle était la tâche du maçon? Garnir les intervalles de briques?
8 Quelle était la besogne la plus difficile? Planter les montants?

★ ★ ★

## 4D Repetition of the preposition

Tout ce qu'elle voit lui donne des idées: de robes, de jupes, de tricots.

Everything she sees gives her ideas: for dresses, skirts, knitwear.

La pollution et la destruction de la nature provoqueront d'autres famines: d'air pur, d'eau potable, de végétation, d'espace, de ciel, de silence, de solitude.

Pollution and the destruction of nature will bring about other shortages: of pure air, drinking water, vegetation, space, sky, silence, solitude.

L'institutrice maternelle doit avoir l'œil partout, être prête à intervenir, à consoler, à prévoir.

The nursery school teacher must keep a sharp watch everywhere, be ready to intervene, soothe, anticipate.

Comme tout le monde, je parle aux chauffeurs de taxi, aux garçons de café, aux marchands de journaux, aux gens de ma ville.

Like everybody, I speak to taxi drivers, café waiters, newspaper sellers, people of my town.

**Exemple:** Qu'est-ce qui garnissait les intervalles? Des briques et du mortier?
**Réponse:** Oui, ils étaient garnis de briques et de mortier.

**Exemple:** Qu'est-ce qui bordait la route? Des pavillons et des jardins?
**Réponse:** Oui, elle était bordée de pavillons et de jardins.

**Exemple:** Qu'est-ce qui couvrait les murs? Des dessins et des inscriptions?
**Réponse:** Oui, ils étaient couverts de dessins et d'inscriptions.

1 Qu'est-ce qui entourait la maison? Des arbres et des haies?
2 Qu'est-ce qui composait la toiture? Des tuiles et de la charpente?
3 Qu'est-ce qui composait le mortier? De la chaux, du sable et de l'eau?
4 Qu'est-ce qui remplissait la voiture à bras? Des jalons et des planches?
5 Qu'est-ce qui couvrait la table? Des casse-croûte et des bouteilles?
6 Qu'est-ce qui jalonnait la route? Des poteaux et des drapeaux?
7 Qu'est-ce qui marquait les escaliers? Des lettres et des numéros?
8 Qu'est-ce qui chargeait la voiture? Des pièces de charpente et des planches?

\* \* \*

## 4E  'Assex/trop ... pour que' followed by the subjunctive

Il y a trop de gens qui attendent pour que tout le monde puisse monter.

There are too many people waiting for everyone to be able to get on.

Il avait trop menti pour qu'on le crût.

He had lied too much for anyone to believe him.

Il n'était pas assez grand pour qu'on le laissât seul.

He wasn't big enough to be left alone.

Les travaux étaient assez avancés pour que le charpentier commençât la mise en place de la charpente.

The work was far enough on for the carpenter to begin setting up the wooden framework.

**Exemple:** Je voudrais téléphoner. Avons-nous assez de temps?
**Réponse:** Oui, nous avons assez de temps pour que vous téléphoniez.

**Exemple:** Le charpentier voudrait mettre en place la charpente. Est-ce que les travaux sont assez avancés?
**Réponse:** Oui, les travaux sont assez avancés pour qu'il la mette en place.

1 Je voudrais construire deux maisons. Est-ce que le terrain est assez grand?
2 Nous voudrions enfoncer les montants. Les trous sont assez profonds?
3 Il voudrait faire du mortier. Est-ce qu'il reste assez de chaux et de sable?
4 Tout le monde voudrait prendre un casse-croûte. Est-ce que les travaux sont assez avancés?

**Exemple:** Je voudrais transporter les matériaux dans la voiture à bras. Mais ils sont peut-être trop lourds?
**Réponse:** Mais oui, ils sont trop lourds pour que vous les transportiez dans la voiture à bras.

**Exemple:** Nous voudrions commencer le travail maintenant. Mais il est peut-être trop tard?
**Réponse:** Mais oui, il est trop tard pour que vous le commenciez maintenant.

5 Elle voudrait choisir le chaume comme toiture. Mais il est peut-être trop inflammable?
6 Je voudrais acheter le terrain à bâtir. Mais il est peut-être trop cher?
7 Nous voudrions compter les tuiles. Mais elles sont peut-être trop nombreuses?
8 Elle voudrait blanchir le mur à la chaux. Mais il est peut-être trop sale?

## Verb Study

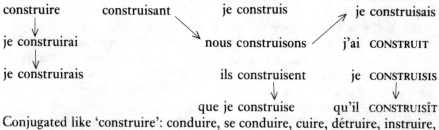

construire → je construirai → je construirais

construisant

je construis → nous construisons → ils construisent → que je construise

je construisais ← j'ai CONSTRUIT

je CONSTRUISIS → qu'il CONSTRUISÎT

Conjugated like 'construire': conduire, se conduire, cuire, détruire, instruire, produire, réduire, traduire.

1 You will understand the passage when they have translated it.
2 Will they reduce expenses if they can?
3 By educating others one educates oneself.
4 If I didn't drive life would be difficult.
5 He had been building houses for a long time.
6 I am sorry that he has behaved badly.

7  Hadn't we reduced the price?
8  May I translate?
9  He must have destroyed the document.
10  The passage is too difficult for you to translate it.
11  I shall have to construct a wall.
12  I hope they will behave well.
13  I would like her to drive.
14  The meat will be already cooked.
15  This tree is about to produce fruit.
16  They translated.
17  Don't you reduce speed here?
18  Translate into French!
19  Would you please translate?
20  She had wanted him to build a house.

## Essay Subjects

1  Faites la description de votre maison idéale.
2  Imaginez les réactions d'Urbain quand il a pris possession de la petite maison.
3  Pendant les vacances, deux étudiants ont travaillé comme manœuvres. Comment se sont-ils tirés d'affaire?

## Translation

In Vaux-le-Devers tradition required (= *vouloir*) that any homeless man, whether he were a resident or a foreigner, had the right to build a house on the communal lands. Arsène had asked that Urbain, his old farm hand, should benefit from this right.

Because it was necessary for the house to be built in a single night, the work began at sunset. The bricklayer's first task was to measure the ground and to drive stakes into the earth. The joiner and the carpenter unloaded a cart which was laden with uprights, doors and windows. Whilst the carpenter was putting these elements in position, the bricklayer was filling in the gaps with bricks and mortar.

There was too much work to do for anyone (= *on*) to waste time by chatting, so they worked in silence and at one o'clock in the morning the work was sufficiently far on for Arsène to hand out a snack and send round bottles of wine.

After this short pause he said: "Come on now, lads, you know that we've got to (= *il faut que*) finish before sunrise." The last thing to do was to lay the tiles, and when the last tile had been laid everybody went home.

# 5 *La villa « La Pelouse »*

Anne hésita devant le portail de la Pelouse. Allait-elle oser le franchir? Depuis huit ans, alors qu'elle savait la propriété déserte, bien souvent elle avait passé par là, avait regardé le loquet rouillé sans que jamais l'idée de le lever lui fût même venue. Or voici que ce soir, où elle savait la Pelouse habitée et par qui, par sa pire ennemie, elle portait la main sur le loquet.

Elle poussa la grille et entendit alors le murmure du sable amassé depuis longtemps contre la barre de fer inférieure. A deux cents pas environ, au bout d'une allée de pommiers, une fenêtre brillait: la villa. Anne ne prit pas cette allée qu'elle savait être une des promenades habituelles de la Pelouse. Mais à droite de l'allée, il y avait un champ planté d'asperges. Sur la terre molle, ses pas devinrent silencieux.

Elle parvint à la limite du champ. D'instinct, ayant ralenti le pas, elle se souvint que c'était parce qu'il y avait là un fil de fer, destiné à contenir les vaches qu'on amenait au pâturage. Par deux fois, se maintenant hors de la zone lumineuse de la fenêtre, Anne fit le tour de la villa. On aurait dit un oiseau de nuit tournant avec circonspection autour d'une lanterne allumée.

Avant d'aller plus loin, le moment est venu peut-être de dresser un plan aussi exact que possible de la villa. Cette villa: un simple pavillon, plutôt. Un rez-de-chaussée surélevé, auquel on accédait par deux perrons de pierre. Pas de premier étage. Un simple grenier, dans lequel deux mansardes avaient été aménagées et où couchaient les domestiques.

Le rez-de-chaussée, d'un perron à l'autre, était traversé par un corridor. Sur ce corridor s'ouvraient les quatre portes des quatre pièces. Les deux premières, celles qui faisaient face à la route, étaient les chambres. Les deux autres, celles qui faisaient face à la lande, étaient, l'une la cuisine, l'autre une pièce tenant lieu à la fois de salon et de salle à manger.

Les carreaux de la fenêtre de la cuisine étaient noirs. Seule, la fenêtre de la salle à manger, celle devant laquelle Anne avait fait halte, était éclairée. Si les contrevents avaient été fermés, Anne n'aurait pu rien voir. Mais ils étaient restés ouverts. Elle monta donc sur un banc de bois placé là, à cinq ou six mètres, hors du rayon lumineux; et comme elle connaissait par le menu les détails de la pièce dans laquelle plongeait son regard, son attention se trouva concentrée, d'emblée, sur les deux personnes qui se trouvaient là.

L'une était debout sur le seuil. Anne le voyait de face. Elle nota avec regret la noblesse de son visage. Elle aurait désiré cet inconnu d'un aspect moins sympathique.

De l'autre, de la femme, qui, assise, lui tournait le dos, Anne ne voyait rien, sinon une sorte de mante dorée, qui, posée sur la tête, se répandait sur le dos du fauteuil. En regardant avec plus d'acuité, Anne dut reconnaître que ce qu'elle avait pris pour une mante n'était autre chose, dénouée et flottant sur ses épaules, que la chevelure de Mme de Saint-Selve.

(Pierre Benoît, *Mademoiselle de la Ferté*, Albin Michel, 1923, Livre de Poche, pp 75–78)

---

accéder à, *to have access to*
  on y accède par un perron, *access to it is by a flight of (outside) steps*
une allée, *path (in a garden)*
la barre de fer, *iron bar*
le contrevent, *outside shutter, storm shutter*
faire face à, *to face*
le fil de fer, *wire*
franchir (le seuil), *to cross (the threshold)*
le grenier, 1. *granary;* 2. *attic, garret*
la grille, 1. *iron gate;* 2. *railings*
inférieur, *lower* (adj.)
le loquet, *latch (of door, gate)*
  lever le loquet, *to raise the latch*
la mansarde, *attic, garret*
s'ouvrir sur, *to open out on to*

le pavillon, *detached house*
pénétrer dans, *to make one's way into, to get in*
le perron, *flight of (outside) steps*
dresser un plan, *to draw up a plan*
le portail, *monumental entrance; portal (of church)*
pousser (la grille), *to push open (the iron gate)*
la propriété, *property, estate*
la rouille, *rust*
rouillé, *rusty*
le sable, 1. *sand;* 2. *gravel*
  une allée sablée, *a gravel path*
le seuil, *threshold, door-step*
supérieur, *upper*
la villa, *villa*
la vitre, *pane (of glass)*

---

## Comprehension

1 Pourquoi la décision prise par Anne de passer la grille semblait-elle bizarre?
2 A quelle distance du portail se trouvait la villa?
3 Quelle précaution Anne a-t-elle prise pour ne pas être entendue en s'approchant de la villa?
4 A quoi ressemblait-elle?
5 Comment les quatre pièces du pavillon étaient-elles disposées?
6 Comment se faisait-il qu'Anne ait pu voir l'intérieur de la salle à manger?
7 Décrivez les deux personnes qu'elle a aperçues.

## Structural Exercises

5A '*Savoir/désirer/croire/dire*' + *direct object* + *adjective:* '*elle savait la propriété déserté*'

Vous croyez votre fils innocent.
Je ne vous savais pas à Paris.

You believe your son to be innocent.
I didn't know you were in Paris.

| | |
|---|---|
| Tout le monde disait l'hôtellerie en crise. | Everybody was saying that the hotel trade was in a crisis. |
| Elle aurait désiré cet inconnu d'un aspect moins sympathique. | She would have liked this stranger to be of a less likeable appearance. |

**Exemple:** Est-ce qu'elle savait que la propriété était déserte?
**Réponse:** Oui, elle la savait déserte.

**Exemple:** Aurait-elle désiré que cet inconnu fût moins sympathique?
**Réponse:** Oui, elle l'aurait désiré moins sympathique.

**Exemple:** Aviez-vous cru que l'allée fût plus longue?
**Réponse:** Oui, je l'avais crue plus longue.

1 Saviez-vous que le portail était ouvert?
2 Croyait-elle que le loquet fût rouillé?
3 Vous et vos amis, croyiez-vous que la mansarde fût vide?
4 Saviez-vous que la grille était difficile à ouvrir?
5 Dirait-on que l'étage supérieur est habité?
6 Aurait-elle désiré que le pavillon fût plus grand?
7 Aurait-on dit que l'étage inférieur était inhabité?
8 Avait-elle cru que la propriété fût plus grande?

&#42; &#42; &#42;

## 5B 'Sans que', *followed by the subjunctive*

| | |
|---|---|
| Toutes les commandes du tableau de bord sont manœuvrables sans que le conducteur ait à lâcher le volant. | All the controls of the instrument panel can be operated without the driver having to let go of the steering wheel. |
| Aidons-le sans qu'il le sache. | Let us help him without his knowing. |
| Les dents lui poussèrent sans qu'il pleurât une seule fois. | His teeth came through without his crying a single time. |
| Il entra sans qu'on s'en aperçût. | He came in without anyone noticing. |

**Exemple:** Quand vous avez pénétré dans le jardin, est-ce que le propriétaire vous a vu?
**Réponse:** Non, j'y ai pénétré sans qu'il m'ait vu.

**Exemple:** Quand vous avez poussé la grille, est-ce que la sonnette a retenti?
**Réponse:** Non, je l'ai poussée sans qu'elle ait retenti.

1 Quand vous avez levé le loquet, est-ce que le chien a aboyé?
2 Quand elle a franchi le seuil, est-ce que la concierge a paru?

33

3 Quand il a cassé la vitre, est-ce que vous l'avez entendu?
4 Quand ils ont coupé le fil de fer, est-ce que le fermier les a vus?

Exemple: Quand vous leviez le loquet, est-ce que le chien aboyait?
Réponse: Je ne levais jamais le loquet sans que le chien aboyât.

Exemple: Quand vous voyiez le pavillon, est-ce que la grille vous faisait sourire?
Réponse: Je ne le voyais jamais sans qu'elle me fît sourire.

5 Quand vous poussiez le contrevent, est-ce que la barre de fer grinçait?
6 Quand vous franchissiez le portail, est-ce que la grille faisait entendre un grincement?
7 Quand vous passiez devant la villa, est-ce que le propriétaire venait vous parler?
8 Quand vous pénétriez dans l'immeuble, est-ce que la concierge paraissait sur le seuil?

★　　★　　★

## 5C Conditional sentences: the unreal past

| | |
|---|---|
| Si les contrevents avaient été fermés, Anne n'aurait pu rien voir. | If the outer shutters had been closed Anne wouldn't have been able to see anything. |
| S'il était venu, je l'aurais vu. | If he had come I would have seen him. |
| Si j'avais su, je ne me serais pas dérangé. | If I had known I wouldn't have bothered. |
| S'il avait sauvé la vie à toute la famille, on ne l'aurait pas traité autrement. | If he had saved the whole family's lives they wouldn't have treated him any differently. |

Exemple: Elle n'a pas levé le loquet. Je n'ai pas entendu le grincement.
Réponse: Évidemment. Si elle avait levé le loquet, vous auriez entendu le grincement.

Exemple: Elle n'a pas vu le fil de fer. Elle n'a pas ralenti le pas.
Réponse: Évidemment. Si elle avait vu le fil de fer, elle aurait ralenti le pas.

Exemple: Nous n'avons pas entendu siffler le train. Nous ne nous sommes pas dépêchés.
Réponse: Évidemment. Si vous aviez entendu siffler le train, vous vous seriez dépêchés.

1 Nous n'avons pas entendu la pendule. Nous n'avons pas su l'heure.
2 On n'a pas ouvert les contrevents. Elle n'a pas vu les détails de la pièce.
3 Je n'ai pas fait le tour de la villa. On ne m'a pas entendu.
4 Les contrevents n'étaient pas ouverts. Elle n'a pas dû se cacher.
5 Il n'a pas dressé de plan. Je n'ai pas pu m'orienter.
6 Je n'ai pas cru la propriété déserte. Je n'y suis pas entré.
7 Les propriétaires ne sont pas arrivés. Les domestiques n'ont pas ouvert la grille.
8 Ils n'ont pas poussé la grille. Elle ne s'est pas ouverte.

★　　★　　★

## 5D 'Oser faire quelque chose'

| | |
|---|---|
| Il faut oser regarder la vérité en face. | We must dare to look truth in the face. |
| Je n'ose plus rien dire. | I don't dare to say any more. |
| Il n'osait faire un mouvement. | He didn't dare to make a movement. |
| Elle n'ose lui en parler. | She doesn't dare to speak to him about it. |

**Exemple:** Allez-vous franchir le portail?
**Réponse:** Oh non, je n'ose le franchir.

**Exemple:** Va-t-elle ouvrir les contrevents?
**Réponse:** Oh non, elle n'ose les ouvrir.

1 Allez-vous couper le fil de fer?
2 Va-t-elle pousser la grille?
3 Vont-ils frapper sur la vitre?
4 Allez-vous monter à l'étage supérieur?

**Exemple:** Avez-vous détaché la barre de fer?
**Réponse:** Oh non, je n'aurais jamais osé la détacher.

**Exemple:** Est-il monté dans le grenier?
**Réponse:** Oh non, il n'aurait jamais osé y monter.

5 A-t-il levé le loquet?
6 Avez-vous parlé à Mme de Saint-Selve?
7 Ont-ils pénétré dans la mansarde?
8 Vous autres, avez-vous marché sur la pelouse?

★　　★　　★

## 5E *Adverbial phrase replacing a long adverb ending in '-ment'*

| | |
|---|---|
| La pluie tombait maintenant avec rage. | The rain was now falling furiously. |
| Il partit avec regret, en grommelant. | He went away regretfully, grumbling. |
| On dormait bien mal en écoutant avec anxiété la rivière en crue. | People slept uneasily, anxiously listening to the river in spate. |
| Il nous faudra agir avec prudence. | We shall have to act prudently. |
| Plus on est sujet aux coups de soleil, plus il faut s'exposer aux rayons, naturels ou artificiels, avec modération. | The more you are liable to sunstroke, the more moderately you must expose yourself to natural or artificial rays. |

**Exemple:** Elle a tourné circonspectement autour de la villa.
**Réponse:** Elle a tourné avec circonspection autour de la villa.

**Exemple:** Joyeusement, il s'est approché du pavillon.
**Réponse:** Avec joie, il s'est approché du pavillon.

1 Il a levé soigneusement la barre de fer.
2 Courageusement, elle a poussé la grille.
3 La pluie fouettait rageusement les contrevents.
4 Circonspectement, j'ai fait le tour du rez-de-chaussée.
5 Discrètement, nous avons traversé une allée sablée.
6 Mélancoliquement, il a tourné la clef dans la serrure rouillée.
7 Anxieusement, j'ai franchi le seuil.
8 En le regrettant, il a vendu la propriété.

## Verb Study

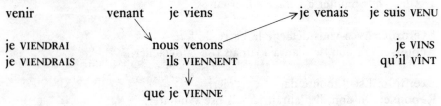

venir    venant    je viens    je venais    je suis VENU

je VIENDRAI    nous venons    je VINS
je VIENDRAIS    ils VIENNENT    qu'il VÎNT

que je VIENNE

Conjugated like venir: devenir, parvenir, revenir, se souvenir.

1 I didn't reach the edge of the field.
2 If they became tired they could rest here.
3 Do you want him to come back?
4 That can be arranged without his coming to see you.
5 She would like to come back.

6 You would come if you could.
7 We have remembered.
8 I said that I would tell him when I came back.
9 Let us remember!
10 He will have come back before your departure.
11 I wonder if she will reach the village.
12 They hadn't remembered.
13 I ought to remember.
14 If they came back we would be pleased.
15 We had had to come.
16 He will have to remember.
17 You will be able to come.
18 I don't remember.
19 Could we have reached the town before night?
20 I wasn't pleased that he had come back.

## Essay Subjects

1 Au cours d'une promenade à la campagne, au tournant d'une route, vous avez vu une pancarte: «Villa à vendre».
2 Anne épiait Mme de Saint-Selve, «sa pire ennemie». Imaginez soit ce qui s'était passé entre elles avant cette scène, soit la continuation de cette scène.
3 M. Soubize, ayant passé toute sa vie active à la ville, prend sa retraite et, avec sa femme, s'en va habiter une villa à la campagne. Décrivez leurs aventures et leurs mésaventures.

## Translation

If his dog Noiraud hadn't followed a rabbit my friend Charles would not have had this accident. Many times Charles had gone past the villa 'Samsufi', which he knew to be unoccupied, without the idea of making his way into the property ever occurring (= *venir*) to him.

But this evening, without Charles knowing why, Noiraud went through the monumental entrance gate of the detached house and disappeared. "Come back, Noiraud!" shouted Charles, but Noiraud didn't seem to hear. Regretfully, Charles decided to follow him.

He lifted the latch, pushed open the gate and began to walk prudently on the gravel path. He wouldn't have dared to walk on the grass if he hadn't heard Noiraud somewhere to the left.

As he turned in that direction under the trees, it was too dark for him to see the wire stretched across the lawn. When he fell an alarm bell sounded and the windows of the villa which opened on to the lawn lit up. There was now enough light for him to be able to read a notice: «Défense d'entrer. Villa piégée». He was so afraid that he didn't dare to move.

# 6  *Une maison dauphinoise*

Cette maison, située dans la partie haute du village, au-dessus de l'église, formait un des côtés d'une petite place triangulaire. Elle était simple, d'aspect robuste. Assez grande, elle comportait même un étage, ce qui dans nos pays est exceptionnel. Je pus la visiter, elle me plut. Bien qu'abandonnée depuis près de cinquante ans, elle devait à ses murs de forteresse d'être restée en assez bon état et il suffirait de quelques réparations pour en rendre le séjour agréable.

Le menuisier du village se chargea d'assurer l'exécution des travaux les plus urgents et de mettre «la maison du médecin» (tel était son nom, de mémoire d'homme, bien que peu d'habitants de Valfroide l'eussent connue habitée) en état de me recevoir. Tout fut prêt vers la fin de septembre. J'abandonnais, sans regret, avec la ville, mon existence passée, les habitudes et les souvenirs de toute une jeunesse. J'étais au contraire joyeux et ardent.

Je n'avais averti personne de mon arrivée. J'avais en poche les clefs de cette maison qui était désormais la mienne et j'en ouvris la porte. J'en parcourus les pièces. Toute la demeure était froide, nue, et sentait l'abandon. C'était dans sa sévérité le type même de l'habitation dauphinoise de montagne: murs épais de pierre grise, fenêtres étroites et profondes, haut toit d'ardoise à pente raide.

La porte extérieure franchie, on pénétrait dans un couloir sur lequel donnaient trois pièces. Celle de droite, de beaucoup la plus vaste, servait à la fois de salle à manger et de cuisine, sans doute pour en améliorer le chauffage. Des deux autres, situées de l'autre côté du corridor et communiquant entre elles, je comptais faire mon cabinet de consultation et le salon d'attente.

Au fond du couloir s'ouvrait un escalier tournant qui conduisait à l'étage parcouru lui aussi par un couloir desservant quatre chambres indépendantes. Un autre petit escalier enfin, menait au grenier bas. Je choisis la plus claire des chambres pour en faire la mienne. Elle était exposée au sud, ainsi d'ailleurs que la grande salle du rez-de-chaussée. La chambre voisine de la mienne deviendrait mon bureau et ma bibliothèque.

La nuit me surprit au milieu de mes préparatifs d'installation. Je me sentis assez las. Sans prendre la peine de dîner, je me jetai, dans l'ombre, sur le lit de la pièce que j'avais choisie pour chambre, et m'enroulai dans une couverture. La vieille demeure était toute pleine d'un silence épais que seul troublait parfois un craquement furtif. Dans la nuit, cependant, je la sentis vivre enfin.

Nulle rumeur ne venait du village environnant, si ce n'est, d'heure en heure, la voix lente et grave du clocher voisin, qui me faisait mieux encore sentir mon abandon. J'étais agité, partagé entre le découragement, l'espoir et l'incertitude. Je ne m'endormis que fort avant dans la nuit.

(Georges Sonnier, *Un Médecin de Montagne*, Albin Michel, 1963, pp 41 and 48–49)

---

le cabinet, *small room*
  le cabinet de travail, *study*
  le cabinet de consultation, *consulting room, surgery*
le chauffage (central), *(central) heating*
le chaume, *thatch*
la chaumière, *thatched cottage*
clair, *bright, light (of room)*
la chambre de débarras, *lumber-room*
déménager, *to move house, to remove*
la demeure, *residence, dwelling*
desservir, *to serve (a district, an area)*
emménager, *to move into a house*
en bon état, *in good condition, in good repair*
  en mauvais état, *in bad condition, in bad repair*
  mettre en état, *to put in order*
exposé (au sud), *with a (southern) aspect*

extérieur, *outer, external*
  le commerce extérieur, *foreign trade*
  à l'extérieur de la gare, *outside the station*
l'habitation (*f.*), *housing, dwelling*
  l'habitation à loyer modéré, *council flat*
s'installer, *to settle in*
intérieur, *inner, internal*
  le commerce intérieur, *home trade*
  la vie d'intérieur, *home life*
à pente douce, *gently sloping*
à pente raide, *steeply sloping*
faire des préparatifs (*m.*), *to make preparations*
la réparation, *repair*
le séjour, 1. *stay;* 2. *place of abode*
un escalier tournant, *a spiral staircase*
exécuter des travaux (*m.*), *to carry out work*

---

## Comprehension

1 Pourquoi la maison était-elle restée en assez bon état?
2 De quoi le menuisier s'est-il chargé?
3 Quels étaient les projets du médecin en ce qui concerne les deux pièces à gauche du corridor?
4 Qu'est-ce qu'il y avait au deuxième étage?
5 Quel son lui a fait sentir sa solitude au cours de la nuit?
6 Pourquoi ne s'est-il pas endormi tout de suite?

## Structural Exercises

6A '*Plaire à quelqu'un*'

| | |
|---|---|
| Ce plan d'ensemble ne plaira pas à tout le monde. | Not everybody will like this overall plan. |
| Il a visité la maison; elle lui a plu. | He visited the house; he liked it. |
| J'ai cherché à plaire aux autres. | I have tried to please other people. |

39

| S'il avait moins plu, cela leur aurait plus plu. | If it had rained less they would have liked it better. |

**Exemple:** Est-ce qu'il trouve la maison agréable?
**Réponse:** Oui, elle lui plaît.

**Exemple:** Est-ce que les enfants aiment le jardin?
**Réponse:** Oui, il leur plaît.

1 Est-ce que le médecin trouve sa nouvelle demeure agréable?
2 Est-ce que votre femme trouve agréable le chauffage central?
3 Vous et votre mari, vous aimez beaucoup cette chaumière?
4 Aimeriez-vous un toit en ardoise?

**Exemple:** Est-ce qu'ils ont aimé cette maison exposée au nord?
**Réponse:** Oh non, elle ne leur a pas plu.

**Exemple:** Est-ce que vous avez aimé cette villa que vous avez louée?
**Réponse:** Oh non, elle ne m'a pas plu.

5 Est-ce que vous avez aimé cet escalier tournant?
6 Est-ce qu'elle a aimé l'habitation à loyer modéré?
7 Est-ce qu'ils ont aimé ce séjour à la montagne?
8 Est-ce que votre frère a aimé la villa?

\*     \*     \*

## 6B 'Bien que', followed by the subjunctive

| Je le respecte, bien qu'il ne me plaise pas. | I respect him although I don't like him. |
| Je l'accepte, bien que rien ne m'y contraigne. | I accept it, although nothing compels me to. |
| Bien que nous ayons pris des billets de première, nous avons dû faire tout le trajet debout. | Although we bought first class tickets, we had to stand all the way. |
| Il s'arrêta quelques instants, bien qu'il fût en retard. | He stopped for a few moments, although he was late. |

**Exemple:** Cette maison a l'air gai. Cependant elle n'est pas habitée.
**Réponse:** C'est vrai. Elle a l'air gai, bien qu'elle ne soit pas habitée.

**Exemple:** Ce cabinet est humide. Cependant il reçoit beaucoup de soleil.
**Réponse:** C'est vrai. Il est humide, bien qu'il reçoive beaucoup de soleil.

**Exemple:** Il est allé se promener. Cependant il fait mauvais temps.
**Réponse:** C'est vrai. Il est allé se promener, bien qu'il fasse mauvais temps.

1 Cette vieille demeure lui plaît. Cependant elle est en mauvais état.
2 Le médecin s'est installé. Cependant le menuisier n'a pas fini les réparations.
3 Le cabinet de travail n'est pas clair. Cependant il donne sur le jardin.
4 La chambre de débarras est fermée à clef. Cependant il n'y a rien dedans.
5 Le loquet est rouillé. Cependant le jardinier franchit la grille tous les jours.
6 Cette pièce a l'air abandonné. Cependant elle sert de salle à manger.
7 Il ne va pas habiter cette villa. Cependant il la met en état.
8 Le public peut visiter ce château. Cependant c'est une maison particulière.

★　★　★

### 6C *Use of the adverbial pronoun 'en', replacing the possessive adjective when referring to a thing*

J'aimais cette rivière. Les bords m'en semblaient rassurants. Les eaux basses en étaient claires.

I liked this river. Its banks looked reassuring to me. Its low waters were limpid.

Il regardait un petit trou de la nappe et, de l'ongle, en tourmentait les bords.

He was looking at a small hole in the table-cloth and was fiddling at its edges with his finger-nail.

La première chambre est occupée par les parents. Les meubles en sont très simples.

The first bedroom is occupied by the parents. Its furniture is very simple.

Regardez ce portail. Les statues en sont de la meilleure époque de la sculpture française.

Look at this church door. Its statues are of the finest period of French sculpture.

—Ce sont les Alpes?

—Are those the Alps?

—Oui, vous en voyez les sommets.

—Yes, you can see their snowy peaks.

**Exemple:** Avez-vous parcouru les pièces de la maison?
**Réponse:** Si j'en ai parcouru les pièces? Bien sûr.

**Exemple:** Avez-vous levé le loquet de la grille?
**Réponse:** Si j'en ai levé le loquet? Bien sûr.

1 Avez-vous ouvert la fenêtre de la chambre de débarras?
2 Avez-vous vu le toit de cette vieille demeure?
3 Savez-vous le nom de son pavillon?
4 Savez-vous le prix de cette chaumière?

**Exemple:** Le toit de la villa est en ardoise.
**Réponse:** Oui, effectivement, le toit en est en ardoise.

**Exemple:** Le portail de cette église est remarquable.
**Réponse:** Oui, effectivement, le portail en est remarquable.

5 Le sable de l'allée est encore humide.
6 La peinture de la porte est encore fraîche.
7 Le perron de ce château est très élégant.
8 Les planchers de ce pavillon sont en mauvais état.

\* \* \*

## 6D *Past participle in absolute constructions* (*transitive verbs*)

| | |
|---|---|
| Le concert fini, je l'ai retrouvée à sa place ordinaire. | When the concert was over I found her again in her usual seat. |
| Après l'été, leurs études terminées, les jeunes seront à la recherche d'un emploi. | After the summer, when their schooling is finished, the youngsters will be looking for jobs. |
| Ses copies corrigées, elle est allée se coucher. | When she had marked her papers she went to bed. |
| Cela dit, l'autre problème est d'un intérêt beaucoup plus important. | When all is said and done, the other problem is of far greater interest. |
| La mesure présentait, tout bien pesé, plus d'avantages que d'inconvénients. | When all had been carefully weighed up, the measure offered more advantages than drawbacks. |

**Exemple:** Après avoir franchi la porte extérieure, on pénètre dans un couloir.
**Réponse:** La porte extérieure franchie, on pénètre dans un couloir.

**Exemple:** Après avoir avalé le petit déjeuner, il est sorti.
**Réponse:** Le petit déjeuner avalé, il est sorti.

**Exemple:** Après que tous les travaux ont été exécutés, nous nous sommes installés.
**Réponse:** Tous les travaux exécutés, nous nous sommes installés.

1 Après avoir gravi l'escalier tournant, nous avons pénétré dans le grenier.
2 Après avoir fait tous ses préparatifs, il s'est installé.
3 Après avoir nettoyé la chambre de débarras, elle a préparé le déjeuner.
4 Après avoir mis l'habitation en état, nous emménagerons.
5 Après avoir franchi la grille, elle a pris l'allée principale.
6 Après avoir ouvert la porte extérieure, nous nous sommes trouvés devant une porte intérieure.
7 Après avoir fait les réparations, le menuisier est parti.
8 Après que le fil de fer a été coupé, les vaches ont pénétré dans le jardin.

\* \* \*

## 6E 'Faire d'une chose une autre'

Cette ignorance du monde actuel fera de ces jeunes une proie facile pour la démagogie.

This ignorance of the present-day world will make these young people an easy prey for demagogy.

La mort prématurée de Pierre Curie fit de sa courageuse épouse la figure centrale de la radio-activité en France.

Pierre Curie's premature death made his courageous wife the chief figure in the field of radio-activity in France.

La bonne volonté a fait de cette expérience un succès.

Good will has made this experiment a success.

Est-ce que vous envisagez de faire de votre future femme une déesse, une associée ou une esclave?

Do you contemplate making your future wife a goddess, a partner, or a slave?

M. Changetout a acheté un château pour en faire un hôtel. Un journaliste est venu l'interviewer. Jouez le rôle de M. Changetout.
**Exemple:** Alors, M. Changetout, le château est devenu un hôtel?
**Réponse:** Oui, j'ai fait du château un hôtel.

**Exemple:** Et les chambres de débarras sont devenues des salles de bain?
**Réponse:** Oui, j'ai fait des chambres de débarras des salles de bain.

1 Et la pelouse est devenue un parking?
2 Et l'écurie est devenue un garage?
3 Et le large couloir est devenu le hall?
4 Et le salon est devenu une salle de télévision?
5 Et le billard est devenu une cuisine?
6 Et le cabinet de travail est devenu votre bureau?
7 Et les autres pièces sont devenues des chambres?
8 Et le pavillon dans le parc est devenu une annexe?

Mais, M. Changetout, vous avez tout chambardé!

## Verb Study

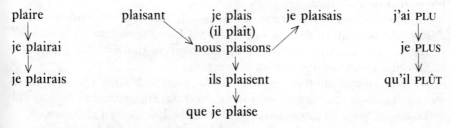

Conjugated like plaire: déplaire, se plaire.

1 That would have pleased her.
2 You were about to displease them.
3 If we liked the house we would rent it.
4 They must have enjoyed themselves there.
5 We didn't enjoy ourselves.
6 I had liked that very much.
7 Would we have enjoyed ourselves there?
8 They will displease their parents.
9 Although she likes the villa, they never make long stays there.
10 If I had displeased her, I should have been sorry.
11 I want you to enjoy yourselves here.
12 Does that displease the owner?
13 Instead of displeasing everybody you might try to please them.
14 He might like that.
15 I hope you will like them.
16 We were pleased that they like her.
17 I ought to have enjoyed myself there.
18 I don't want to displease them.
19 If he had displeased anybody he would have apologized.
20 I didn't like the flat.

## Essay Subjects

1 Imaginez la conversation entre le médecin et le menuisier du village.
2 «J'étais agité, partagé entre le découragement, l'espoir et l'incertitude.»
Le médecin rêve de son existence passée à la ville et de la vie qu'il va mener
au village.
3 La solitude est-elle agréable et profitable ou pénible et néfaste?

## Translation

The doctor was moving house and everybody was sorry that he was leaving
the town. His children's education (= *les études*) having been completed, he
was going to settle in a little mountain village, where he had seen an old
house that he had liked.

Although nobody had lived in it recently, it was in good condition. The
doctor had ascertained that its walls were thick and strong and its slate roof
intact. He had decided to make the first room on the left of the corridor
the waiting room and the second his surgery.

He was astonished that, as well as the four bedrooms upstairs, there
was a loft, which you reached by a spiral staircase. He thought that he would
make one of the bedrooms into a study and the loft into a lumber-room.

His wife was pleased that the main bedroom was with a southern aspect
but insisted that the kitchen should be modernized. She asked that the

joiner should carry out the work as soon as possible. When all the necessary preparations had been made they moved in.

"We should like you to have a drink with us," they said to their new neighbours.

# 7 *Réveil dans une chambre étrange*

Un filet de lumière l'éveilla le lendemain matin. Bien que les rideaux fussent tirés, il passait un rayon de soleil qui donnait sur le visage d'Elizabeth et la contraignit enfin à ouvrir les yeux. Pendant deux ou trois secondes elle se demanda où elle était, puis la mémoire lui revint et ses frayeurs de la nuit précédente la firent sourire.

Elle s'enveloppa d'une couverture, traversa l'espace qui la séparait de la fenêtre, tourna l'espagnolette et tira les battants qui grincèrent sur leurs gonds. Ses doigts s'attaquèrent ensuite aux contrevents qu'une barre de fer maintenait en place; elle réussit à les pousser au dehors et ne retint pas un grand cri de surprise et d'admiration devant le spectacle auquel elle ne s'était pas du tout attendue.

La maison dominait une longue vallée dont les flancs se couvraient de bois qui tournait au noir. Çà et là brillaient les tronçons d'un cours d'eau qui coulait au bas des collines. Ces différents points de vue fixèrent tour à tour les regards d'Elizabeth qui se perdirent ensuite dans le bleu transparent du ciel dont l'éclat insoutenable lui fit bientôt baisser les yeux vers l'horizon. A perte de vue elle n'apercevait que la forêt comme une grande coulée d'encre.

Elle admirait ce spectacle lorsqu'elle se sentit tout à coup épiée d'une fenêtre voisine et ramena plus étroitement sur sa gorge le bord de la couverture qui glissait sur son épaule, mais elle n'osa tourner la tête. Elle feignit d'abord de ne pas soupçonner l'attention dont elle était devenue l'objet, mais le sang qui affluait à ses joues la trahit bientôt et elle se retira toute rougissante à l'intérieur de sa chambre. La pensée qu'on pouvait voir dans sa chambre irrita la jeune fille qui regagna son lit où les regards les plus indiscrets ne pouvaient la suivre.

Tout en réfléchissant, elle promena les yeux autour d'elle et mordillait son drap d'un air absorbé. La pièce lui sembla plus petite qu'elle n'avait cru la veille. C'était presque un réduit, mais tendu de perse à fleurs et meublé avec une simplicité charmante. Une grande armoire dont les panneaux avaient l'éclat du bronze occupait l'espace libre entre la porte et la fenêtre, et deux fauteuils à siège de paille se faisaient face devant l'âtre comme pour engager une conversation. Restait une espèce de ruelle entre le vaste lit d'acajou et le mur que la jeune fille pouvait toucher en allongeant le bras; et elle le toucha en effet, parce qu'il lui semblait que la tenture flottait un peu.

A sa grande surprise, elle sentit sous ses doigts le bouton d'une porte qu'elle ouvrit aussitôt, après avoir écarté l'étoffe qui glissa sur une tringle. Elle put juger du soin qu'on avait mis à lui plaire en veillant à son confort dans la mesure où l'économie le permettait: un cabinet de toilette s'offrait à ses yeux, exigu il est vrai, et ne prenant jour que par une lucarne grillée, mais d'une propreté admirable. Sur une petite table de bois blanc, quelqu'un avait déposé le peigne, les brosses et la lime à ongles d'Elizabeth. A terre, près d'un grand broc d'émail, un honnête baquet qui ressemblait à ceux dont on se sert pour laver les chiens prenait la place d'une baignoire.

(Julien Green, Minuit, Plon, 1936, pp 139–141)

| | |
|---|---|
| l'acajou (*m.*), *mahogany* | le panneau, *panel* |
| un âtre, *hearth* | le panneau à affiches, *advertisement* |
| l'ameublement (*m.*), *furnishing* | *hoarding* |
| la baignoire, *bath* | la perse, *chintz* |
| le bouton de la porte, *door handle* | le réduit, *retreat, nook* |
| une espagnolette, *window-catch* | la ruelle, 1. *lane, alley;* 2. *space between* |
| une étoffe, *material, fabric* | *bedside and wall* |
| le gond, *hinge (of door, window)* | le siège, *seat* |
| la lucarne, *skylight, dormer window* | tendu de, *hung with, draped with* |
| meubler (de), *to furnish (a room, house)* | la tenture, *hangings, tapestry* |
| *with* | le cabinet de toilette, *dressing-room with* |
| la paille, *straw* | *wash-basin* |
| une chaise à siège de paille, *straw-* | la table de toilette, *dressing-table* |
| *bottomed chair* | la tringle, *rod* |
| | la tringle de rideau, *curtain-rod* |

## Comprehension

1 Qu'est-ce qui a fait ouvrir les yeux à Elizabeth?
2 De quoi a-t-elle souri à son réveil?
3 Qu'est-ce qu'elle a dû faire avant de pouvoir ouvrir la fenêtre?
4 Que lui restait-il à faire avant de pouvoir regarder au dehors?
5 Pourquoi la vue était-elle si étendue?
6 Qu'est-ce qui lui a fait quitter la fenêtre?
7 De quelle façon a-t-elle découvert le cabinet de toilette?
8 Quels préparatifs avait-on faits à son intention?

## Structural Exercises

7A *'Faire' + intransitive verb + direct object; 'faire' + transitive verb + indirect object*

a) Vous les faites travailler dur.   You make them work hard.
Je l'ai fait revenir ici.   I made him come back here.
Je vous prie de les faire traverser.   Will you please see them across the road?
Il la fit entrer au salon.   He showed her into the living-room.

b) Il n'y a pas moyen de lui faire dire un seul mot de français.

There is no way of making him say a single word of French.

Leurs activités professionnelles leur font rencontrer des Français.

Their professional activities bring them into contact with French people.

Le babillage de son fils lui fit oublier un moment ses préoccupations.

Her son's chattering made her forget her preoccupations for a moment.

Le guide leur a fait faire un tour sensationnel.

The guide took them on a sensational tour.

**Exemple:** Elle a souri?
**Réponse:** Oui, je l'ai fait sourire.

**Exemple:** Elle a baissé les yeux?
**Réponse:** Oui, je lui ai fait baisser les yeux.

**Exemple:** Ils ont chanté?
**Réponse:** Oui, je les ai fait chanter.

**Exemple:** Ils ont chanté des chansons françaises?
**Réponse:** Oui, je leur ai fait chanter des chansons françaises.

1 Il a ri?
2 Elle a tiré les rideaux?
3 Ils ont tourné l'espagnolette?
4 Elle a poussé les contrevents?
5 Il a rougi?
6 Elles ont tourné la tête?
7 Il est sorti?
8 Ils ont réfléchi?
9 Elle est partie?
10 Ils ont réparé le toit?

★   ★   ★

## 7B 'Ne pas' before the present infinitive

J'ai peur de ne pas comprendre.

I'm afraid of not understanding.

Elle feignit de ne pas soupçonner l'attention dont elle était devenue l'objet.

She pretended not to be aware of the attention of which she had become the object.

J'ai décidé de ne pas me présenter à cet examen.

I've decided not to go in for that examination.

Pourquoi ne pas rentrer?

Why not go home?

48

**Exemple:** Je ne tirerai pas les rideaux.
**Réponse:** Bon. Vous avez décidé de ne pas les tirer.

**Exemple:** Nous n'irons pas à la fête.
**Réponse:** Bon. Vous avez décidé de ne pas y aller.

**Exemple:** Je ne prendrai pas de dessert.
**Réponse:** Bon. Vous avez décidé de ne pas en prendre.

1 Nous ne meublerons pas cette chambre.
2 Je ne changerai pas l'ameublement de la pièce.
3 Je n'ouvrirai plus jamais la lucarne.
4 Nous ne nous lèverons pas de bonne heure demain.
5 Je ne mettrai pas la table de toilette devant la fenêtre.
6 Je ne serai pas à la maison demain.
7 Nous ne dirons rien au sujet du gond cassé.
8 Je ne ferai pas de feu dans l'âtre.

★   ★   ★

## 7C 'S'attendre à quelque chose'

| | |
|---|---|
| Il s'attend à des choses que nous ne pouvons pas lui acheter. | He expects things which we cannot buy for him. |
| Les céréaliers s'attendent à une moisson aussi belle mais un peu plus tardive que celle de l'an dernier. | Cereal growers expect a harvest as good as last year's but a little later. |
| De sa part, il faut s'attendre à tout. | From him you must expect anything. |
| Je m'y attendais. | I was expecting it. |

**Exemple:** Vous verrez bientôt vos amis?
**Réponse:** Oui, je m'attends à les voir d'un jour à l'autre.

**Exemple:** Elle recevra bientôt l'invitation?
**Réponse:** Oui, elle s'attend à la recevoir d'un jour à l'autre.

1 Il finira bientôt les réparations?
2 Vous quitterez bientôt le foyer des étudiants?
3 Elle verra bientôt ses parents?
4 Ils vendront bientôt la villa?

**Exemple:** Ce spectacle vous a surpris?
**Réponse:** Oui, je ne m'y attendais pas.

**Exemple:** Le panorama l'a surprise?
**Réponse:** Oui, elle ne s'y attendait pas.

5 La grandeur de la pièce les a surpris?
6 L'ameublement l'a surpris?
7 L'éclat du ciel vous a surpris, vous et vos amis?
8 La vue l'a surprise?

*   *   *

## 7D 'Ne' in a subordinate clause after a comparative

| | |
|---|---|
| Nous refusons plus de clients que nous n'en acceptons. | We turn away more customers than we accept. |
| Plus tôt que vous ne croyez, vous l'oublierez. | You will forget it sooner than you think. |
| C'est tellement plus compliqué que je ne l'imaginais. | It's so much more complicated than I imagined. |
| Il parle mieux qu'il n'écrit. | He speaks better than he writes. |

**Exemple:** Je n'avais pas cru la pièce si petite.
**Réponse:** Ah, la pièce était plus petite que vous n'aviez cru.

**Exemple:** Je n'aurais pas cru cette étoffe si vieille.
**Réponse:** Ah, l'étoffe était plus vieille que vous n'auriez cru.

**Exemple:** Il n'avait pas pensé le courant si fort.
**Réponse:** Ah, le courant était plus fort qu'il n'avait pensé.

1 Je n'avais pas cru la pièce si grande.
2 Je n'avais pas cru l'espagnolette si difficile à tourner.
3 Nous n'avions pas cru la baignoire si profonde.
4 Je n'avais pas pensé que la table de toilette fût si basse.
5 Il n'avait pas pensé que la tenture fût si lourde.
6 Je n'aurais pas cru le lit d'acajou si léger.
7 Nous n'aurions pas cru la chambre si claire.
8 Elle n'aurait pas cru le siège si dur.

*   *   *

## 7E 'Dont', replacing a relative pronoun introduced by 'de'

| | |
|---|---|
| Le village dont je m'approchais s'appelait Villeneuve. | The village I was approaching was called Villeneuve. |
| Il a écrit ce livre dont tout le monde raffolait l'année dernière. | He wrote that book which everybody was wild about last year. |

C'est l'ancienne écurie dont il a fait un garage.

It's the former stable which he has made into a garage.

Voilà justement ce dont je me plains.

That's exactly what I'm complaining about.

**Exemple:** On se sert de ce baquet pour laver les chiens.
**Réponse:** Ah, voilà le baquet dont on se sert pour laver les chiens.

**Exemple:** Je me suis enveloppé de cette couverture.
**Réponse:** Ah, voilà la couverture dont vous vous êtes enveloppé.

**Exemple:** Tout le monde s'apercevait de cet inconvénient.
**Réponse:** Ah, voilà l'inconvénient dont tout le monde s'apercevait.

1 Je me souviens de ce lit d'acajou.
2 Il a fait de ce réduit son cabinet de travail.
3 Le salon est tendu de ce papier.
4 J'ai besoin de cette tringle.
5 Nous ne nous étions pas aperçus de cet inconvénient.
6 J'avais besoin de ces couvertures.
7 Elle se servait de cette table de toilette.
8 Je m'étais chargé de ces travaux.

## Verb Study

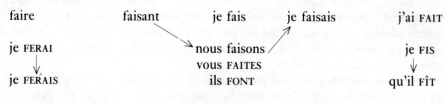

faire     faisant     je fais     je faisais     j'ai FAIT

je FERAI     nous faisons     je FIS

vous FAITES

je FERAIS     ils FONT     qu'il FÎT

que je FASSE

1 We made them leave early.
2 I wonder whether they will make him sign?
3 Although he made her smile, she didn't speak.
4 Don't they make you smile?
5 After making me wait, he came in apologizing.
6 He had had to make them go out.
7 I would have made them read the book.
8 We are surprised that you make him work so hard.
9 I ought to make him sing that song.
10 You must make him give back the money.
11 Wouldn't he make them work if he could?

12 We had made them write a letter.

13 Was I making him laugh?

14 They were about to make her open the door.

15 Won't you make them repair the hinges?

16 I could have made him come back if I had tried.

17 I don't want us to keep you waiting.

18 Make them come back!

19 We might have made her weep.

20 I don't want you to make any mistakes.

## Essay Subjects

1 Une nuit passée dans une chambre étrange.

2 Êtes-vous pour ou contre le luxe?

3 Elizabeth écrit une lettre à son amie pour lui raconter la suite de son aventure.

## Translation

Catherine finally awoke when a sunbeam, falling on her face, made her turn her head. The long journey and the fatigue of the previous day had made her sleep longer than she would have liked. For two or three minutes she remained lying looking around her, trying not to fall asleep again.

Her bedroom was much bigger than she had thought the night before and although its furnishing was not modern, its air was cheerful and welcoming. The bed and the wardrobe were mahogany and of a style she would normally have made fun of. Two straw-bottomed armchairs, on each side of the hearth, looked like two people who had decided not to face each other.

Catherine stretched out her hand to touch the chintz tapestry with which the wall beside the bed was covered, because it seemed to be moving slightly. She was not expecting to find a door handle there and this discovery made her smile.

"Our heroine spends the night in a strange house and discovers its secrets," she said to herself. A glance at her watch made her think that she ought to get up and get dressed.

# 8 *Une chambre à soi*

Ce qui me grisa lorsque je rentrai à Paris en septembre, ce fut d'abord ma liberté. J'y avais rêvé dès l'enfance, quand je jouais avec ma sœur à «la grande jeune fille». Étudiante, j'ai dit avec quelle passion je l'appelai. Soudain, je l'avais; à chacun de mes gestes, je m'émerveillais de ma légèreté. Le matin, dès que j'ouvrais les yeux, je jubilais.

Aux environs de mes douze ans, j'avais souffert de ne pas posséder à la maison un coin à moi. Lisant dans «Mon Journal» l'histoire d'une collégienne anglaise, j'avais contemplé avec nostalgie l'image en couleurs qui représentait sa chambre: un pupitre, un divan, des rayons couverts de livres; entre ces murs aux couleurs vives, elle travaillait, lisait, buvait du thé, sans témoin; comme je l'enviai! J'avais entrevu pour la première fois une existence plus favorisée que la mienne.

Voilà qu'enfin moi aussi j'étais chez moi! Ma grand-mère avait débarrassé son salon de tous ses fauteuils, guéridons, bibelots. J'avais acheté des meubles en bois blanc que ma sœur m'avait aidée à badigeonner d'un vernis marron. J'avais une table, deux chaises, un grand coffre qui me servait de fourre-tout, des rayons pour mettre mes livres, un divan assorti au papier orange dont j'avais fait tendre les murs. De mon balcon, au cinquième étage, je dominais les platanes de la rue Denfert-Rochereau.

Je me chauffais avec un poêle à pétrole et qui sentait très mauvais: il me semblait que cette odeur défendait ma solitude et je l'aimais. Quelle joie de pouvoir fermer ma porte et passer mes journées à l'abri de tous les regards! Je suis très longtemps restée indifférente au décor dans lequel je vivais; à cause, peut-être, de l'image de «Mon Journal» je préférais les chambres qui m'offraient un divan, des rayonnages; mais je m'accommodais de n'importe quel réduit: il me suffisait de pouvoir fermer la porte pour me sentir comblée.

Je payais un loyer à ma grand-mère et elle me traitait avec autant de discrétion que ses autres pensionnaires; personne ne contrôlait mes allées et mes venues. Je pouvais rentrer à l'aube ou lire au lit toute la nuit, dormir en plein midi, rester enfermée vingt-quatre heures de suite, descendre brusquement dans la rue. Je déjeunais d'un «bortsch» chez Dominique, je dînais à la Coupole d'une tasse de chocolat. J'aimais le chocolat, le «bortsch», les longues siestes et les nuits sans sommeil, mais j'aimais surtout mon caprice. Presque rien ne le contrariait. Je constatai joyeusement que le «sérieux de l'existence», dont les adultes m'avaient rebattu les oreilles, en vérité ne pesait pas lourd. Passer mes examens, ça n'avait pas été de la plaisanterie: j'avais durement peiné, je butais contre des obstacles et je me

53

fatiguais. Maintenant, nulle part je ne rencontrais de résistances, je me sentais en vacances et pour toujours.

Quelques leçons particulières, un poste à temps partiel au lycée Victor Duruy, m'assuraient mon pain quotidien; ces corvées ne m'ennuyaient même pas, car il me semblait en les exécutant me livrer à un nouveau jeu: je jouais à la grande personne. Discuter avec des directrices et des parents d'élèves, établir mon budget, emprunter, rembourser, calculer, toutes ces activités m'amusaient parce que je les accomplissais pour la première fois. Je me rappelle avec quelle gaieté je touchai mon premier chèque. J'avais l'impression de mystifier quelqu'un.

(Simone de Beauvoir, *La Force de l'Age*, Gallimard, 1960, pp 15–16)

| | |
|---|---|
| s'assortir à, *to match, harmonize with* | le guéridon, *pedestal table* |
| assorti à, *matching with* | la peinture, *paint* |
| badigeonner, *to coat thinly* | le/la pensionnaire, *boarder; guest (in hotel)* |
| le balcon, *balcony* | |
| le bibelot, *curio, knick-knack, trinket* | le placard, *wall-cupboard* |
| le coffre, *chest* | le poêle, *stove* |
| le coffre-fort, *safe* | le poêle à pétrole, *paraffin stove* |
| le décor, *decoration (of house)* | le poêle à feu continu, *slow-burning stove* |
| le dessus de lit, *bedspread* | |
| le divan, *couch* | le rayon, *shelf* |
| dominer, *to tower over something; to overlook* | le rayonnage, *set of shelves* |
| | le store, *window-blind* |
| le fauteuil, *armchair* | vernir, *to varnish* |
| le fourre-tout, *hold-all* | le vernis, *varnish* |

## Comprehension

1 A sa rentrée à Paris en septembre, qu'est-ce qui a enchanté Simone de Beauvoir?
2 Aux environs de ses douze ans, de quoi avait-elle souffert?
3 Qu'est-ce qui avait avivé cette souffrance?
4 De quoi avait-elle meublé le salon de sa grand-mère?
5 Qu'est-ce qui montre que sa grand-mère la traitait exactement comme les autres pensionnaires?
6 De quelle façon Simone gagnait-elle sa vie?
7 Qu'est-ce qui l'amusait dans sa nouvelle existence?

## Structural Exercises

### 8A *Stressing of a statement: 'Ce qui ..., c'est ...'*

| | |
|---|---|
| Ce qui est intéressant dans les sondages, ce sont les questions. | What is interesting in public opinion polls is the questions. |
| Ce qui m'avait frappé, c'était l'enseigne. | What had impressed me was the shop sign. |
| Ce qui est inquiétant, c'est qu'aucun calcul sérieux n'a été fait pour déterminer la rentabilité de l'opération. | What is disturbing is that no serious calculation has been made to ascertain the commercial viability of the operation. |
| Ce qui est amusant, c'est de regarder les vitrines. | What is amusing is to look at the shop windows. |

**Exemple:** Qu'est-ce qui a grisé Simone de Beauvoir? Sa liberté?
**Réponse:** Oui, ce qui l'a grisée, c'était sa liberté.

**Exemple:** Qu'est-ce qui s'assortissait au papier orange? Le divan?
**Réponse:** Oui, ce qui s'assortissait au papier orange, c'était le divan.

**Exemple:** Qu'est-ce qui irritait les soldats? Les corvées?
**Réponse:** Oui, ce qui irritait les soldats, c'étaient les corvées.

1 Qu'est-ce qui sentait mauvais? Le poêle à pétrole?
2 Qu'est-ce qui ne pesait pas lourd? Le sérieux de l'existence?
3 Qu'est-ce qui lui servait de fourre-tout? Un coffre?
4 Qu'est-ce qui lui a fait envier la collégienne anglaise? Une image en couleurs?
5 Qu'est-ce qui lui assurait son pain quotidien? Un poste à temps partiel?
6 Qu'est-ce qui a irrité Elizabeth? La pensée qu'on l'épiait?
7 Qu'est-ce qui a fait rire les invités? Les bibelots?
8 Qu'est-ce qui vous plaisait surtout? Le balcon?

**Exemple:** Qu'est-ce qui a étonné Simone de Beauvoir? Entrevoir une existence plus favorisée que la sienne?
**Réponse:** Oui, ce qui l'a étonnée, c'était d'entrevoir une existence plus favorisée que la sienne.

**Exemple:** Qu'est-ce qui n'était pas de la plaisanterie? Passer ses examens?
**Réponse:** Oui, ce qui n'était pas de la plaisanterie, c'était de passer ses examens.

9 Qu'est-ce qui lui faisait grand plaisir? Pouvoir fermer sa porte?
10 Qu'est-ce qui l'avait fait souffrir? Ne pas posséder un coin à elle?
11 Qu'est-ce qui l'amusait? Établir son budget?
12 Qu'est-ce qui lui plaisait beaucoup? Être traitée comme les autres pensionnaires?

★ ★ ★

## 8B *Noun replacing a clause or a phrase*

| | |
|---|---|
| Enfant, elle était restée muette sur tout ce qui la concernait. | When she was a child she had remained silent about everything which concerned her. |
| Patron, l'État a commis des erreurs comparables à celles des responsables de l'économie. | As an employer, the State has made mistakes comparable to those made by management in the economic sector. |
| Jeune homme, invité à un banquet, je me suis trompé de salle. | When I was a young man, as a guest at a banquet, I went to the wrong room. |
| Correspondant du Bulletin de la Radio-Télévision Scolaire, il transmet à la rédaction les articles qui lui parviennent. | In his capacity as correspondent for the School Broadcasting and T.V. Bulletin, he forwards to the editorial board the articles which are sent to him. |

**Exemple:** Quand j'étais étudiante, j'ai désiré la liberté.
**Réponse:** Étudiante, j'ai désiré la liberté.

**Exemple:** Puisque c'est un dialogue, l'exercice de structure demande un rythme soutenu.
**Réponse:** Dialogue, l'exercice de structure demande un rythme soutenu.

**Exemple:** Maintenant que vous êtes directrice, vous voyez les choses d'un autre œil.
**Réponse:** Directrice, vous voyez les choses d'un autre œil.

1 Parce qu'il était étudiant, il voulait des rayons pour mettre ses livres.
2 Quand elle était concierge, elle surveillait les allées et les venues de tous les locataires.
3 Quand elle était enfant, elle jouait à la grande jeune fille.
4 Puisqu'il est paysan, il se méfie des coffres-forts.
5 Puisqu'il est médecin, il a besoin d'un cabinet de consultation.
6 Quand il était adolescent, il aimait s'enfermer dans sa chambre.

7 Quand nous étions enfants, nous nous installions au balcon qui dominait les platanes.

8 Maintenant qu'elle est grand-mère, elle s'occupe de ses petits-enfants.

★   ★   ★

8C *The preposition 'à' introducing the complement of a noun: 'un poêle à pétrole', 'un poste à temps partiel'*

| | |
|---|---|
| Un avion à décollage vertical. | A vertical take-off plane. |
| Une mine à ciel ouvert. | An open-cast mine. |
| La vente à crédit. | Hire-purchase. |
| Le travail à mi-temps. | Part-time work. |
| Un enfant à problèmes. | A problem child. |
| Le train à grande vitesse. | The high-speed train. |
| Un ballon à air chaud. | A hot-air balloon. |

Express the following more concisely:
**Exemple:** Un poêle qui fonctionne au pétrole.
**Réponse:** Un poêle à pétrole.

**Exemple:** Un placard qui sert à ranger la vaisselle.
**Réponse:** Un placard à vaisselle.

**Exemple:** Une chambre qui a deux lits.
**Réponse:** Une chambre à deux lits.

1 Une armoire munie d'une glace.
2 Un fauteuil qui a le siège de paille.
3 Une porte qui a deux battants.
4 Des fenêtres munies de stores.
5 Une table qui a le dessus de formica.
6 Un placard qui sert à ranger le linge.
7 Un poêle dans lequel le feu est continu.
8 Un avion qui a les ailes variables.

★   ★   ★

8D *Noun linked to an infinitive by the preposition 'de'*

| | |
|---|---|
| Si vous avez l'occasion de voir ce film, ne la manquez pas. | If you have the opportunity of seeing this film, don't miss it. |
| Quelle surprise de vous voir! | What a surprise to see you! |
| Ayez la bonté de me faire savoir la date de votre arrivée. | Be kind enough to let me know the date of your arrival. |

Les industriels ne fabriquent pas ce qui leur plaît, mais ce que les consommateurs ont le désir et la capacité de leur acheter.

Industrialists do not manufacture what they like but what the consumers wish and are able to buy from them.

**Exemple:** En touchant son premier chèque, quelle impression Simone de Beauvoir avait-elle?
**Réponse:** Elle avait l'impression de mystifier quelqu'un.

**Exemple:** Quelle sorte de meubles a-t-elle eu envie d'acheter?
**Réponse:** Elle a eu envie d'acheter des meubles en bois blanc.

**Exemple:** Qu'est-ce qu'elle a eu besoin de faire, avant de s'en servir?
**Réponse:** Elle a eu besoin de les vernir.

1 Étudiante, quel désir avait-elle?
2 Aux environs de ses douze ans, quelle déception avait-elle éprouvée?
3 Qu'est-ce que la collégienne anglaise avait la possibilité de faire dans sa chambre?
4 Maintenant que Simone avait une chambre à elle, quelle impression avait-elle en se réveillant le matin?
5 Quelle grande joie éprouvait-elle?
6 Quelle idée originale a-t-elle eue pour utiliser le coffre?
7 Pour déjeuner, quelle possibilité y avait-il? Et pour dîner?
8 Puisqu'elle ne travaillait pas à plein temps, qu'est-ce qu'elle avait l'occasion de faire quelquefois pendant la journée?

★   ★   ★

8E  *Position of certain adverbs with the negative*

Le problème n'est toujours pas résolu.

The problem still isn't solved.

Ce n'est tout de même pas fréquent.

All the same it isn't common.

La commission ne s'est jusque-là réunie que deux fois.

The committee met only twice up to that time.

Ces corvées ne m'ennuyaient même pas.

These irksome tasks didn't even bore me.

**Exemple:** Les usines ne tournent pas. (même)
**Réponse:** Les usines ne tournent même pas.

**Exemple:** Ce tapis ne s'assortit pas aux rideaux. (tout de même)
**Réponse:** Ce tapis ne s'assortit tout de même pas aux rideaux.

**Exemple:** Vous ne pouvez pas mettre le fourre-tout dans la ruelle. (certainement)

**Réponse:** Vous ne pouvez certainement pas mettre le fourre-tout dans la ruelle.

1 Le poêle n'est pas allumé. (toujours)
2 Le dessus de lit n'était pas propre. (même)
3 Les rayons n'étaient pas fermés. (même)
4 Elle ne pouvait pas vernir les meubles. (tout de même)
5 Malgré tous nos efforts, le coffre n'a pas bougé. (même)
6 Nous n'allons pas acheter ce coffre à linge. (certainement)
7 Je ne savais pas qu'il y avait des stores. (même)
8 Il ne va pas prétendre que ce fauteuil est en acajou. (tout de même)

## Verb study

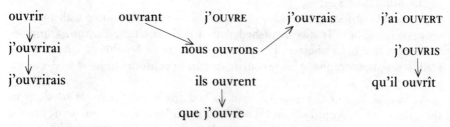

Conjugated like ouvrir: couvrir, découvrir, offrir, souffrir.

1 We didn't open the chest.
2 Have you been suffering for a long time?
3 Let me know when they have discovered the answer.
4 I would offer money if I could.
5 He wants you to open the window.
6 Will you please open the door?
7 Although he had discovered the truth, he said nothing.
8 They must be suffering.
9 He hadn't offered any money.
10 If you covered the map he wouldn't see it.
11 They were doing everything so that he should not discover the truth.
12 How long had he been suffering?
13 I am covering the hole with a stone.
14 He would have suffered if he had lived.
15 Before offering a seat he hesitated.
16 She may have suffered without saying anything.
17 They are astonished that he has discovered the truth.
18 We shall have to open the desk.

19 The table was covered with a newspaper.
20 I had just opened my eyes.

## Essay Subjects

1 Une chambre à soi.
2 Une mère écrit à sa fille/à son fils qui vient de s'installer dans un appartement, lui prodiguant des conseils.
3 Êtes-vous indifférent(e) au décor dans lequel vous vivez?

## Translation

What pleased Charles in his student life was his freedom, for he often felt the need to be alone. As a child he had regretted not having a room of his own, and when he was a boarder at the lycée he had the impression of living in the middle of a crowd.

Now, as a student, he had a room in the Cité Universitaire, although it was not luxurious. It was furnished with a table, a chair, a divan, a mirror-wardrobe and book-shelves. But what a pleasure to be able to decorate the walls with photographs of his favourite singers or reproductions of well-known paintings!

At last, if he felt the urge to read in bed the whole night or to sleep in the afternoon he could do so. What was less pleasant was queueing in the University restaurant; sometimes he hadn't even the time to finish the meal. However, there was always the possibility of lunching on ( = de) a sandwich and a can ( = une canette) of beer in a neighbouring café. Life certainly wasn't unpleasant.

# 9 *Les travaux de ménage sont à n'en plus finir!*

C'est incroyable la somme d'énergie et la dose d'obstination qu'exige la tenue d'une maison, avec les mêmes travaux à reprendre quotidiennement, comme si la vie chaque matin repartait de zéro: les lits à retaper, la poussière à chasser au moyen du balai et du chiffon, la tournée des fournisseurs, les légumes à éplucher, la cuisine et la vaisselle à refaire deux fois par jour, le linge à vérifier, les boutons à recoudre, les chaussettes à repriser, les fonds à poser aux culottes des gamins, les chandails à tricoter, les lessives et repassages, mille choses à recoller et réparer, et tout cela coupé d'enfantements, de veilles consacrées aux rougeoles et aux coqueluches, à la préparation des cataplasmes et des tisanes. Sans compter les exigences du mari, qui aime à voir sa femme bien attifée, qui exige qu'elle ne sente ni l'oignon ni l'eau de Javel, alors que, le soir venu, elle ne pense bien souvent qu'à tomber endormie comme une masse.

Allons, rendons-leur cette justice! Aux prises avec les dures, les innombrables et astreignantes besognes de la vie, les femmes ont du mérite: il n'y a qu'à voir le désarroi des intérieurs lorsqu'elles ne sont plus là. Les hommes sont vite désemparés dès que la maison perd sa calme ordonnance, dès que la bonne odeur de la cuisine prête ne frappe plus les narines vers midi et sept heures du soir, dès que le linge et les vêtements frais ne sont plus disposés d'avance sur les chaises.

C'est alors qu'on découvre avec quelle précision d'horlogerie est réglée la marche d'un intérieur, comment les mêmes mouvements, minutés par l'habitude, contribuent à la mise en place des choses, à la sécurité et au confort des êtres. Quand elle vient à manquer, on mesure l'importance du rôle obscur de la femme, on comprend ses manies d'entêtement, sa minutie agaçante, et qu'il lui faut, pour ne jamais se décourager, une obstination encore supérieure à celles de la poussière à tomber et de l'araignée à tisser sa toile.

(Gabriel Chevallier, *Clochemerle-Babylone*, Presses Universitaires de France, 1954, pp 216 and 218–219)

---

le balai, *broom*
  donner un coup de balai à une pièce, *to sweep out a room*
la besogne, *work, task, job*
  se mettre à la besogne, *to set to work*
le chiffon, *rag, duster*

la course, *errand*
  faire les courses, *to run errands, to go out shopping*
le désarroi, *disorder, confusion*
l'eau de Javel, *disinfectant*

| | |
|---|---|
| éplucher (les légumes), *to peel, to clean (the vegetables)* | *daily help*<br>la ménagère, *housewife* |
| épousseter, *to dust* | la poussière, *dust* |
| le fournisseur, *tradesman* | recoudre un bouton, *to sew a button on* |
| faire la tournée des fournisseurs, *to go round the shops* | le repassage, *ironing*<br>repasser, *to iron* |
| un intérieur, *home, house* | un fer à repasser, *a laundry iron* |
| la lessive, *(household) washing* | repriser (une chaussette), *to darn (a sock)* |
| faire la lessive, *to do the washing* | |
| le linge, *linen* | retaper les lits, *to straighten the beds* |
| le ménage, 1. *housekeeping;* 2. *household, family* | la tenue d'une maison, *the running of a house* |
| faire le ménage, *to do the housework* | la vaisselle, *plates and dishes, crockery* |
| les travaux de ménage, *household chores* | faire la vaisselle, *to do the washing-up* |
| la femme de ménage, *household help,* | vérifier, *to inspect, to check* |

## Comprehension

1 Pourquoi faut-il une grande dose d'énergie et d'obstination chez la ménagère?
2 Qu'est-ce qu'elle doit faire chaque matin?
3 A l'occasion des maladies infantiles, quels devoirs supplémentaires lui incombent?
4 Qu'est-ce que le mari exige?
5 A quelle occasion est-ce que les maris se rendent compte de l'importance du travail fourni par la femme?
6 A quoi ressemble la bonne marche d'un intérieur?
7 Qu'est-ce qui montre que ce texte a été écrit par un homme?

## Structural Exercises

9A *Active infinitive with passive sense*

| | |
|---|---|
| La maison est à vendre. | The house is to be sold. |
| Ce livre est à lire et à méditer. | This book is to be read and pondered over. |
| Ce film est à ne pas manquer. | This film is not to be missed. |
| Il est à noter que ces prix comprennent la pension complète. | It is to be noted that these prices include full board. |
| Comme s'il n'y avait pas de problème d'enfants à garder. | As if there were no problem of children to be looked after. |

**Exemple:** Faut-il retaper les lits?
**Réponse:** Mais oui, il y a les lits à retaper.

**Exemple:** Fallait-il faire la cuisine?
**Réponse:** Mais oui, il y avait la cuisine à faire.

**Exemple:** Faudra-t-il faire le ménage?
**Réponse:** Mais oui, il y aura le ménage à faire.

1 Faut-il faire la tournée des fournisseurs?
2 Faut-il éplucher les légumes?
3 Faut-il faire la lessive?
4 Fallait-il repasser les chemises?
5 Fallait-il recoudre un bouton?
6 Fallait-il repriser une chaussette?
7 Faudra-t-il faire la vaisselle?
8 Faudra-t-il vérifier le linge?

&#42;   &#42;   &#42;

9B *Inversion of verb and subject in a relative clause introduced by 'que'*

Voici l'histoire que racontent les paysans de la région.

This is the story which the local countryfolk tell.

Suivons les conseils que nous donnent nos amis.

Let us follow the advice which our friends give us.

Le film que nous a promis l'Ambassade de France sera projeté lundi prochain.

The film which the French Embassy promised us will be shown next Monday.

Il s'étonnait des échos que faisait cette musique dans la montagne.

He was astonished by the echoes which this music made in the mountain.

Ces millions de calories que crachent en pure perte les cheminées d'usines et de centrales thermiques paraissent le plus grand des gaspillages.

These millions of calories which the chimneys of works and thermal power stations belch forth as a total loss appear the greatest of wastes.

Une vallée qu'abreuvait un ruisseau limpide.

A valley which was watered by a limpid stream.

Cette vaste salle qu'éclairait un seul candélabre.

This huge room which was lit by a single candelabrum.

Combine the two sentences into one:
**Exemple:** La concierge examine le billet. Le visiteur lui remet le billet.
**Réponse:** La concierge examine le billet que lui remet le visiteur.

**Exemple:** Elle nous a montré le cadeau. Son mari lui a fait le cadeau.
**Réponse:** Elle nous a montré le cadeau que lui a fait son mari.

**Exemple:** Ce sont les légumes. La femme de ménage a épluché les légumes.
**Réponse:** Ce sont les légumes qu'a épluchés la femme de ménage.

1 Ce sont les mêmes travaux. La ménagère doit reprendre les mêmes travaux.
2 Je ne trouve pas le fer à repasser. La femme de ménage demande le fer à repasser.
3 Voilà le désarroi. Les enfants créent le désarroi.
4 C'est l'eau de Javel. Mon mari déteste l'eau de Javel.
5 Je vais vous montrer la toile. L'araignée tisse la toile.
6 C'est une grande somme d'énergie. La tenue d'une maison exige une grande somme d'énergie.
7 C'est le linge. La femme de ménage a vérifié le linge.
8 C'est le bouton. La sœur de mon ami a recousu le bouton.

★    ★    ★

## 9C *Past participle used absolutely* (*intransitive verbs*)

| | |
|---|---|
| Son amie partie, Angélique acheva son travail. | When her friend had left Angélique completed her work. |
| Le jour venu, il partit. | When daylight came he left. |
| La paix revenue, il s'inclina devant le verdict politique de ses compatriotes. | When peace returned, he bowed to the political verdict of his fellow-countrymen. |
| Pâques venues, j'étais vraiment las. | When Easter came I was really weary. |

**Exemple:** Quand le soir vient, elle ne pense qu'à tomber endormie.
**Réponse:** Le soir venu, elle ne pense qu'à tomber endormie.

**Exemple:** Quand nous serons arrivés au sommet, nous verrons la mer.
**Réponse:** Arrivés au sommet, nous verrons la mer.

**Exemple:** Quand Mlle Prudence avait disparu, il a traversé le jardin.
**Réponse:** Mlle Prudence disparue, il a traversé le jardin.

1 Quand son fils était parti, elle a épousseté les meubles.
2 Quand le jour est venu, nous nous sommes mis à la besogne.
3 Quand la femme de ménage était arrivée, la ménagère a pu sortir faire les courses.
4 Quand les enfants étaient sortis, la mère a donné un coup de balai à la pièce.
5 Quand la femme de ménage sera partie, je me mettrai à la besogne.
6 Quand le printemps sera venu, nous pourrons nous asseoir au balcon.

7 Quand la chaleur sera tombée, je me mettrai à repasser.
8 Quand la nuit sera venue, vous verrez s'allumer la lampe.

★ ★ ★

## 9D 'Penser à faire quelque chose'

| | |
|---|---|
| Le soir venu, elle ne pense qu'à tomber endormie comme une masse. | When evening comes all she thinks about is of dropping to sleep like a log. |
| Avez-vous pensé à commander un taxi pour demain? | Did you think of ordering a taxi for tomorrow? |
| Il ne pense qu'à s'amuser. | He only thinks of having a good time. |
| Pensez à fermer les fenêtres en partant. | Don't forget to close the windows when you go. |

**Exemple:** Vous n'oublierez pas qu'il y a les lits à retaper?
**Réponse:** Non, je penserai à les retaper.

**Exemple:** Vous n'oublierez pas qu'il y a un bouton à recoudre?
**Réponse:** Non, je penserai à le recoudre.

**Exemple:** Vous autres, vous n'oublierez pas qu'il y a les chemises à repasser?
**Réponse:** Non, nous penserons à les repasser.

1 Elle n'oubliera pas qu'il y a les légumes à éplucher?
2 Vous n'oublierez pas qu'il y a la machine à laver à réparer?
3 Vous autres, vous n'oublierez pas qu'il y a le linge à repasser?
4 Elles n'oublieront pas qu'il y a les meubles à épousseter?
5 Vous n'oublierez pas qu'il y a les chaussettes à repriser?
6 Elle n'oubliera pas qu'il y a la vaisselle à faire?
7 Vous n'oublierez pas qu'il y a le linge à vérifier?
8 Il n'oubliera pas qu'il y a le réfrigérateur à installer?

★ ★ ★

## 9E Pronominal verbs with passive meaning

| | |
|---|---|
| Le Tour de France se court tous les ans. | The Tour de France takes place every year. |
| Ces robes pourraient se porter aujourd'hui. | These dresses could be worn today. |

Le café au lait se sert généralement dans une grande tasse ou dans un bol.

Café au lait is generally served in a big cup or in a bowl.

Les vacances devraient s'étaler.

Holidays ought to be staggered.

Des groupes d'enfants se voient sur les plages.

Groups of children are seen on the beaches.

**Exemple:** La ménagère ne doit jamais être découragée.
**Réponse:** La ménagère ne doit jamais se décourager.

**Exemple:** On joue «La Marseillaise» dans les cérémonies officielles.
**Réponse:** «La Marseillaise» se joue dans les cérémonies officielles.

**Exemple:** On va faire l'autoroute là où était prévu un espace vert.
**Réponse:** L'autoroute va se faire là où était prévu un espace vert.

1 On vend partout cette sorte de balai.
2 On fait le repassage au moyen d'un fer à repasser.
3 On emploie les appareils électriques de plus en plus.
4 Mais le balai et le chiffon sont toujours employés.
5 Très souvent, on lave les marches de l'escalier à l'eau de Javel.
6 En France, on fait les courses de bon matin.
7 On mange facilement la cuisine de Mme Poiret.
8 On sert ce vin légèrement rafraîchi.

## Verb Study

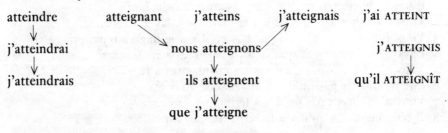

atteindre — atteignant — j'atteins — j'atteignais — j'ai ATTEINT
j'atteindrai — nous atteignons — j'ATTEIGNIS
j'atteindrais — ils atteignent — qu'il ATTEIGNÎT
que j'atteigne

Conjugated like atteindre: éteindre, peindre.

1 She didn't reach the town.
2 We have been painting for hours.
3 Let me know when you paint your house.
4 They would paint if they could.
5 I don't want you to put out the light.
6 Will you please put out the light?
7 I am surprised that he reached the river.

8 I hadn't been painting.

9 It is absolutely necessary that I should reach the village.

10 If we painted the chairs blue (= *en bleu*) would she be pleased?

11 We want him to paint the door yellow.

12 How long had you been painting?

13 They are attaining their goal (= *le but*).

14 I would have painted if I had been able.

15 Before putting out the light he drew the curtains.

16 She may have painted this picture.

17 Whether he attains his goal or not, it doesn't matter.

18 We will have to paint the windows green.

19 They used to reach the frontier at nightfall.

20 She had just reached the age of twenty.

## Essay Subjects

1 Estimez-vous normal et sain que l'homme gagne la vie du ménage et que la femme reste au foyer pour tenir la maison et s'occuper des enfants?

2 Racontez la journée d'un mari aux prises avec les travaux de ménage pendant la maladie de sa femme.

## Translation

It is incredible the amount of work a housewife like Mme Delain does each day! Today, for example, she first had to think of putting out clean clothes for the children and then there was breakfast to be prepared. In the Delain household café au lait is served in bowls, and the bread, croissants and jam are eaten without plates so fortunately there wasn't much washing-up to be done.

M. Delain having left for the office, there were the beds to be made and the children to be taken to school. That is why, at this hour in the morning, many cars driven by women can be seen on the roads. On the way home there was shopping to be done and an iron to be collected (= *prendre*) at the electrician's.

After cleaning the bedrooms and the living-room, Mme Delain had to think about preparing lunch—preferably dishes which her children and her husband would like. When lunch-time came she was already feeling tired.

She has calculated that she works at least sixty hours a week, so now you will understand that what irritates her above all is to see written on her passport: "Without occupation". "Housework makes a woman a slave," she says.

# 10 *Le petit déjeuner*

La salle à manger était grande et la pièce la plus ensoleillée de la maison; une seule fenêtre au nord, trois au sud et la porte-fenêtre. Dans la longueur, une table de chêne ciré. Contre les murs et sous les fenêtres, des fauteuils vert fané, des canapés bouton d'or. Mme Durande vérifia sans y penser que les plis de velours des rideaux — bouton d'or aussi, les rideaux — tombaient avec la raideur voulue au bord des fenêtres voilées de filet. Après quoi, elle sortit d'une desserte une nappe blanche brodée d'oiseaux trop bleus et l'étala à un bout de la table, lissant soigneusement les plis que la nuit y avait creusés. Elle posa dessus un déjeuner de porcelaine blanche à fleurs dorées, trois ou quatre soucoupes de tailles différentes, une coupe à fruits où elle entassa des biscottes, des cuillers d'argent, un beurrier de cristal, un confiturier plein de confiture d'oranges, une petite serviette ajourée et empesée, avec une broderie en forme de cœur autour d'initiales tellement enchevêtrées que c'était seulement après une minutieuse observation qu'on se disait qu'il s'agissait peut-être d'un A et d'un D. [...] Elle traîna ensuite en face de la tasse un des fauteuils verts, celui qui avait un dossier droit, y fourra deux coussins ramassés sur un autre fauteuil, les tapota, vérifia longuement qu'elle n'avait rien oublié, rentra dans la cuisine, fit réchauffer le lait et le café qui [...] s'étaient refroidis pendant ces préparatifs, versa le café dans une cafetière blanche qui ne servait que pour elle [...] et le lait dans un pot délicat et ouvragé, installa la cafetière et le pot bleu et rose sur un plateau d'opaline bleue, rentra précautionneusement dans la salle à manger en portant son plateau et s'assit enfin devant sa tasse en se disant: Vivre est pénible, à la fin. [...] Elle beurra ses biscottes avec le couteau à lame de vermeil et manche d'ivoire qui avait appartenu à sa mère, leva le petit doigt pour porter sa tasse à sa bouche, but, la reposa sans la cogner sur la soucoupe. Elle tamponnait parfois ses lèvres avec le petit carré de toile et le reposait soigneusement à côté de la soucoupe qu'elle veillait à garder immaculée [...]

Elle se raidit, mais ne se retourna pas lorsque M. Durande entra dans la salle à manger à son tour, [...] et s'enfonça dans la cuisine. Il préparait son café dans une petite cafetière de terre brune. Il employait du café tout moulu, le moulin antique et le moulin électrique lui déplaisaient également. Chaque matin c'était la même chose pour lui aussi: il faisait bouillir l'eau dans une casserole de porcelaine [...] et versait lentement l'eau sur le café, par petits coups. [...] Il retournait a la salle à manger avec un bol de faïence blanche où le café fumait. Il posait d'abord ce bol sur un guéridon à dessus de marbre blanchâtre, cherchait un journal quelque part, étalait ce journal sur la table, à l'autre bout, en face de sa femme, volait le bol au guéridon, le donnait au journal, repartait dans la cuisine, en revenait avec un tabouret en sapin, installait le tabouret exactement en face du bol, vérifiait que le bol était à égale distance des deux côtés de la table et le déplaçait vers la droite ou vers la gauche si cela n'était pas, et le tabouret ensuite aussi, s'asseyait sur le tabouret, tirait un livre de sa poche, commençait à lire, buvait de temps en temps une gorgée de café, lisait encore un peu, regardait par la fenêtre, avalait une autre gorgée, parfois pensait à quelque chose d'inhabituel et restait la bouche ouverte, immobile, emporté ailleurs. Il revenait avec un sourire à son livre, à son bol, parfois même avec un rire qui sonnait clair.

(Léna Leclercq, *Il faut détruire Carthage*, Stock, 1961, pp 13–17)

| | |
|---|---|
| avaler, *to swallow* | la gorgée, *mouthful, gulp* |
| beurrer, *to butter* | boire à petites gorgées, *to sip* |
| le beurrier, *butter-dish* | moudre, *to grind* |
| la biscotte, *French toast* | du café moulu, *ground coffee* |
| le bol, *bowl, basin* | le moulin à café, *coffee-grinder* |
| faire bouillir (l'eau), *to boil (the water)* | le plateau, *tray* |
| la cafetière, *coffee-pot* | le pot à lait, *milk-jug* |
| la confiture d'oranges, *orange marma-lade* | la porcelaine, *porcelain, china* |
| le confiturier, *jam-dish* | réchauffer, *to reheat, warm up* |
| la coupe, *goblet, cup* | se réchauffer, *to warm oneself, to get warm* |
| la coupe à fruits, *fruit-bowl* | refroidir, *to cool* |
| le déjeuner, *large breakfast cup and saucer* | se refroidir, *to get cool* |
| étaler, *to spread out* | le sucrier, *sugar-basin* |
| la faïence, *earthenware* | le tabouret, *stool* |
| | la théière, *teapot* |

*ajouré – pierced     empesé – starched     traîner – pull*

## Comprehension

1 Pourquoi la salle à manger était-elle la pièce la plus ensoleillée de la maison?

2 Dès son entrée dans la salle à manger, qu'est-ce que Mme Durande a vérifié automatiquement?

3 Qu'est-ce qui fait penser que les Durande étaient sinon riches, du moins à l'aise?

4 Pourquoi Mme Durande est-elle rentrée dans la cuisine?

5 Qu'est-ce qui montre qu'elle tenait beaucoup aux «bonnes manières»?

6 Pourquoi M. Durande employait-il du café tout moulu?

7 Qu'est-ce qu'il y avait d'agaçant dans son comportement?

## Structural Exercises

### 10A Compound adjectives of colour are invariable

| | |
|---|---|
| Une veste gris foncé. | A dark grey jacket. |
| Des liquides rouge sombre. | Dark red liquids. |
| Une chemise bleu clair. | A light blue shirt. |
| Une robe vert bouteille. | A bottle-green dress. |
| Des chaussures bleu marine. | Navy-blue shoes. |
| La brume blanc-bleu, blanc-gris dissimulait la mer. | The bluey-white, grey-white mist hid the sea. |

**Exemple:** Vous aimez la robe vert clair?
**Réponse:** Non, je préfère la robe vert foncé.

**Exemple:** Vous aimez la jupe brun foncé?
**Réponse:** Non, je préfère la jupe brun clair.

**Exemple:** Vous aimez la chemise gris foncé?
**Réponse:** Non, je préfère la chemise gris clair.

1 Vous aimez la tasse vert foncé?
2 Vous aimez les soucoupes brun clair?
3 Vous aimez la robe gris clair?
4 Vous aimez la théière brun foncé?
5 Vous aimez la nappe vert clair?
6 Vous aimez les serviettes bleu foncé?
7 Vous aimez la cafetière rouge clair?
8 Vous aimez les casseroles gris foncé?

★ ★ ★

### 10B 'Dans' = 'out of': 'prendre ... dans le buffet manger ... dans une assiette/boire ... dans une tasse'; 'sur' = 'from', 'off': 'ramasser ... sur un fauteuil'

| | |
|---|---|
| Tu as pris les valises dans le coffre de la voiture? | Have you taken the suitcases out of the boot of the car? |
| Nous mangions toujours dans des assiettes de faïence. | We always ate off earthenware plates. |
| Prenez le journal sur la table! | Take the newspaper off the table! |
| J'ai ramassé des coussins sur un autre fauteuil. | I picked up some cushions from another armchair. |

70

**Exemple:** Elle a pris une nappe qui était dans le buffet.
**Réponse:** Elle a pris une nappe dans le buffet.

**Exemple:** Elle a ramassé deux coussins qui étaient sur un fauteuil.
**Réponse:** Elle a ramassé deux coussins sur un fauteuil.

**Exemple:** Le chien mangeait son pâté qui était dans une soucoupe.
**Réponse:** Le chien mangeait son pâté dans une soucoupe.

1 J'ai pris le beurrier qui était sur la table.
2 Elle a pris un confiturier qui était dans un placard.
3 Il buvait du café qui était dans un bol de faïence.
4 Nous avons pris une nappe qui était dans un tiroir.
5 Elle a ramassé la cafetière qui était sur le fourneau.
6 Ils ont pris une théière qui était dans le buffet.
7 J'ai ramassé des pêches qui étaient sur une coupe à fruits.
8 Elle buvait du thé qui était dans une tasse de porcelaine.

★    ★    ★

## 10C *Infinitive as subject of the sentence*

| | |
|---|---|
| Rédiger leur est tout à fait insupportable. | Writing an essay is quite unbearable for them. |
| Boire ne prouve pas que vous êtes un homme. | Drinking doesn't prove that you are a man. |
| Voir, c'est croire. | Seeing is believing. |
| Penser, c'est opérer. | Thinking is manipulating. |
| Plaisanter, ce n'est pas répondre. | Joking isn't answering. |

**Exemple:** Il est pénible de vivre.
**Réponse:** Oui, vivre est pénible.

**Exemple:** Il est honteux de mentir.
**Réponse:** Oui, mentir est honteux.

**Exemple:** La grande idée des enfants est de toucher.
**Réponse:** Oui, toucher est la grande idée des enfants.

1 Il est agréable de moudre du café.
2 Il n'est pas difficile de beurrer des biscottes.
3 Il est simple comme bonjour de faire bouillir du lait.
4 Il est mauvais pour la digestion de manger trop vite.
5 Il est stupide de laisser refroidir la soupe.
6 Il sera fatigant de faire tous ces préparatifs.

7 Le passe-temps préféré de ma tante était de faire de la confiture d'oranges.

8 Le passe-temps préféré de mon oncle était de se réchauffer au soleil, en buvant une gorgée de vin blanc.

★　　★　　★

10D '*Enlever/prendre/arracher/acheter/emprunter/voler/cacher quelque chose à quelqu'un*'

| | |
|---|---|
| C'est une mitrailleuse prise aux rebelles. | It's a machine-gun captured from the rebels. |
| Le voleur lui arracha les billets de banque. | The thief snatched the banknotes from him. |
| Se trouver obligé d'emprunter une voiture à la famille, à mon âge, c'est honteux. | To be obliged to borrow a car from the family, at my age, is humiliating. |
| Nous avons acheté la revue au libraire. | We bought the magazine from the bookseller. |
| Cachons-leur notre inquiétude. | Let us hide our anxiety from them. |
| Il enleva le bol au guéridon. | He removed the bowl from the pedestal table. |
| Un pickpocket lui a volé son porte-feuille. | A pickpocket stole his wallet from him. |

**Exemple:** Avez-vous enlevé le sucrier à l'enfant?
**Réponse:** Oui, je le lui ai enlevé.

**Exemple:** Est-ce qu'on a volé l'argenterie à M. et Mme Durande?
**Réponse:** Oui, on la leur a volée.

**Exemple:** Ils vous ont emprunté le prix du voyage?
**Réponse:** Oui, ils me l'ont emprunté.

1 Avez-vous acheté ces biscottes à l'épicier?
2 Vous a-t-il pris le plateau?
3 Ont-ils emprunté cette théière à la dame anglaise?
4 A-t-il arraché le bol au bébé?
5 Vous avez enlevé les couteaux aux enfants?
6 Vous avez pris la confiture d'oranges aux enfants?
7 Allez-vous m'enlever la cafetière?
8 Pouvons-nous cacher les cadeaux aux enfants?

★　　★　　★

## 10E  *'De' as a supporting particle after indefinites: 'quelque chose', 'rien', 'quelqu'un', 'personne'*

| | |
|---|---|
| Je croyais qu'il était nécessaire de faire quelque chose de nouveau. | I believed that it was necessary to do something new. |
| Y a-t-il quelqu'un de blessé? | Is there someone injured? |
| N'y a-t-il personne d'autre ici? | Is there no-one else here? |
| Il n'y a rien de plus ridicule. | There is nothing more ridiculous. |

**Exemple:** Il a cherché une revue intéressante.
**Réponse:** Et il a trouvé quelque chose d'intéressant?

**Exemple:** J'ai cherché une bonne confiture d'oranges.
**Réponse:** Et vous avez trouvé quelque chose de bon?

**Exemple:** Nous avons cherché de belles serviettes.
**Réponse:** Et vous avez trouvé quelque chose de beau?

1 Elle a cherché un buffet moderne.
2 J'ai cherché une belle coupe à fruits.
3 Nous avons cherché une grande cafetière.
4 Ils ont cherché une revue amusante.

**Exemple:** J'ai cherché partout une cafetière brune.
**Réponse:** Et vous n'avez rien trouvé de brun?

**Exemple:** Elle a cherché partout une pension convenable.
**Réponse:** Et elle n'a rien trouvé de convenable?

5 J'ai cherché partout de la vaisselle propre.
6 Elles ont cherché partout un moulin à café antique.
7 Nous avons cherché partout de la faïence blanche.
8 Il a cherché partout une théière semblable.

**Exemple:** Y a-t-il quelqu'un de malade?
**Réponse:** Non, il n'y a personne de malade.

9 Y a-t-il quelqu'un de blessé?
10 Tous les touristes sont montés dans le car. Y a-t-il quelqu'un d'autre?
11 Y a-t-il quelqu'un de sérieux que vous pouvez me recommander?
12 Vous y avez vu Maurice. Y avait-il quelqu'un d'autre?

## Verb Study

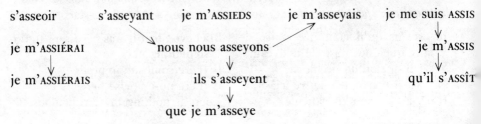

s'asseoir    s'asseyant    je m'ASSIEDS    je m'asseyais    je me suis ASSIS

je m'ASSIÉRAI    nous nous asseyons    je m'ASSIS

je m'ASSIÉRAIS    ils s'asseyent    qu'il s'ASSÎT

que je m'asseye

1 I would have sat down if I had been able to.
2 You were about to sit down.
3 He said that he would bring her some tea when she had sat down.
4 They must have sat down here.
5 We didn't sit down.
6 Will you sit down?
7 He didn't invite me to sit down.
8 They would have liked to sit down.
9 He used to demand that everybody sat down.
10 If I had sat down I wouldn't have got up again.
11 Do we have to sit down?
12 Does she usually sit in this armchair?
13 Instead of sitting down I remained standing.
14 Let us sit down!
15 We won't sit down; we can't stay.
16 Although he had sat down, he soon got up again.
17 I ought to have sat down.
18 We will want to sit down.
19 Do you want me to sit here?
20 They used to sit down here.

## Essay Subjects

1 D'après le texte, décrivez la personnalité de Mme Durande et celle de
M. Durande. Pourquoi Mme Durande a-t-elle pu dire: «Vivre est pénible»?
2 Le petit déjeuner en France et en Angleterre. Comment expliquez-vous
les différences entre les deux repas?

## Translation

Mme Lambert, carrying a tray, came into the dining-room with its dark
blue armchairs and light yellow curtains, embroidered with blue flowers.
After putting down the tray she took a table-cloth, also light yellow, out of
the sideboard and spread it on the polished table.

On it she put white china cups, saucers and plates which she had taken off the tray, together with silver cutlery and a fruit-bowl which she had filled with croissants and French toasts. "Running a house is re-starting from zero every day," she thought, checking that there was butter in the butter-dish and orange marmalade in the jam-dish.

M. Lambert, who had gone out to buy his newspaper from the newspaper stall (= *le kiosque*) at the corner of the street, now came in. "Is there anything interesting in the newspaper?" asked his wife. "And if you dare to say that there's nothing new, as usual, I shall begin to think that reading the newspaper is a waste of time."

"Well, today I'm glad that you asked that question. There is something unusual. Thieves have stolen six million francs from a bank, but they took no hostages (= *otages*) and there was nobody killed or injured."

## 11 *Un repas copieux*

Il faisait chaud. La porte du salon-salle à manger était ouverte à deux battants. C'était là qu'on avait dressé le couvert, car il ne pouvait être question de servir un grand déjeuner dans la cuisine. La table, très longue, touchait presque la cheminée d'un côté et le piano droit de l'autre. Grand-père se glissa laborieusement à sa place, le dos coupé en deux par le couvercle du clavier, le ventre appuyé à la nappe. Élisabeth et Geneviève s'installèrent à l'extrémité opposée, sur des chaises rehaussées par des coussins. Les autres convives s'assirent plus commodément. Muette d'admiration, Élisabeth contemplait la table, dont la décoration dépassait tout ce qu'elle avait vu jusqu'à ce jour. Devant chaque assiette, dorée sur les bords, s'alignaient trois verres de tailles décroissantes. L'argenterie brillait au soleil. Les serviettes étaient pliées en petits bateaux. Grand-père secoua la sienne et la noua autour de son cou.

— Vraiment, papa, dit tante Thérèse, pour une fois tu pourrais mettre ta serviette autrement!

— Non, dit grand-père. Je sais que ça ne se fait pas, mais c'est tellement plus pratique.

Pour commencer, il y eut du foie gras et de la salade. L'oncle Julien s'apprêtait à servir le vin blanc, mais grand-père l'en empêcha.

— C'est mon affaire! Vous n'avez aucune idée de la façon dont il faut traiter une grande bouteille!

Il eut de la peine à sortir de son réduit. Le piano, malmené, résonna sourdement sous son couvercle. Au centre de la table se dressait une bouteille poudreuse. Le vieillard la prit dans ses mains avec des précautions d'oiseleur, la déboucha, la huma, en versa quelques gouttes dans un gobelet, porta le breuvage à ses lèvres, le ballotta d'une joue à l'autre, clapa de la langue et dit:

— Voici un petit montbazillac 1920 dont vous me direz des nouvelles.

— Eh bien! Sers-le vite! dit grand-mère. Nous avons soif!

Mais grand-père ne voulait pas se presser. Passant derrière les chaises, il remplissait les verres, avec la lenteur et la gravité d'un prêtre officiant. Sa main tremblait un peu. Quand arriva le tour d'Élisabeth, Amélie s'écria:

— Une larme à peine! Elle ne supporte pas le vin!

Malgré cette prescription, elle en reçut la valeur de trois doigts. On but. On s'extasia. Élisabeth, qui aimait le vin doux, se retenait pour ne pas avaler son verre d'un trait.

Tout à coup, un grand mouvement se fit autour de la table. Grand-mère disparut dans la cuisine. Tante Thérèse et Geneviève se levèrent pour changer les assiettes. Grand-père s'absenta quelques minutes et revint, portant deux autres bouteilles, aussi poudreuses que la première.

—Mon petit chambertin personnel, dit-il, en clignant de l'œil.

Les verres s'emplirent d'un liquide rouge sombre, où le soleil allumait des éclats de rubis. Un énorme gigot entra sur les bras de grand-mère. Cette pièce de choix arracha un soupir d'admiration aux convives. Le plat fut posé sur la table et son arôme se répandit. Armé d'un long couteau, grand-père attaqua la viande, d'un geste précis et caressant. Les tranches roses, juteuses, se couchaient mollement l'une sur l'autre.

Avec le gigot, il y avait des haricots verts. Tout le monde se régala. Mais ensuite, seuls les messieurs touchèrent aux fromages. Le dessert fut un opulent soufflé au chocolat, qui s'affaissa en arrivant sur la table.

—Quelle folie! Je n'en peux plus! soupirait Amélie.

Cependant, grand-père s'était extirpé de sa prison pour servir du barsac à ceux qui avaient encor la tête assez solide pour boire. La chaleur était devenue suffocante. Les hommes avaient les joues rouges. Le nez des dames était blanc et luisant. A demi-étouffée par l'abondance des nourritures, Élisabeth ne s'en jeta pas moins avec convoitise sur le soufflé.

(Henri Troyat, *La Grive*, Plon, 1956, pp 294–297)

| | |
|---|---|
| l'argenterie (*f.*), *silverware* | les haricots verts, *French beans* |
| le bouchon, *cork (of bottle)* | humer, *to breathe in, to inhale* |
| le convive, *guest (at table)* | le jus, 1. *juice*; 2. *gravy* |
| un repas copieux, *a hearty meal* | juteux, *juicy* |
| le couvert, *cover, place (at table)* | la nourriture, *food* |
|   mettre/dresser le couvert, *to set the table* | la pièce de viande, *joint of meat* |
| le plat, *dish (container or contents)* | |
| déboucher une bouteille, *to uncork a bottle* | se régaler, *to feast; to do oneself well* |
| la salade, *(green) salad* | |
| découper, *to carve* | le soufflé au chocolat, *chocolate soufflé* |
| le dessert, *dessert, sweet* | supporter (le vin), *to tolerate (wine)* |
| le foie gras, *goose liver* | d'un trait, *at one gulp* |
| garni de (légumes), *served with (vegetables)* | la tranche, *slice* |
| trancher, *to slice* | |
| le gigot, *leg of mutton* | |

## Comprehension

1 Où a-t-on dressé le couvert?
2 Pourquoi grand-père a-t-il eu de la peine à se glisser à sa place?
3 Qu'est-ce qui attirait les regards admiratifs d'Élisabeth?
4 Qu'est-ce que tante Thérèse a reproché à grand-père?
5 De quoi se composait le menu?
6 Quels rites grand-père a-t-il accomplis avant de servir le montbazillac?

7 Quelle a été la réaction des convives à l'arrivée du gigot?

8 Quel plat a plu surtout à Élisabeth?

## Structural Exercises

11A *More pronominal verbs with passive meaning*

| | |
|---|---|
| Les négociations avec la direction se poursuivent. | The negotiations with the management are being continued. |
| J'ai toujours appris que ça ne se faisait pas d'écrire des lettres sur des papiers à carreaux. | I was always taught that it was not done to write letters on squared paper. |
| Ce sont aujourd'hui les petites voitures qui se vendent. | Today it is small cars which are being sold. |
| Ce livre se lit facilement. | This book is easily read. |
| On devinait que pour eux, et depuis des générations, la vie ne devait pas se prendre à la légère. | You could guess that for them, and for generations, life must not have been taken lightly. |

**Exemple:** On ne fait pas ça.
**Réponse:** Non, ça ne se fait pas.

**Exemple:** On a rempli les verres de nouveau?
**Réponse:** Oui, les verres se sont remplis de nouveau.

**Exemple:** On a fait entendre un grand bruit?
**Réponse:** Oui, un grand bruit s'est fait entendre.

1 On mange facilement ce plat?
2 On boit ce vin légèrement refroidi?
3 On sert le gigot garni de haricots verts?
4 On n'avale pas ce vin d'un trait.
5 On a débouché les bouteilles?
6 On a fait un grand mouvement autour de la table?
7 A l'arrivée du soufflé au chocolat, on a fait entendre un soupir d'admiration?
8 On a vite vidé les assiettes et on les a remplies aussitôt?

\* \* \*

11B *'Empêcher quelqu'un de faire quelque chose'*

| | |
|---|---|
| Son salaire l'a juste empêché de crever de faim. | His salary just prevented him from dying of hunger. |
| Il fait des bêtises exprès, pour empêcher les autres de travailler. | He does stupid things on purpose, to prevent the others from working. |

78

Aucune force au monde ne l'empê-
cherait de faire ce qu'elle avait une
fois résolu.

No force on earth would prevent her
from doing what she had once
decided upon.

Je ne peux pas les empêcher de se
quereller.

I can't prevent them quarrelling.

Je ne peux pas les en empêcher.

I can't prevent them.

**Exemple:** Grand-père n'a pas voulu que l'oncle Julien serve le vin blanc.
**Réponse:** Ah, il l'a donc empêché de le servir.

**Exemple:** Je n'ai pas voulu que les enfants reprennent du soufflé.
**Réponse:** Ah, vous les avez donc empêchés d'en reprendre.

1 Grand-mère n'a pas voulu qu'Élisabeth boive son vin d'un trait.
2 Nous n'avons pas voulu que les enfants renversent leur jus de fruit.
3 Elle n'a pas voulu que je dresse le couvert.
4 Ils n'ont pas voulu que nous mangions trop de foie gras.

**Exemple:** Je ne sais pas ce qui m'empêche de me jeter sur la nourriture.
**Réponse:** Non, effectivement, qu'est-ce qui vous en empêche?

**Exemple:** Je ne sais pas ce qui m'a empêché d'éclater.
**Réponse:** Non, effectivement, qu'est-ce qui vous en a empêché?

5 Je ne sais pas ce qui vous empêche de dresser le couvert.
6 Je ne sais pas ce qui nous empêche de nous servir de l'argenterie.
7 Je ne sais pas ce qui a empêché la bonne de préparer un dessert.
8 Je ne sais pas ce qui a empêché les enfants de se régaler.

★   ★   ★

11C  *'La façon dont . . ./la manière dont . . ./l'air dont . . ./le gest dont . . .'*

Je n'aime pas la manière dont il parle
de ses parents.

I don't like the way he speaks of his
parents.

Vous n'avez aucune idée de la façon
dont il faut traiter les gens.

You have no idea of the way in which
people must be treated.

Je suis profondément scandalisé de
voir la manière dont la France
gaspille sa matière grise scientifique.

I am deeply shocked to see the way
France squanders its scientific
brain power.

Vous avez vu le drôle d'air dont il
nous a accueillis?

Did you see the funny look with
which he welcomed us?

Exemple: Il faut déboucher la bouteille de cette façon!
Réponse: Oui, bien sûr, c'est la façon dont il faut la déboucher.

Exemple: Il ne faut pas traiter un convive de cette façon!
Réponse: Non, bien sûr, ce n'est pas la façon dont il faut le traiter.

Exemple: Il ne faut pas parler de ses parents de cette manière.
Réponse: Non, bien sûr, ce n'est pas la manière dont il faut parler d'eux.

1 Il faut dresser le couvert de cette façon.
2 Il ne faut pas servir la salade niçoise de cette façon.
3 Il faut humer le vin de cette manière.
4 Il ne faut pas nouer la serviette de cette manière.
5 Il faut préparer le plat de cette façon.
6 Il faut découper la viande de cette manière.
7 Il ne faut pas regarder la nourriture de cet air affamé.
8 Il ne faut pas accueillir les convives de ce geste protecteur.

★   ★   ★

11D *'Avoir de la peine à faire quelque chose'*

| | |
|---|---|
| J'ai eu toutes les peines du monde à le trouver. | I had the utmost difficulty in finding him. |
| Il eut de la peine à sortir de sa cachette. | He had difficulty in getting out of his hiding-place. |
| Elle avait de la peine à respirer. | She was having difficulty in breathing. |
| Nous n'avons pas de peine à le croire. | We have no difficulty in believing it. |

Exemple: Il est sorti sans peine de son réduit?
Réponse: Au contraire, il a eu de la peine à en sortir.

Exemple: Vous avez mangé facilement le dessert?
Réponse: Au contraire, j'ai eu de la peine à le manger.

1 Vous avez supporté facilement ce repas copieux?
2 Vous avez découpé sans difficulté cette pièce de viande?
3 Elle a fait cuire le gigot sans difficulté?
4 Grand-père a débouché la bouteille sans peine?

Exemple: Il vous a été difficile de le convaincre?
Réponse: Au contraire, je n'ai pas eu de peine à le convaincre.

**Exemple:** Elle a trouvé difficile de faire cuire cette pièce de viande?
**Réponse:** Au contraire, elle n'a pas eu de peine à la faire cuire.

5 Il vous a été difficile de préparer la salade?
6 Madeleine a trouvé difficile de préparer les haricots verts?
7 Il vous a été difficile de digérer ce repas copieux?
8 Supporter ce vin, ç'a été difficile pour vous et vos amis?

★    ★    ★

11E *'Toucher à'*: «*Porter la main sur, pour prendre, utiliser.*» (*Robert*)

| | |
|---|---|
| Je lui dis depuis des années de ne pas toucher à cette table. | I've been telling her for years not to touch (interfere with) this table. |
| Défense absolue de toucher aux fils même tombés à terre. | It is expressly forbidden to touch the wires even if they have fallen to the ground. |
| Il n'a jamais touché à un volant. | He has never touched a steering wheel. |
| Ces livres sont à moi et je vous défends d'y toucher. | These books are mine and I forbid you to touch them. |
| Ce problème touche à la qualité même de la vie. | This problem affects the very quality of life. |

**Exemple:** Les dames ont mangé du fromage?
**Réponse:** Comment! Mais elles n'ont même pas touché au fromage!

**Exemple:** Louis a joué avec la serrure?
**Réponse:** Comment! Mais il n'a même pas touché à la serrure!

**Exemple:** Vous avez déplacé les verres?
**Réponse:** Comment! Mais je n'ai même pas touché aux verres!

1 Vous avez changé les couverts de place?
2 Les enfants ont fait résonner le piano?
3 Suzanne a enlevé les coussins?
4 Vous avez mangé tout le foie gras?
5 Bernard a renversé la bouteille?
6 Monique et Hélène, c'est vous qui avez fait s'affaisser le soufflé au chocolat?
7 C'est Charles qui a sali les serviettes?
8 C'est vous qui avez découpé le gigot?

## Verb Study

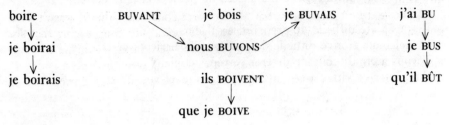

boire      BUVANT      je bois      je BUVAIS      j'ai BU

je boirai      nous BUVONS      je BUS

je boirais      ils BOIVENT      qu'il BÛT

que je BOIVE

1   We drank.
2   I wonder whether they will drink.
3   I don't want you to drink that wine.
4   Don't you drink?
5   After drinking he put down his glass.
6   They have had to drink milk.
7   I would have drunk if I had been thirsty.
8   Although she had drunk, she was still thirsty.
9   You ought to drink less wine.
10   We left (*past historic*) after they had drunk.
11   Wouldn't he drink if he were thirsty?
12   We had eaten and drunk.
13   I used to drink water.
14   They were about to drink.
15   Won't you drink something before you go?
16   I could drink if I tried.
17   Without his having drunk, his glass was removed.
18   Drink!
19   We might have drunk.
20   Do you want me to drink this coffee?

## Essay Subjects

1   «Il faut manger pour vivre et non pas vivre pour manger.»
2   «Dis-moi ce que tu manges et je te dirai ce que tu es.» (Brillat-Savarin). Qu'en pensez-vous?

## Translation

M. and Mme Poiret invited my friend Charles to have a meal with them one evening. "Come and take pot luck (= *dîner à la fortune du pot*)," they said. "We shan't make a great spread (= *mettre les petits plats dans les grands*)."

The way in which the invitation was given pleased Charles very much.

He isn't a big (= *gros*) eater and he knew that he would have had difficulty in eating a copious meal.

What he didn't know was that Mme Poiret considered that it wasn't done to praise her own cooking; modesty had prevented her from saying that she was an excellent cook. When Charles entered the dining-room he had difficulty in hiding his surprise at seeing the way the table had been laid.

The silverware was shining, the table was decorated with flowers and in front of each plate three glasses were lined up. Those glasses were filled and emptied several times during the meal which included exquisite dishes.

The fear of offending Mme Poiret prevented Charles from refusing a second helping of some of the dishes. In fact, Charles feasted so much that he couldn't even touch the chocolate soufflé— and that is his favourite sweet!

"Pot luck!" he thought. "What a pot!"

## 12 *Un filet de bœuf saignant*

Le garçon vient de débarrasser la table des derniers raviers de hors-d'œuvre. La nappe reste vide, sauf les verres, la carafe de chablis et la corbeille de pain. Haverkampf, en mangeant les hors-d'œuvre, a bu deux verres de chablis, remplis aux trois quarts. Il en est à la seconde période de l'appétit. Les premiers aliments ont calmé ce que la faim avait d'irritable, ce qu'elle aurait eu bientôt de déprimant. L'élan est donné, succédant à l'impatience. Le corps prend ses dispositions tout à loisir pour absorber plus de nourriture que d'habitude.

Voici venir, sur un long plat ovale, un monticule brun et doré. «C'est pour moi,» se dit Haverkampf. Le plat qu'il aime entre tous se pose sur la table, et pendant que le garçon découpe et sert, Haverkampf regarde. C'est un carré de filet de bœuf saignant, garni de pommes soufflées et de cresson. Ailleurs, on appellerait cela un «châteaubriant». Mais ailleurs le morceau de viande serait une petite masse irrégulière, avec des creux, des minceurs, même des déchirures. Ce que contemple Haverkampf, ce qui déjà rassasie son regard, c'est un véritable pavé de viande. Quelque chose de réellement cubique. Le couteau qui l'a taillé a pu conduire comme il lui plaisait, dans les six directions, des tranches parfaites. Comme s'il n'avait rien à rencontrer qui ne fût pas de la viande absolue. Comme s'il y avait près d'ici une profonde carrière de viande, qui fût dans toute son épaisseur de la même qualité; le flanc ouvert d'une colline de viande, qu'un carrier aux mains dégoulinantes n'aurait qu'à débiter suivant les dimensions choisies.

Haverkampf est amoureux de cette parfaite viande rouge. Il la regarde trembler et saigner sous le couteau. Pas un endroit où il faille appuyer davantage, ou revenir. Une résistance légère, qui cède à point, comme si elle était exactement calculée. Le dessus grillé à grand feu, et qui enveloppe la pulpe comme la croûte d'un gâteau.

Haverkampf mange cette chair, guère plus chaude, guère moins vivante que la sienne. Avant de fondre dans la bouche, elle ne demande aux mâchoires que le rien de travail qui les désennuie. Et même le pain craquant vient se faire broyer avec elle, pour augmenter un peu la résistance, pour absorber l'excès de saveur.

Il pense: «Voilà ma vraie nourriture à moi.» Un organisme comme le sien l'accueille avec tellement d'aise qu'on ne peut pas imaginer dans un recoin du corps un viscère, une glande, renâclant devant la besogne. A peine peut-on admettre qu'il y ait une besogne. Il y a changement de lieu, prise de possession, distribution. C'est de la chair toute faite d'avance qu'on se verse. Une simple transfusion de chair. Pas une bribe qu'on ait le droit

de dédaigner. Si gros que soit le pavé de viande rouge, le dernier morceau
en sera écrasé, avalé avec la même allégresse.

(Jules Romains, *Les Hommes de Bonne Volonté:* tome IV, Éros de Paris,
Flammarion, 1932, pp 393–395)

---

un aliment, *foodstuff*
le bifteck, *beefsteak*
la boisson, *drink*
la bribe, *scrap, fragment*
le châteaubriant, *grilled steak*
broyer, *to pound, to pulverize*
le pain craquant/croustillant, *crusty bread*
la corbeille à pain, *bread basket*
le cresson, *cress*
la croûte, *crust*
  casser la croûte, *to have a snack*
  le casse-croûte, *snack*
débarrasser la table, *to clear the table*
dégouliner, *to trickle, to drip*
desservir, *to clear the table*

le filet de bœuf, *fillet/undercut of beef*
fondre dans la bouche, *to melt in the mouth*
griller, *to grill*
mâcher, *to chew*
la mâchoire, *jaw*
la miette, *crumb, morsel*
le moutardier, *mustard-pot*
à point, *done to a turn*
la poivrière, *pepper-pot*
se rassasier, *to eat one's fill*
le ravier, *radish-dish/hors-d'œuvre dish*
la recette, *recipe*
saignant, *underdone*
la salière, *salt-cellar*
la saveur, *flavour*

---

## Comprehension

1 Quel effet l'absorption des hors-d'œuvre a-t-elle produit chez Haverkampf?
2 De quoi le filet de bœuf était-il garni?
3 Pourquoi Haverkampf admirait-il tant ce filet de bœuf?
4 En commandant ce plat, quelle recommandation a-t-il dû faire au garçon?
5 Qu'est-ce qu'il pensait, en mangeant?
6 Quelle impression ce texte vous fait-il?

## Structural Exercises

12A '*Ce que la faim a d'irritable ...*'

Ce que la radio a de bon, c'est qu'elle est une discipline de l'oreille, qu'elle force à guetter et à deviner.

What is good about radio is that it is a discipline of the ear, that it forces you to listen carefully and to guess.

Ce que notre quartier avait de particulier et même d'étrange, c'est qu'y habitaient des gens aux professions bizarres.

What was special and even strange about our part of the town was that people with odd professions lived there.

85

Ce que les biens de consommation ont de plus durable, c'est le besoin qu'ils créent.

The most lasting thing about consumer goods is the need which they create.

**Exemple:** Notre ville a ceci de singulier, c'est qu'elle est située dans une boucle de la rivière.
**Réponse:** Oui, c'est ce qu'elle a de singulier.

**Exemple:** Ce plat a ceci de difficile: c'est qu'il faut le servir à point.
**Réponse:** Oui, c'est ce qu'il a de difficile.

**Exemple:** La faim a ceci d'irritable: c'est qu'on ne peut penser à rien d'autre.
**Réponse:** Oui, c'est ce qu'elle a d'irritable.

1 Ce plat a ceci d'intéressant: le mélange d'amer et de doux.
2 Un repas a ceci d'ennuyeux: c'est qu'après il faut faire la vaisselle.
3 Le pain craquant a ceci d'agréable: le plaisir de le mâcher.
4 La salade a ceci de bon: c'est qu'il ne faut pas la faire cuire.
5 Cette salière a ceci de frappant: sa forme.
6 Le pain français a ceci d'appétissant: c'est qu'il est croustillant.
7 Cette maladie a ceci de déprimant: c'est qu'on ne peut plus distinguer la saveur des aliments.
8 Le bifteck saignant a ceci de dégoûtant: c'est qu'il dégouline.

★   ★   ★

## 12B *Subjunctive in a relative clause after a preceding negative*

Il n'y a pas un seul membre du parti qui puisse dire le contraire.

There isn't a single party member who can say the contrary.

Il n'y a rien qui soit plus intéressant.

There is nothing which is more interesting.

Il n'y a pas d'industrie qui n'ait pas aujourd'hui recours aux matières plastiques.

There isn't an industry today which doesn't have recourse to plastics.

Il n'y a pas de bons journaux qui ne soient pas libres.

There are no good newspapers which are not free.

**Exemple:** Il y a un endroit où il faut appuyer davantage?
**Réponse:** Non, il n'y a pas d'endroit où il faille appuyer davantage.

**Exemple:** Il y a quelque chose qui n'est pas de la viande?
**Réponse:** Non, il n'y a rien qui ne soit pas de la viande.

**Exemple:** Il y a quelqu'un qui peut nous aider?
**Réponse:** Non, il n'y a personne qui puisse nous aider.

1 Il y a un aliment qui vous fera plus de bien?
2 Il y a quelqu'un qui veut desservir?
3 Il y a quelqu'un qui a envie de casser la croûte?
4 Il y a une boisson qui vous convient mieux?
5 Il y a quelque chose que vous aimez mieux, vous et vos amis?
6 Il y a quelqu'un qui est plus gourmand que lui?
7 Il y a quelqu'un qui a les mâchoires plus puissantes que lui?
8 Vous avez mangé quelque chose qui fond dans la bouche?

★   ★   ★

## 12C *Subjunctive in a hypothetical relative clause*

La société cherche quelqu'un qui puisse remettre de l'ordre dans ses comptes.

The firm is looking for someone who can put its accounts in order again.

Il cherche un commerce qui soit à vendre.

He is looking for a business which is to be sold.

Nous voulons une éducation des jeunes qui rende possible l'éducation des adultes et une éducation des adultes qui permette de transformer l'éducation des jeunes.

We want an education of the young which makes adult education possible and an adult education which allows a transformation of the education of the young.

Il voulait trouver un financier qui l'aidât à développer lui-même son entreprise.

He wanted to find a financier who would help him to develop his business on his own.

**Exemple:** Je cherche un restaurant et ce restaurant ne doit pas être trop cher.
**Réponse:** Ah, vous cherchez un restaurant qui ne soit pas trop cher.

**Exemple:** Nous cherchons un réfrigérateur et ce réfrigérateur ne doit pas faire trop de bruit.
**Réponse:** Ah, vous cherchez un réfrigérateur qui ne fasse pas trop de bruit.

**Exemple:** Ils veulent un chef et ce chef doit avoir de l'expérience.
**Réponse:** Ah, ils veulent un chef qui ait de l'expérience.

1 Je cherche un moutardier et ce moutardier doit contenir de la moutarde.
2 Nous voudrions une poivrière et cette poivrière doit être en bois.

3 Elle voudrait un poisson et ce poisson doit avoir un bon goût.
4 Nous espérons qu'on servira un filet de bœuf et que ce filet de bœuf ne sera pas saignant.
5 Il cherche une carafe et cette carafe ne doit pas être vide.
6 Je cherche une table; on n'aura pas débarrassé cette table.
7 Le garçon cherche une corbeille de pain; il pourra nous donner cette corbeille de pain.
8 Je cherche une table et à cette table on doit pouvoir mettre un couvert de plus.

★   ★   ★

## 12D *Subjunctive after 'penser', 'croire', used negatively*

| | |
|---|---|
| Je ne crois pas qu'on puisse maîtriser l'inflation dans un délai très bref. | I don't believe that inflation can be mastered in a very short period of time. |
| Personne ne croit que ce conseil soit réellement indépendant. | Nobody believes that this council is really independent. |
| Je ne pense pas qu'il vienne ce soir. | I don't think that he will be coming tonight. |
| On ne pense pas qu'il y ait eu une erreur. | It is not thought that there has been a mistake. |

**Exemple:** Il viendra demain, pensez-vous?
**Réponse:** Non, je ne pense pas qu'il vienne demain.

**Exemple:** La viande est à point, croyez-vous?
**Réponse:** Non, je ne crois pas qu'elle soit à point.

**Exemple:** Elle voudra manger de la salade, pensez-vous?
**Réponse:** Non, je ne pense pas qu'elle veuille en manger.

1 Nous avons cassé le ravier, pensez-vous?
2 Ce filet de bœuf fondra dans la bouche, croyez-vous?
3 La croûte est trop dure, pensez-vous?
4 On peut griller un gigot, pensez-vous?
5 Il y a six couverts, croyez-vous?
6 Le châteaubriant lui plaira, croyez-vous?
7 Le filet de bœuf est saignant, pensez-vous?
8 Elle a débarrassé la table, croyez-vous?

★   ★   ★

| | |
|---|---|
| Si gênante qu'elle soit, la grève n'est pas vraiment impopulaire. | However inconvenient it may be, the strike is not really unpopular. |
| Si difficile que soit la grammaire française, on arrive à l'apprendre. | However difficult French grammar may be, people manage to learn it. |
| On va pousser activement la construction des autoroutes, si bonnes et si nombreuses que soient les routes secondaires. | The building of motorways will be actively carried on, however good and however numerous the secondary roads may be. |
| Si spectaculaires que soient les efforts actuels, ils ne suffisent pas à combler le retard accumulé depuis le début du siècle. | However spectacular present efforts may be, they are insufficient to make up the backlog built up since the beginning of the century. |

**Exemple:** Le filet de bœuf est très gros, mais le dernier morceau sera mangé avec la même allégresse.
**Réponse:** C'est vrai? Si gros que soit le filet de bœuf?

**Exemple:** La nourriture est très bonne, mais il est imprudent de trop manger.
**Réponse:** C'est vrai? Si bonne que soit la nourriture?

1 Leur faim est très grande, mais ils se rassasieront.
2 On est très pressé, mais il ne faut pas avaler cette boisson d'un trait.
3 Les affaires sont très pressantes, mais tout s'arrête pour le déjeuner.
4 Sa soif est très grande, mais il ne faut pas le laisser boire à même la bouteille.

**Exemple:** Le bifteck était bien cuit, mais je ne pouvais pas le manger.
**Réponse:** C'est vrai? Si bien cuit qu'il fût?

5 Il était très malade, mais sa mère lui faisait avaler la dernière bribe.
6 La viande était très mal cuite, mais il l'avalait jusqu'à la dernière bribe.
7 Le repas était copieux, mais il avait toujours faim.
8 Le plat était très peu appétissant, mais il se forçait à le manger.

## Verb Study

89

Conjugated like servir: desservir.

1 We didn't serve.
2 They have been serving for years.
3 Let me know when they clear the table.
4 I would clear the table if I dared.
5 I want her to clear the table.
6 Will you please serve?
7 Although she had cleared the table, the washing-up had not been done.
8 I must clear the table.
9 He hadn't cleared the table.
10 If they served in this restaurant I would know them.
11 There was nobody who had served longer than he.
12 How long have they been serving?
13 I am clearing the table.
14 He would have cleared the table if he had known.
15 Before clearing the table we will have some coffee.
16 They may have served.
17 We would like him to serve.
18 We shall have to clear the table.
19 I used to be serving.
20 They had just cleared the table.

## Essay Subjects

1 Racontez soit un repas copieux soit un repas frugal.
2 «Les goûts et les couleurs ne se discutent pas.»

## Translation

I don't think you know M. Baratin. He is a young man who is always looking for a rich man who is willing to finance one of his enterprises. What is amusing about him is his eternal optimism, for, however bizarre the project may be, he always hopes to find somebody from whom he can borrow the necessary money.

There isn't a single one of his friends whom he hasn't invited to have lunch with him at a very expensive restaurant: 'Le Gueueleton'. His guest having eaten his fill and the table having been cleared, M. Baratin takes a pile of imposing documents out of his briefcase and begins his sales-talk (= *le baratin*).

"There is nothing that pleases me more than helping a friend," he says, "and here is a unique opportunity to make a fortune. I don't believe that there is a safer investment (= *le placement*) than this restaurant which I am going to open.

"However bad business may be, businessmen must eat, mustn't they? And the odd thing about them is that they always eat in expensive restaurants. So all that we have to do is to find a restaurant which is for sale and to modernize it. Once our restaurant is open our fortune is made."

# 13 *Mère et fille*

Dans son petit salon, Marguerite Duparc prenait le thé, ce qui pour elle était un rite. Elle n'utilisait jamais qu'une certaine variété de thé de Chine légèrement fumé, très aromatique, et quand elle portait une tasse à ses lèvres, c'était toujours avec une sorte de solennité un peu grave. Elle n'aimait pas être dérangée quand elle dégustait ainsi sa boisson favorite, aussi releva-t-elle les sourcils avec un air mi-interrogateur, mi-réprobateur, lorsqu'elle vit Véronique entrer en coup de vent.

— Tu devrais essayer de te discipliner un peu, ma chérie, dit-elle en essayant de donner à sa voix des inflexions de sévérité. Tu as gardé certaines habitudes de collégienne, ce qui est assez déplaisant.

Véronique partit d'un rire agressif, provocant.

— Il faut bien que je mette de la vie dans cette villa. Dans cette maison où tout le monde se complaît dans des attitudes de gravité compassée. Gabrielle joue les oiseaux effarouchés, et toi, maman, tu es toujours tellement stricte, à cheval sur les principes.

— Je t'en prie, Véronique!

— On se croirait presque dans un hospice ou dans une maison de santé.

— En voilà assez!

— Alors, même à vingt ans, je n'ai pas le droit de dire ce que je pense? On me maintient muselée?

— Il faut toujours que tu exagères.

— Et toi, dès que tu me vois gaie, enjouée, tu ressens le besoin impérieux de me réprimander!

— Je te prierai de me parler sur un autre ton, Véronique! Je ne suis ni ta sœur ni une camarade de classe.

Véronique se laissa tomber dans un fauteuil et afficha un air désabusé.

— Voilà les reproches qui recommencent, fit-elle avec des lueurs d'irritation dans les yeux. On ne me comprendra donc jamais ici?

— Tu n'as pas de mesure en rien.

— La mesure, la mesure! C'est bon pour les gens médiocres!

— Vas-tu enfin te décider à me répondre d'une manière convenable?

— Ce que tu appelles la manière convenable est en réalité la manière ennuyeuse! Nous ne vivons plus au dix-neuvième siècle, maman. Les bonnes manières de jadis, aujourd'hui, nous paraissent fades!

— Ce n'est quand même pas à toi de me faire la leçon!

— J'appartiens à la nouvelle génération, maman. Tu devrais comprendre que je ne puis guère avoir les mêmes réactions que toi, vivre d'après les mêmes principes d'étiquette et de politesse que toi.

D'un geste un peu cérémonieux, Marguerite Duparc reposa dans l'assiette un petit four qu'elle allait porter à ses lèvres.

—De quelque génération que tu sois, fit-elle, je n'admettrai jamais que tu entres en trombe dans ce salon, en faisant claquer la porte, comme tu viens de le faire, au moment où je prends mon thé!

—Te voilà bien sévère, maman ...

—C'est que tu es quelquefois tellement impossible, ma fille.

—Je suis comme un oiseau en cage!

—Allons donc!

—Si, si, je t'assure!

—Alors que nous te passons tous tes caprices, alors que c'est pratiquement toi qui commandes ici. Et tu peux être si désagréable! Tiens, tout à l'heure, quand M. Lassalle était là et quand Gabrielle récitait ce poème, tu as été d'une humeur!

—Les vers m'agacent!

—Il a fallu que tu heurtes cette petite, alors qu'elle avait pris un si vif plaisir à cette récitation.

—Vous n'allez quand même pas me demander de cacher mes opinions, maintenant, uniquement pour ne pas vous gâcher vos joies de bourgeois!

Une expression de peine se dessina sur le visage encore beau, ce visage si altier et harmonieux de Marguerite Duparc:

—Tu es trop entière, ma chérie, dit-elle, trop tout d'une pièce! Dans la vie, il faut savoir faire les concessions nécessaires, ce qui veut dire quelquefois être aimable et souriante quand on aurait plutôt envie de pleurer.

(Marie-Anne Desmarest, *Concerto du Souvenir*, Denoël, 1961, pp 37–40)

---

agacer quelqu'un, *to irritate someone, to provoke someone*

appartenir à la nouvelle génération, *to belong to the younger generation*

un(e) camarade de classe, *a school friend*

faire claquer la porte, *to slam the door*

compassé, *stiff, formal*

convenable, *fitting, appropriate, proper*

entrer en coup de vent, *to come dashing in*

entrer en trombe, *to burst in*

heurter quelqu'un, 1. *to run into someone;* 2. *to offend someone*

l'humeur (*f.*), *mood, temper*
  de bonne humeur, *in a good mood*
  de mauvaise humeur, *in a bad temper*

interrogateur, *questioning*

interroger quelqu'un, *to question someone*

faire la leçon à quelqu'un, *to lecture someone*

les bonnes manières, *good manners*

la mesure, *restraint, moderation*
  dépasser la mesure, *to overstep the mark*

la peine, *sorrow, affliction*

faire de la peine à quelqu'un, *to grieve/distress/upset someone*

la politesse, *politeness*

prendre plaisir à quelque chose, *to take pleasure in something*

la réaction, *reaction, way of reacting*

réagir, *to react*

réprimander, *to reprimand, to take someone to task*

la réprobation, *disapproval, censure*

réprobateur, *reproachful, reproving*

| | |
|---|---|
| réprouver quelque chose, quelqu'un, *to disapprove of something, someone*<br>le reproche, *reproach*<br>  faire des reproches à quelqu'un au sujet de quelque chose, reprocher | quelque chose à quelqu'un, *to reproach somebody with something*<br>sévère, stricte, *strict*<br>la sévérité, *strictness*<br>sur un ton (réprobateur), *in a (disapproving) tone* |

## Comprehension

1 Qu'est-ce qui montre que Mme Duparc attachait une certaine importance à la cérémonie du thé?
2 Qu'est-ce qu'elle a trouvé à critiquer dans le comportement de Véronique lorsque celle-ci est entrée dans le salon?
3 Comment Véronique justifiait-elle son attitude cavalière?
4 Quel droit revendiquait-elle?
5 Qu'est-ce qui déplaisait à Mme Duparc dans le ton de voix de Véronique?
6 Qu'est-ce qui donne à penser que Véronique était un peu gâtée?
7 Selon Mme Duparc, qu'est-ce qu'il fallait savoir faire dans la vie?

## Structural Exercises

13A *Multiple negation: 'plus/jamais/rien/personne/que/aucun/nulle part'*

| | |
|---|---|
| Elle n'avait jamais été si contente d'aucune étudiante. | She had never been so pleased with any student. |
| Si on doutait tout le temps, on finirait par ne plus jamais rien entreprendre. | If you were to doubt all the time, you would end up by never undertaking anything any more. |
| Il n'y aura plus jamais, nulle part, pour personne, un instant possible de solitude. | There will never again be, anywhere, for anybody, a possible moment of solitude. |
| Plus aucun pays ne veut accepter de conserver des dollars qu'il ne peut échanger. | No longer does any country agree to holding on to dollars which it cannot exchange. |
| Tu n'as pas de mesure en rien. | You have no moderation in anything. |
| Il n'y a pas que les lois qui aient changé. | It is not only the laws which have changed. |

**Exemple:** La fille aînée ne prenait plus plaisir à la récitation.
Jamais?
**Réponse:** Non, elle ne prenait plus jamais plaisir à la récitation.

**Exemple:** Elle n'utilisait que cette variété de thé de Chine.
Jamais?
**Réponse:** Non, elle n'utilisait jamais que cette variété.

94

**Exemple:** Je n'ai plus revu personne.
Nulle part?
**Réponse:** Non, je n'ai plus revu personne nulle part.

1 Elle ne réprimandait plus personne.
   Jamais?
2 Le père n'a fait aucun reproche à personne.
   Jamais?
3 Je n'ai aucun droit de rien dire.
   Jamais?
4 La manière convenable n'est que la manière ennuyeuse.
   Jamais?
5 Je ne puis plus avoir les mêmes réactions.
   Jamais?
6 Je n'avais aucune intention d'agacer personne.
   Jamais?
7 Je n'ai plus revu aucun camarade de classe.
   Nulle part?
8 Je n'ai jamais aucune occasion de rien dire.
   Nulle part?

★     ★     ★

13B *'Prier quelqu'un de faire quelque chose'*

| | |
|---|---|
| Il l'a prié de s'asseoir. | He asked him to sit down. |
| — Je peux entrer? | —May I come in? |
| — Je vous en prie! | —Please do! |
| Je les ai priés de l'employer. | I begged them to employ him. |

**Exemple:** Dites à votre ami de passer chez moi.
**Réponse:** D'accord. Je le prierai de passer chez vous.

**Exemple:** Dites à vos camarades de ne pas être en retard.
**Réponse:** D'accord. Je les prierai de ne pas être en retard.

**Exemple:** Dis à ta mère de ne pas te réprimander.
**Réponse:** D'accord. Je la prierai de ne pas me réprimander.

1 Dites à Véronique de répondre d'une manière convenable.
2 Dites à Louis de réciter un poème.
3 Dites aux étudiants de réfléchir avant de réagir.
4 Dites à Marie d'être moins sévère.
5 Dites à quelques camarades de classe de venir prendre le thé.
6 Dites à votre voisin de ne pas faire claquer la porte.

7 Dites aux enfants de ne pas entrer en coup de vent.
8 Dites à Véronique de ne pas heurter sa sœur.

*     *     *

### 13C 'Être à quelqu'un de faire quelque chose'

| | |
|---|---|
| Ce n'est pas à vous de me faire la leçon. | It is not for you to lecture me. |
| Ce n'est pas à moi de les prévenir. | It is not up to me to warn them. |
| L'ordre et le progrès, c'est à nous de les assurer. | It is our duty to ensure order and progress. |
| C'est aux autres de réduire leur inflation et non à l'Allemagne d'augmenter la sienne. | It is up to the others to reduce their inflation and not for Germany to increase hers. |

Exemple: Ma mère n'a pas le droit de me faire la leçon.
Réponse: Si, c'est à elle de vous faire la leçon.

Exemple: Ce n'est pas mon devoir de les prévenir.
Réponse: Si, c'est à vous de les prévenir.

Exemple: Vous n'aviez pas le droit de les réprimander.
Réponse: Si, c'était à moi de les réprimander.

1 Ce n'est pas notre tour de poser les questions.
2 Ce n'est pas le devoir des parents d'enseigner les bonnes manières.
3 Ce n'est pas le droit du père d'interroger ses filles sur les amis qu'elles fréquentent.
4 Ce n'était pas mon devoir de me montrer plus stricte.
5 Ce n'était pas le devoir de Paul de parler au nom de ses camarades de classe.
6 Mme Duparc n'avait pas le droit de faire la leçon à sa fille.
7 Je n'avais pas le droit de leur faire des reproches.
8 Elle n'avait pas le droit d'obéir à sa mère.

*     *     *

### 13D 'Quelque' + noun + 'que', followed by subjunctive

| | |
|---|---|
| Quelques raisons que vous donniez, vous ne convaincrez personne. | Whatever reasons you give, you will not convince anybody. |
| Quelque lien qu'il y eût entre nous, je l'avais rompu pour jamais. | Whatever bond there might be between us, I had broken it for ever. |

96

| | |
|---|---|
| La redistribution de ces documents est interdite, sous quelque forme que ce soit. | The propagation of these documents is forbidden, in whatever form it may be. |
| La disparition d'un journal, de quelque nature ou tendance qu'il soit, est toujours un événement grave. | The disappearance of a newspaper, of whatever kind or tendency it may be, is always a serious occurrence. |

**Exemple:** Vous faites des efforts, mais vous ne progressez pas.
**Réponse:** C'est vrai. Quelques efforts que je fasse, je ne progresse pas.

**Exemple:** J'achèterai une autre marque de thé, mais cela ne fera rien.
**Réponse:** C'est vrai. Quelque marque de thé que vous achetiez, cela ne fera rien.

1 Je lui fais des reproches, mais il n'en fait qu'à sa tête.
2 J'exprimerai mon opinion, mais Véronique me contredira.
3 Nous ferons des concessions, mais on demandera toujours davantage.
4 Nous réciterons un autre poème, mais cela ne lui plaira pas.

**Exemple:** Je suis de la nouvelle génération.
**Réponse:** De quelque génération que vous soyez, cela ne change rien à la question.

**Exemple:** Il a parlé à ce sujet.
**Réponse:** A quelque sujet qu'il ait parlé, cela ne change rien à la question.

5 Je parlerai de cette manière.
6 Elle est de mauvaise humeur.
7 Elle appartient à la nouvelle génération.
8 Nous vivons au vingtième siècle.

★   ★   ★

## 13E 'Alors que' indicating contrast

| | |
|---|---|
| Il fait bon chez vous, alors que chez moi on gèle. | It's pleasant in your house, whereas in my place it's freezing. |
| Il nous accuse, alors que nous sommes innocents. | He is accusing us, whereas we are innocent. |
| En France, en 15 ans, alors que le nombre de ceux qui vivent du travail de la terre a diminué de 20%, l'indice de production a doublé. | In France, within the space of 15 years, whereas the number of those living on the land has gone down by 20%, the production index has doubled. |

| Aucune île n'est aussi riche en lacs que l'Irlande. On a calculé qu'ils occupent approximativement 2 300 km², alors que la superficie totale de l'île est de 82 460 km². | No island is as rich in lakes as Ireland. It has been calculated that they occupy approximately 2,300 sq. kms, whereas the total area of the island is 82,460 sq. kms. |
|---|---|

Complete the sentence:
**Exemple:** Elle buvait toujours du thé de Chine, alors que sa fille …
**Réponse:** Alors que sa fille n'en buvait jamais.

**Exemple:** Gabrielle prenait plaisir à la poésie, alors que Véronique …
**Réponse:** Alors que Véronique n'y prenait aucun plaisir.

**Exemple:** On fait les jupes longues, alors que l'an dernier …
**Réponse:** Alors que l'an dernier, on les faisait courtes.

1 Gabrielle ne heurtait jamais sa mère, alors que sa sœur …
2 Mme Duparc réprimandait souvent Véronique, alors que M. Duparc …
3 Il était de bonne humeur, alors que son frère …
4 Le père était indulgent envers ses enfants, alors que la mère …
5 Véronique appartient à la nouvelle génération, alors que sa mère …
6 Pierre a réagi vite, alors que son camarade …
7 Ce professeur était toujours sévère pour les élèves, alors que son collègue …
8 Il a fait de la peine à ses parents, alors que vous …

## Verb Study

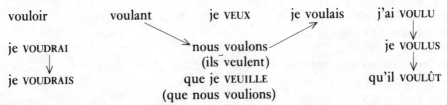

vouloir — voulant — je VEUX — je voulais — j'ai VOULU
je VOUDRAI → nous voulons — je VOULUS
je VOUDRAIS — (ils veulent)
que je VEUILLE — qu'il VOULÛT
(que nous voulions)

1 What do you want me to do about it?
2 He said that he would like to see me when I had finished my work.
3 They must have wanted to provoke us.
4 We didn't want to question him.
5 If I had meant that I would have said it.
6 The engine won't start.
7 We wouldn't have wanted to distress them.
8 I would have liked to stay there forever.
9 There was no-one who wanted to run the risk.
10 They want you to be happy.

11 Let's go home, shall we?
12 What does she mean?
13 I want you to come.
14 He might want to help us.
15 I hope that you will be willing to lend him the money.
16 Although we don't want to offend them, we have to tell the truth.
17 Will you be silent!
18 We wouldn't want to stay here long.
19 Why do you want him to leave so early?
20 They didn't want to offend you.

## Essay Subjects

1 Que pensez-vous de la génération de vos parents?
2 Le fossé entre les générations.
3 « Il faut savoir faire les concessions nécessaires. »

## Translation

Mme Duparc sometimes wondered if she would any longer ever have any influence on her daughter. "Véronique's reactions," she sighed, "are difficult, if not impossible, to bear. She no longer ever pays any attention to what I say. How many times have I begged her not to slam the door. And it's not only that. If I reproach her about her childish behaviour she's in a bad temper for the rest of the day.

Yet surely it is up to parents to teach their children good manners. I think I have succeeded with Gabrielle. I never have any reason to reprimand her, whereas Véronique can be so disagreeable, whatever efforts I make to understand her. She doesn't realize that it is up to her to make concessions too."

At that moment she heard someone coming down the stairs four at a time and instinctively stiffened in her armchair, expecting to see Véronique bursting in, whereas there was a pause, a knock at the door, and then Véronique's voice was heard: "May I come in, mother?"

"Please do," answered Mme Duparc, thinking that whatever explanation there might be for this unusual politeness, the change was welcome.

"Mother," said Véronique, "I've apologized to Gabrielle for having upset her. I must learn to hide my opinions from her."

## 14 *Père et fille*

Je revenais par le quai. Je lorgnais les pêcheurs, je recensais les amoureux: les debout, les assis, les presque couchés, qui prennent pour écran les arbres, les buissons ou, simplement, leur énorme indifférence du témoin. Je me disais: «Nous en avons déjà des trentaines. Si ça continue, nos futurs collègues auront des classes de cinquante,» quand un chandail rouge m'a brûlé les yeux.

Nulle erreur possible, c'était le chandail de Louise, avec ma fille dedans. Avec ma fille gratifiée d'une permission de cinéma et que serrait de près un gaillard en blue-jeans d'identité floue: un cousin, je crois, de la petite Lebleye qui était justement censée accompagner Louise. Mon premier réflexe a été de m'avancer, sur mes semelles de crêpe, pour vérification et intervention. Mais, quitte à fulminer ensuite, je ne me suis pas senti le courage de crier stop, d'épouvanter ces benêts, de leur laisser le souvenir d'un premier duo lourdement interrompu par la justice familiale. Comme je repartais, d'une brusque enjambée, une brindille a craqué sous mon pied. J'ai entendu une exclamation étouffée, puis une voix sourde qui disait: «Ton vieux, tu crois, il nous a vus?» Mais je courais déjà.

Le lendemain matin, au petit déjeuner, le visage de Louise était un peu crispé. Elle fit seulement, pour meubler son inquiétude:

— Je ne t'ai pas entendu rentrer.

Je répondis:

— Ton cinéma, c'était quoi?

Marmonnant un titre, elle piqua le nez dans son bol d'Ovomaltine. Lourd d'indulgence envers elle, je ne me sentais pas le courage et à peine le droit de lui faire des reproches. Il fallait cependant. J'attendis une heure, puis une autre. Laure était à la messe, les garçons dans leur chambre, je rejoignis ma fille dans la sienne, où elle passait une robe en prévision de l'inévitable déjeuner dominical chez sa grand-mère, ennemie du pantalon.

— Deux mots à te dire, fis-je, pour tout préambule. Qui est ce garçon avec qui tu étais, hier soir, au bord de la Marne?

— Ce garçon ... répéta Louise, hésitant à nier, mais nullement démontée.

Elle m'observait du coin de l'œil, finaude, pour voir si j'étais vraiment très en colère; elle tirait sur sa robe, faisant semblant de s'intéresser aux pressions de la fermeture qui craquaient, délicatement, comme des puces écrasées, entre deux bouts de doigts aux ongles vernis. «Sa mère,» pensai-je soudain, hargneux et attendri, en reprenant:

— Je t'ai vue, par hasard. Je n'ai pas voulu faire d'esclandre dans la rue. Je n'ai pas voulu en faire ici. Mais tu vas m'expliquer ...

— Nous ne faisions pas de mal, dit Louise, piteuse.

Je grognai:

—Qui est-ce?

—André Roy, un copain. Il est en première, avec Michel.

—Alors ne vous cachez pas. Je ne t'interdis pas d'avoir des amis. Je ne veux pas te rencontrer avec eux dans les coins.

Louise releva la tête, visiblement ravie d'en être quitte à bon compte et le père moderne, compréhensif, sachant faire la part du feu, redescendit l'escalier, en rougissant.

(Hervé Bazin, *Au Nom du Fils*, Éditions du Seuil, 1960, pp 76–77, 81–83)

---

la colère, *anger*
  en colère, *angry*
  se mettre en colère, *to become angry*
compréhensif, *understanding* (adjective)
la compréhension, *understanding* (noun)
la confiance, *trust, confidence*
le copain/la copine, *friend, pal*
démonté, *abashed, flustered*
un esclandre, *scandal*
  faire de l'esclandre, *to make a scene*
franc (*f.* franche), *open, outspoken*
la franchise, *candour, plain speaking*
fulminer (contre), *to protest vehemently (against)*

grogner, 1. *to grunt;* 2. *to grumble*
hargneux, *peevish, cantankerous, ill-tempered*
l'indifférence (*f.*) (pour), *apathy (towards)*
indifférent, *apathetic*
l'indulgence (*f.*) (envers), *leniency (towards)*
indulgent, *lenient*
faire du mal, *to do wrong*
piteux, *woeful, piteous*
  faire piteuse mine, *to look crestfallen*

---

## Comprehension

1 Quel incident a fait penser au père que ses futurs collègues professeurs auraient des classes de cinquante?

2 Qu'est-ce qui a interrompu le cours de ses réflexions?

3 Pourquoi n'a-t-il pas donné suite à son premier réflexe?

4 Comment était Louise le lendemain matin, au petit déjeuner?

5 Pourquoi est-ce que Louise se changeait?

6 Qu'est-ce que le père voulait savoir?

7 Qu'est-ce qui montre que le père était tant soit peu gêné?

## Structural Exercises

### 14A *Conditional sentences: possible but doubtful realization*

Si les pierres parlaient, ces maisons nous diraient des choses étranges.

If stones were to speak, these houses would tell us strange things.

Si c'était possible, j'aimerais mieux revenir demain.

If it were possible I would prefer to come back tomorrow.

| Si j'osais, j'irais voir ce qu'il fait. | If I dared I would go and see what he is doing. |
| Nous prendrions du poisson s'il y en avait. | We would have fish if there were some. |

**Exemple:** — «Si ça continue, nos futurs collègues auront des classes de cinquante.»
  «Qu'est-ce que vous avez dit?»
**Réponse:** J'ai dit que si ça continuait, nos futurs collègues auraient des classes de cinquante.

**Exemple:** «S'il y a deux pour cent de jeunes comme ça, ce sera le bout du monde.»
  «Qu'est-ce que vous avez dit?»
**Réponse:** J'ai dit que s'il y avait deux pour cent de jeunes comme ça, ce serait le bout du monde.

**Exemple:** «Si c'est son cousin, je serai étonné.»
  «Qu'est-ce que vous avez dit?»
**Réponse:** J'ai dit que si c'était son cousin, je serais étonné.

1 — Si j'ouvre la bouche, il me contredira.
  — Qu'est-ce que vous avez dit?
2 — Si ton père te voit, il fulminera.
  — Qu'est-ce que vous avez dit?
3 — Si les enfants vont au cinéma, vous les accompagnerez.
  — Qu'est-ce que vous avez dit?
4 — Si Louise met un pantalon, sa grand-mère grognera.
  — Qu'est-ce que vous avez dit?
5 — S'il se montre hargneux, je ne m'en étonnerai pas.
  — Qu'est-ce que vous avez dit?
6 — Si nous avons assez d'argent, nous changerons de voiture.
  — Qu'est-ce que vous avez dit?
7 — S'il se montre hostile envers vos idées, vous n'insisterez pas là-dessus.
  — Qu'est-ce que vous avez dit?
8 — Si je ne décroche pas ma licence, mon père sera très déçu.
  — Qu'est-ce que vous avez dit?

\* \* \*

## 14B 'Être censé faire quelque chose'

| Il est censé être à Paris. | He is supposed to be in Paris. |
| Je ne suis pas censé le savoir. | I'm not supposed to know. |

| | |
|---|---|
| Nul n'est censé ignorer la loi. | No-one is supposed to be ignorant of the law. |
| Les professeurs de langues sont censés former en quatre ou cinq ans des gens qui auraient dû pratiquer de façon raisonnable la langue enseignée. | Language teachers are supposed to train in four or five years people who ought to have a reasonable command of the language taught. |

**Exemple:** On croyait que la petite Lebleye accompagnait Louise.
**Réponse:** Oui, elle était censée l'accompagner.

**Exemple:** On croyait que les jeunes étaient indifférents à la politique.
**Réponse:** Oui, ils étaient censés y être indifférents.

**Exemple:** On croyait que je ne le savais pas.
**Réponse:** Oui, vous étiez censé ne pas le savoir.

1 On croyait qu'il s'intéressait à la politique.
2 On croyait que je rejoignais ma famille.
3 On croyait que nous reviendrions par le quai.
4 On croyait que je ne les voyais pas.
5 On croyait que nous rentrerions avant onze heures.
6 On croyait que les jeunes ne faisaient pas de mal.
7 On croyait que Louise était au cinéma.
8 On croyait qu'il était franc envers tout le monde.

\* \* \*

## 14C 'Envers'

| | |
|---|---|
| Il est bien disposé envers vous. | He is well disposed towards you. |
| Vous n'avez pas agi loyalement envers moi. | You haven't dealt honestly with me. |
| Il ne se montrait vraiment hostile qu'envers certaines de mes propres hostilités. | He only showed himself to be hostile to some of my own aversions. |
| Il s'était montré d'une pingrerie révoltante envers les femmes. | He had proved to be of appalling meanness towards women. |

**Exemple:** Il se montre hostile à mon égard.
**Réponse:** Oui, il se montre hostile envers vous.

**Exemple:** Il faut montrer de la confiance à l'égard des enfants.
**Réponse:** Oui, il faut montrer de la confiance envers eux.

1 Ils se sont montrés serviables à votre égard.
2 Ce jour-là, il s'est montré hargneux à mon égard.
3 Bruno était bon enfant à l'égard de ses parents.
4 Il se montrait trop indulgent à l'égard de son fils.

**Exemple**: Il est bien disposé à votre égard.
**Réponse**: Mais non, il n'est pas bien disposé envers moi.

**Exemple**: Quant à ses nièces, est-il indulgent à leur égard?
**Réponse**: Mais non, il n'est pas indulgent envers elles.

5 Il a agi loyalement à notre égard.
6 Pour ce qui est de Jean, ressentez-vous de l'agacement à son égard?
7 Qu'est-ce que Louise vous a fait? Pourquoi vous montrez-vous hostile à son égard?
8 Regardez la piteuse mine de ces garçons. Vous n'allez pas être désagréable à leur égard?

★　　★　　★

## 14D *Noun + 'de' + infinitive*

| | |
|---|---|
| N'ai-je pas le droit de dire ce que je pense? | Haven't I got the right to say what I think? |
| Tu ressens toujours le besoin de me réprimander. | You always feel the need to take me to task. |
| Ayez la bonté de me faire savoir la date de votre arrivée. | Be good enough to let me know the date of your arrival. |
| Au plaisir de vous revoir. | Looking forward to seeing you again. |
| Quelle façon de conduire! | What a way to drive! |
| Quelle veine d'avoir une journée aussi parfaite! | What luck to have such a perfect day! |

**Exemple**: Je vais dire ce que je pense. C'est bien mon droit.
**Réponse**: Mais bien sûr, vous avez le droit de dire ce que vous pensez.

**Exemple**: Je vais les aider. C'est bien mon devoir.
**Réponse**: Mais bien sûr, vous avez le devoir de les aider.

1 Elle va réprimander ses enfants. C'est bien son devoir.
2 Vous allez montrer de la politesse envers vos invités. C'est bien votre obligation.
3 Je vais lui faire des reproches. C'est bien mon intention.
4 Nous allons intervenir. C'est bien notre droit.

Exemple: Il ne va pas dire ce qu'il pense. Il n'en a pas le courage.
Réponse: Mais bien sûr, il n'a pas le courage de dire ce qu'il pense.

Exemple: Il ne va pas se changer. Il n'en a pas le temps.
Réponse: Mais bien sûr, il n'a pas le temps de se changer.

5 Ils ne vont pas dépasser la mesure. Ils n'en ont pas le droit.
6 Je ne vais pas intervenir. Je n'en ai pas la permission.
7 Ils ne vont pas faire d'esclandre. Ils n'en ont pas l'intention.
8 Je ne vais pas leur faire de peine. Je n'en ai pas le courage.

★   ★   ★

## 14E 'Faire semblant de faire quelque chose'

| | |
|---|---|
| Les enfants font semblant de dormir. | The children are pretending to be asleep. |
| Il fait le sourd, fait semblant de ne rien comprendre aux allusions. | He turns a deaf ear, pretends to understand nothing in the allusions. |
| Il croyait que j'avais fait semblant d'oublier. | He thought I had pretended to forget. |
| Elle faisait semblant de s'intéresser à la femeture-éclair. | She was pretending to be interested in the zip. |

Exemple: Est-ce qu'il se met vraiment en colère?
Réponse: Oh non, il fait semblant de se mettre en colère.

Exemple: Est-elle vraiment sortie?
Réponse: Oh non, elle a fait semblant de sortir.

Exemple: Vous étiez vraiment démonté?
Réponse: Oh non, je faisais semblant d'être démonté.

1 Est-ce que vos parents grognent vraiment?
2 Est-il vraiment serviable?
3 Êtes-vous vraiment indifférent?
4 A-t-il vraiment marmonné une excuse?
5 Est-ce que son père fulminait contre la nouvelle génération?
6 Est-ce que ses parents se montraient vraiment compréhensifs?
7 Est-ce que Louise s'intéressait vraiment à la fermeture-éclair?
8 Le père, était-il vraiment en colère?

## Verb Study

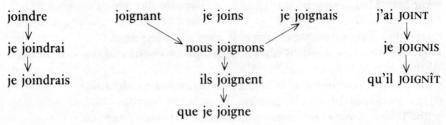

joindre     joignant     je joins     je joignais     j'ai JOINT

je joindrai              nous joignons           je JOIGNIS

je joindrais             ils joignent             qu'il JOIGNÎT

que je joigne

Conjugated like 'joindre': se joindre à, rejoindre.

1 She clasped her hands.
2 Do you think he will join them (*m*.)?
3 He left without rejoining the group.
4 If they joined us that would be very pleasant.
5 She would like to join you.
6 I would get in touch with him by phone if I could.
7 They had just rejoined us.
8 He said he would join me when he was able.
9 Let us combine business (= *l'utile*) with pleasure (= *l'agréable*).
10 Before you get in touch with them listen to what I have to say.
11 I wonder if they will join us.
12 Hadn't you joined them (*f*.)?
13 I ought to rejoin the others.
14 If we make ends meet (= *joindre les deux bouts*) we shall be happy.
15 He had had to rejoin his regiment.
16 I am astonished that you have joined that group.
17 You will be able to make ends meet.
18 I haven't managed to get in touch with him.
19 Could we have joined you?
20 I didn't know he had got in touch with you.

## Essay Subjects

1 Pourquoi appelle-t-on l'adolescence «l'âge ingrat»?
2 Écrivez un «dialogue de sourds» entre parent et enfant, qui met en lumière le fossé entre les générations.

## Translation

Gaston is supposed to be cantankerous and ill-disposed towards everybody, but the fact is that he has no intention of offending people, he has no desire to make a scene: he thinks he has the right to say what he thinks and to protest vehemently against human stupidity.

He would not pretend to agree with you if he thought that what you were saying was not logical. If his wife bought a hat which, in his opinion, didn't suit her, he would tell her so, and his wife, who is equally outspoken, would not hide from him what she thought of *his* opinion. If a motorist overtook him on a dangerous bend he would let him know what he thought of that way of driving.

The other day he came to show me his new car. He asked me to drive it and then to tell him what I thought of it. I decided to be frank with him. "You'll have a lot of trouble (= *ennuis*) with that car," I said. "You would have done better to buy a Peugeot which is supposed to be very reliable (= *d'un fonctionnement sûr*). I think you've been had."

"My poor friend," said Gaston. "You must learn to have more tact. You could upset some people if you spoke to them in that way."

## 15 *Le nouveau professeur*

Dès son arrivée, le nouveau professeur de français produisit, du moins sur tous ceux qui allaient devenir ses élèves, un gros effet. C'étaient les classes de quatrième et de troisième.

Il s'appelait Bordes. On devait apprendre par la suite que son prénom était Félix. Il avait l'air plus libre que ses collègues. Il ne marchait pas comme eux. Il traversa la cour d'un pas large. Il semblait qu'il y eût en lui une espèce de jeunesse dont ses collègues étaient dépourvus. Cette jeunesse ne tenait pas précisément à son visage, mais à son allure, à la façon dont il était habillé. M. Bordes devait longtemps passer aux yeux des enfants, non seulement pour le plus chic des professeurs du collège de Dieppe, mais encore pour un homme élégant. Surtout, il ne s'encombrait ni de serviette, ni de livres, ni de cahiers.

Après un brusque signe de tête qui signifiait: «Entrez!», il avait pénétré, avec un rien d'impatience, au milieu des rangs, dans la salle de classe, et les élèves se demandaient si, au moment d'accrocher sa gabardine au portemanteau, il n'allait pas néanmoins tirer d'une poche l'arsenal habituel. C'eêt été une déception. O merveille! rien, ni manuel, ni carnet, ni même stylo ou crayon. Il ne s'assit pas dans la chaire. Il ne prit pas les noms, ne donna pas de liste de livres à acheter, ne commença pas par des considérations générales sur le programme.

Il s'installa à une place vacante sur un banc du premier rang et, s'adressant à son «voisin», le gosse le plus proche de lui, lui demanda, sur le ton de la conversation, s'il lisait des ouvrages modernes et lesquels; puis, comme le gamin s'embarrassait, bredouillait, rougissait, sans insister, M. Bordes posa la même question à un autre: «Et vous, vous aimez les romans?» Au bout de quelques instants, toute la classe se mêlant à l'entretien, on se disputait pour répondre, les titres fusaient. Un quart d'heure ne s'était pas écoulé que M. Bordes, à moitié retourné sur son banc, ses longues jambes croisées dans l'allée, accoté au pupitre de l'élève qui se trouvait derrière lui, parlait de Claude Farrère et d'un livre qui s'appelait «La Bataille». (Le lendemain, les librairies de la ville étaient dévalisées: la classe de troisième réclamait, s'arrachait les rares exemplaires de «La Bataille» qui étaient parvenus jusqu'à Dieppe.)

La seconde fois, il demeura debout, envoya un élève au tableau et discuta avec lui de Racine, accompagnant son commentaire de toute une série de schémas (il avait envoyé chercher des craies de couleur à l'économat), mais combien de quinquagénaires seraient aujourd'hui en mesure de retrouver le sens de ces croquis qui, sur le moment, leur paraissaient d'une stupéfiante ingéniosité et d'une évidence mémorable?

Tous les cours furent différents, insolites. Sans avoir l'air de le faire exprès, M. Bordes surprenait toujours les élèves par une façon à lui de présenter les choses qui obligeait à rester en éveil. Il enseignait au gré de sa fantaisie, car il n'eût rien supporté d'autre. Il fallait qu'il passionnât pour ne pas s'assommer. Nulle règle. Il y avait aussi parfois des cours «scolaires», traditionnels, avec comptes rendus de devoirs, récitation de leçons et explications de textes, mais, avec lui, cela changeait tellement que c'en devenait presque amusant! Et puis il y introduisit, quand même, de la fantaisie. Il donnait des notes, mais il oubliait de les marquer si elles étaient mauvaises. Ou, au contraire, devenait brutalement féroce. Mais sa rage froide s'exerçait toujours contre l'idiotie. Il semblait qu'il ne supportât point la stupidité, même celle accidentelle d'un très bon élève. Il avait une façon glaciale de dire: «Rubardeaux, vous êtes fou de bêtise!» qui ravissait son auditoire. Et, ce faisant, il bouleversait les valeurs, l'ordre établi, car Rubardeaux était le premier en tout, définitivement.

M. Bordes, prononçant une phrase comme celle-là, donnait sinon du génie, du moins de l'espoir aux derniers. Il rendait tout possible. Si un professeur pouvait trouver un jour, une seule fois, Rubardeaux fou de bêtise, les crétins, les paresseux, les lâches avaient leur chance d'être un jour considérés.

(Jean-Jacques Gautier, *C'est pas d'jeu*, Julliard, 1962, pp 10–16)

| | |
|---|---|
| le bulletin trimestriel, *term report* | le cours, *class; lecture* |
| le carnet, *notebook* | finir ses cours, *to finish one's studies* |
| la chaire, *teacher's desk* | le croquis, *sketch* |
| le compte rendu, *review, report (e.g. of book read)* | le dernier de la classe, *bottom of the class* |
| la copie, *written exercise; examination script* | l'économat (*m.*), *bursar's office* |
| | l'économe (*m. & f.*), *bursar* |
| corriger, *to correct* | |

être ⎫ en ⎧ sixième      *to be in* ⎫ the ⎧ *first form*
entrer ⎭    ⎪ cinquième    *to go into* ⎭     ⎪ *second form*
           ⎨ seconde                            ⎨ *fifth form*
           ⎪ première                          ⎪ *sixth form*
           ⎩ classe terminale                  ⎩ *upper sixth form*

| | |
|---|---|
| un examinateur/une examinatrice, *examiner* | le manuel, *text-book* |
| une explication de texte, *literary commentary* | la notation, *marking* |
| | la notation continue, *continuous assessment* |
| l'étude (*f.*), 1. *study;* 2. *preparation, supervised study* | la note, *mark* |
| | noter, *to mark* |

| | |
|---|---|
| le premier de la classe, *top of the class* | le réfectoire, *dining hall* |
| le rang, *row, rank* | le schéma, *diagram* |
| au premier rang, *on the front row* | l'année scolaire, *school year* |
| s'aligner sur deux rangs, *to line up in* | la serviette, *briefcase* |
| *twos* | le trimestre, *term* |
| la rédaction, *composition, essay* | |

## Comprehension

1 Quelles différences y avait-il entre M. Bordes et ses collègues?
2 Qu'est-ce qui a étonné les élèves tout au début du premier cours de M. Bordes?
3 Quelle était la première question qu'il a posée?
4 Pourquoi le lendemain les librairies de la ville étaient-elles dévalisées?
5 Comment s'est déroulé le deuxième cours?
6 Quels exercices traditionnels est-ce que M. Bordes faisait faire aux élèves de temps en temps?
7 Quel système de notation employait-il?
8 Qu'est-ce qui donnait de l'espoir aux derniers de la classe?

## Structural Exercises

15A '*Il semble que*' + *subjunctive*

| | |
|---|---|
| Il semble que ce pourcentage ne soit pas suffisant. | It seems that this percentage is not sufficient. |
| Pour la reconnaissance des diplômes, il semble qu'il y ait un changement. | It seems that there is a change as regards the recognition of qualifications. |
| Il semble qu'elle sache taper à la machine et qu'elle comprenne un peu le travail de bureau. | It seems that she can type and that she has some knowledge of office work. |
| Il semblait qu'il y eût en lui une espèce de jeunesse. | It seemed that there was a kind of youthfulness in him. |

**Exemple:** Le professeur est en retard pour son cours.
**Réponse:** Oui, il semble qu'il soit en retard.

**Exemple:** Il lit beaucoup de romans modernes.
**Réponse:** Oui, il semble qu'il en lise beaucoup.

1 Les cours n'ont pas encore fini.
2 La chaire n'est pas à sa place habituelle.
3 Elle perd souvent sa serviette.
4 Ce nouveau professeur ne comprend rien à la notation.

Exemple: Il y avait en lui une espèce de jeunesse.
Réponse: Oui, il semblait qu'il y eût en lui une espèce de jeunesse.

Exemple: Il ne voulait point faire des cours traditionnels.
Réponse: Oui, il semblait qu'il ne voulût point en faire.

5 Il ne supportait pas la stupidité.
6 Il n'avait pas corrigé toutes les copies.
7 Elle était toujours la première de la classe.
8 Il devait être toujours le dernier de la classe.

★   ★   ★

15B *'Passer pour', with the meaning 'être considéré comme'*

La science mathématique passe, à juste titre, pour difficile.

Mathematical science is rightly thought to be difficult.

Le maire passe pour être fort efficace dans l'exercice de son mandat municipal.

The mayor is considered to be very efficient in the execution of his municipal duties.

Le président de la République passe pour être hésitant face à des décisions au jour le jour.

The President of the Republic is thought to be hesitant when he has to face day-to-day decisions.

Il passait pour un homme élégant.

He was considered to be a well-dressed man.

Exemple: Il est considéré comme un homme élégant.
Réponse: Oui, il passe pour un homme élégant.

Exemple: Ce manuel a la réputation de faire autorité.
Réponse: Oui, il passe pour faire autorité.

Exemple: Le schéma était considéré comme ingénieux et mémorable.
Réponse: Oui, il passait pour ingénieux et mémorable.

1 Aux yeux de ses camarades de classe, il est considéré comme un potasseur.
2 Aux yeux des élèves, la récitation de la leçon est considérée comme ennuyeuse.
3 Cet examinateur a la réputation d'être sévère dans sa notation.
4 Par contre, cette examinatrice a la réputation de noter «large».
5 Dans ce concours, la notation est regardée comme sévère.
6 L'économe avait la réputation d'être un chic type.
7 Rubardeaux était considéré comme un sujet brillant, le premier en tout.
8 M. Bordes avait la réputation d'être un professeur brillant.

★   ★   ★

Au moment de partir, j'ai changé d'avis.

Just as I was leaving I changed my mind.

Au moment de passer sur le quai, il a découvert qu'il avait oublié son passeport.

Just as he was going on to the platform he discovered that he had forgotten his passport.

Au moment d'accrocher sa gabardine au porte-manteau, allait-il tirer de sa poche l'arsenal habituel?

Was he going to pull the usual paraphernalia out of his pocket as he was hanging up his raincoat on the coat-stand?

Exemple: Quand avez-vous changé d'avis? Au moment où vous partiez?
Réponse: Oui, justement, c'était au moment de partir.

Exemple: Quand est-ce que le censeur a commencé à tousser? Au moment où il lisait ma note?
Réponse: Oui, justement, c'était au moment de lire votre note.

Exemple: Quand vous êtes-vous rendu compte que vous n'aviez plus votre carnet de notes? Au moment où vous rédigiez les bulletins trimestriels?
Réponse: Oui, justement, c'était au moment de rédiger les bulletins trimestriels.

1 Quand avez-vous découvert les clefs de la voiture? Au moment où vous preniez votre carnet dans votre poche?

2 Quand vous êtes-vous aperçu de votre erreur? Au moment où vous écriviez le compte rendu?

3 Quand avez-vous dû finir vos cours? Au moment où vous entriez en classe terminale?

4 Quand a-t-elle vu venir la directrice? Au moment où elle pénétrait dans l'économat?

5 Quand sont-ils tombés malades? Au moment où ils entraient en première?

6 Quand avez-vous été bousculé par une ruée d'élèves? Au moment où vous vous installiez à votre place?

7 Quand est-ce que vos camarades et vous avez vu passer le proviseur? Au moment où vous vous aligniez sur deux rangs?

8 Quand est-ce que vous autres avez vu entrer le censeur? Au moment où vous vous asseyiez au réfectoire?

★   ★   ★

| | |
|---|---|
| Il n'avait ni manuel ni carnet. | He had neither a text-book nor a note-book. |
| «Ni fleurs, ni couronnes.» | "No flowers. No wreaths." |
| Il neige. Dehors il n'y a ni terre, ni ciel, ni village, ni montagne. | It is snowing. Outside there is neither earth nor sky, nor village nor mountain. |
| Ni chasseur ni pêcheur n'y venaient jamais. | Neither a sportsman nor a fisherman ever came there. |

**Exemple:** Avait-il un manuel, un carnet?
**Réponse:** Il n'avait ni manuel ni carnet.

**Exemple:** Dans sa serviette, y avait-il des copies, des bulletins trimestriels?
**Réponse:** Il n'y avait ni copies, ni bulletins trimestriels.

**Exemple:** En quatrième, y avait-il des sujets brillants et des cancres?
**Réponse:** Il n'y avait ni sujets brillants, ni cancres.

1 Dans ce manuel, y a-t-il des croquis, des schémas?
2 Cette semaine, avons-nous une explication de texte ou une rédaction?
3 Dans ses cours, y a-t-il une récitation de la leçon ou un compte rendu?
4 Cet après-midi, avons-nous des cours ou une étude?
5 Est-ce qu'ils lisent des romans ou de la poésie?
6 Est-ce que le nouveau professeur portait une serviette ou des cahiers?
7 Dans cette salle de classe abandonnée, y avait-il des bancs, une chaire?
8 Est-ce que ce professeur donnait des notes, des punitions?

★　　★　　★

15E *'Que' indicating immediate time succession*

| | |
|---|---|
| Un quart d'heure ne s'était pas écoulé que M. Bordes parlait de romans modernes. | Not a quarter of an hour had elapsed before M. Bordes was talking about modern novels. |
| Cinq ans ne s'étaient pas écoulés que sa vie subit un nouveau bouleversement. | Not five years had gone by when his life underwent a new upheaval. |
| L'heure du souper était venue que Maria n'avait pas fini de répondre aux questions. | Supper-time had come before Maria had finished answering the questions. |

**Exemple:** M. Bordes parlait de romans modernes avant qu'un quart d'heure se fût écoulé.

**Réponse:** Un quart d'heure ne s'était pas écoulé que M. Bordes parlait de romans modernes.

**Exemple:** Il a été terrassé par une migraine avant qu'une heure se fût passée.

**Réponse:** Une heure ne s'était pas passée qu'il a été terrassé par une migraine.

**Exemple:** Il a été arrêté avant qu'il eût fait deux cents pas.
**Réponse:** Il n'avait pas fait deux cents pas qu'il a été arrêté.

1 Le chahut a commencé avant que le professeur eût atteint la chaire.
2 L'économe nous a rappelés avant que nous eussions fait dix pas.
3 Je détestais le lycée avant que le premier trimestre eût touché à sa fin.
4 Le professeur marchait déjà vers la chaire avant que j'eusse pu effacer le croquis au tableau noir.
5 Nous avons compris que Roubardeaux serait toujours le premier avant qu'un trimestre se fût écoulé.
6 On commençait à servir le repas avant que nous nous fussions assis au réfectoire.
7 Il avait corrigé les copies avant que deux jours se fussent écoulés.
8 Les examinateurs avaient commencé à disputer avant qu'ils se fussent installés autour de la table.

## Verb Study

lire     LISANT     je lis     je LISAIS     j'ai LU
↓                                    ↓
je lirai           nous LISONS           je LUS
↓                        ↓                  ↓
je lirais         ils LISENT          qu'il LÛT
                      ↓
           que je LISE

Conjugated like lire: élire, réélire, relire.

1 I would have read that novel if I had been able to buy a copy.
2 We were about to re-read the poem.
3 He said that he would leave when she had read the letter.
4 They must have read it in the newspaper.
5 This time he wasn't elected.
6 Do you want me to re-read the text?

7 Would you have re-elected them?

8 I should have liked to read your essay.

9 It seems that he has already read that novel.

10 If we had elected him he might have helped us.

11 It is better that you should re-read what you have written.

12 After he had spoken they elected (*past historic*) him chairman (= *président*).

13 It seems that he is reading the article.

14 If I had the time I might read his latest novel.

15 I hope they will elect you.

16 Although they read me the document, I didn't understand it.

17 I ought to have read what was written at the bottom of the page.

18 Will you want to re-read the essay?

19 It seemed that he had read everything.

20 Every year they elected representatives.

## Essay Subjects

1 Portrait du professeur idéal.

2 Quels sont les livres que vous emporteriez, s'il fallait vous exiler dans une île déserte, avec très peu de livres?

3 Que cherchez-vous dans la lecture d'un roman?

4 Si vous aviez à choisir, aimeriez-vous étudier les classiques ou des livres modernes?

5 «L'enseignement est une amitié.» (Michelet)

## Translation

The fifth year boys' form was considered to be difficult and it seemed that this opinion was justified, for not five minutes had gone by when the noise began. M. Blancbec realized that it was useless to shout; they could shout louder than he could. What had the headmaster said to him? "If you have problems with certain pupils send them to me."

"That's easy to say," he thought, "but collective punishments are unfair and I don't even know the names of the noisiest ones. However, it seems that the moment has come to intervene." He began to ask questions about what he had said so far, whilst at the same time counting the books on the tables. Some pupils had neither a text-book nor an exercise-book.

His voice became more incisive. His questions became more insistent. Most pupils, feeling that the wind was turning, began to pay attention. Just as he was congratulating himself on the return to a relative calm, he noticed that Butor was still talking with his neighbour. When questioned, he was unable to quote either characters or incidents in the play which they were studying.

M. Blancbec had had enough. He sent Butor to (= *chez*) the headmaster. Just as he was leaving the classroom Butor turned round and shot a look of hatred at the new teacher. There was a deathly silence until the end of the lesson. Two of the pupils came up to M. Blancbec: "Sir, you shouldn't have sent him to the headmaster. He didn't deserve that. Four hours' detention (= *la colle*) for indiscipline."

"Well, I had warned you," said M. Blancbec.

# 16 *Les jours les plus heureux de la vie*

Au lycée, plus de frontières de classes sociales, plus de préjugés petitement bourgeois ou ingénument, jalousement prolétariens; les garçons se mêlent, se brassent, se choisissent ou se divisent en clans en dehors de toute hiérarchie extérieure. Sans doute, dès qu'ils replongent dans leur famille, se trouvent-ils repris par leur caste, par les dogmes, les coutumes, les idées héritées ou acquises qui gouvernent leur tribu. Mais franchi le seuil du lycée, les motifs de cloisonnement, valables pour la ville ou le foyer, s'abolissent ou, du moins, s'éclipsent; ils n'ont de force efficace en somme que pendant les repas et la nuit, les temps morts; aux heures actives, pleinement vécues, nul, sauf exceptions rares, et qui encourent la réprobation générale, ne penserait à violer une loi solidement établie, une tradition non formulée mais irrécusable, au maintien de laquelle veille le corps universitaire tout entier, du proviseur solennel jusqu'au dernier des pions, jusqu'au concierge.

La masse à peu près unanime des lycéens participe à cette fusion, le fils de bourgeois renté et le rejeton d'épicier modeste, le descendant du colonel ou de président de Tribunal et celui de l'instituteur de village perdu, boursier acharné au boulot, potasseur sans trêve, possédé du démon des diplômes et du concours, et l'amateur négligent qui compte sur la fortune du père, propriétaire terrien ou industriel bien muni, qui a son pain cuit d'avance et ne se fatigue pas à chauffer le four. Un bloc que n'entament pas les bagarres particulières, les batailles de groupes, un bloc qui agglomère et qui cimente le sujet brillant, promis aux grandes écoles, et le cancre végétatif relégué au dernier banc, celui-ci exerçant à l'occasion, en vertu de sa force corporelle et de quelque don de machinateur de chahuts et de farces, un ascendant, un empire incontesté.

Le lycée représente pour beaucoup d'enfants et d'adolescents, surtout quand ils subissent la réclusion de l'internat qui les coupe de la diversité de l'univers, une prison monotone, rythmée au roulement du tambour, un avant-goût de la caserne. Mais aux yeux d'autres, tout au contraire, il constitue une évasion. La pauvreté, les soucis du logis s'y dissolvent dans un bain de camaraderie, de jeunesse; les contraintes, les rigidités, les séparations, les stratifications de la vie sociale s'y atténuent, disparaissent presque. Le béret élimé, le pantalon aux genoux luisants, le cartable éraflé du lycéen de médiocre condition ne le marquent pas d'un signe d'infériorité; le complet de bonne coupe, la cravate de soie du fils de riche ou de pseudo-riche, condamné à certaines apparences, l'élégance et l'habillement, la tenue, ne confèrent aucun privilège.

Des maîtres amicaux et lointains, qui pèsent peu sur la liberté intérieure de leurs élèves, qui la respectent d'autant plus qu'ils trouvent eux-mêmes une source de tranquillité personnelle. Plusieurs offrent des visages assez pittoresques, comme il arrive souvent aux hommes qui ont des visées intellectuelles et que le train-train universitaire, la fatigue des programmes rabâchés sempiternellement d'octobre à juillet ont quelque peu découragés. A la fin, leurs leçons, leurs tics et leurs plaisanteries de circonstance ne se renouvellent plus; ils les repassent d'une génération à l'autre de ces disciples, dont les fonds de culotte polissent les bancs, dont les couteaux clandestins entaillent le bois des pupitres, y gravent des initiales et des symboles.

(Alexandre Arnoux, *Pour solde de tout compte*, Albin Michel, 1958, pp 63–66)

---

un adolescent/une adolescente, *teenager*
la bagarre, *scuffle, brawl, free fight*
la bourse, 1. *purse;* 2. *grant*
le boursier/la boursière, *holder of a scholarship*
le cancre, *dunce, 'thicky'*
le cartable, *school satchel*
le censeur, *vice-principal (of lycée)*
le chahut, *disruption, disruptive incident*
chahuter, *to disrupt a class; to bait a teacher*
le cloisonnement, *compartmentalization*
le concours, *competitive examination*
le corps enseignant ⎫ *teaching body;*
le corps universitaire ⎬ *teachers*
⎭ *(in general)*
le diplôme, *certificate, degree, qualification*
diplômé, *graduate*
la grande école, *institution of university rank, outside the university system*

une école normale, *teachers' college*
un externat, *day-school*
un/une externe, *day-pupil*
un instituteur/une institutrice, *primary school teacher*
un internat, *boarding-school*
un/une interne, *boarder*
le maître de conférences, *lecturer*
la pénurie, *shortage*
le pion, *junior master (in charge of preparation, detention, etc.)*
potasser, *to swot; to mug up (a subject)*
le programme, *syllabus*
les livres du programme, *set books*
le proviseur, *headmaster (of a lycée)*
le scientifique, *scientist*
le sujet brillant, *brilliant pupil/student*
l'université (*f.*), 1. *university;* 2. *the whole body of school and university teachers, lecturers, inspectors, etc.*

---

## Comprehension

1 Au point de vue social, à quoi sert le lycée, selon l'auteur?
2 Quand est-ce que les divisions sociales reprennent leur importance?
3 Grâce à quoi le fils de l'instituteur du village faisait-il ses études au lycée?
4 Pourquoi les fils de propriétaires terriens ou d'industriels ne potassaient-ils pas?
5 A quelle occasion le cancre pouvait-il exercer un ascendant?
6 A quoi ressemblait le lycée pour beaucoup d'internes?

7 Pourquoi est-ce que d'autres s'y plaisaient?
8 Quelle était l'attitude des professeurs envers leurs élèves?

## Structural Exercises

16A *'Plus de ...', with the meaning 'il n'y a plus de ...' or 'qu'il n'y ait plus de ...'*

| | |
|---|---|
| Paris était comme mort: plus d'autos, plus de passants. | Paris was as if dead: no more cars, no more passers-by. |
| Au lycée, plus de frontières de classes sociales, plus de préjugés. | In the lycée, no more social class barriers, no more prejudices. |
| Plus de potage, merci. | No more soup, thanks. |
| Plus de guerres, plus d'effusion de sang. | No more wars, no more bloodshed. |

**Exemple:** Les frontières s'aboliront.
**Réponse:** Plus de frontières!

**Exemple:** On mettra fin à la guerre, à l'effusion de sang.
**Réponse:** Plus de guerre, plus d'effusion de sang!

**Exemple:** Les cartables ont disparu, de nos jours.
**Réponse:** Plus de cartables, de nos jours.

1 Les bagarres cesseront.
2 Les bourses seront abolies.
3 Abolissons les diplômes!
4 On mettra fin aux concours.
5 On mettra fin au cloisonnement entre les matières.
6 On abolira les programmes rabâchés tous les ans.
7 Il n'y aura ni proviseurs ni censeurs.
8 On mettra fin aux internats.

\*　　\*　　\*

16B *Negation of a past participle with 'non'*

| | |
|---|---|
| Un ouvrier non syndiqué. | A non-union worker. |
| Les nations non engagées. | The uncommitted nations. |
| Des champs non cultivés. | Uncultivated fields. |
| C'est sur cette question non formulée que grippe l'équipe gouvernementale. | It is on this unformulated question that the government team has come to grief. |

**Exemple:** Cette tradition n'a pas été formulée.
**Réponse:** C'est donc une tradition non formulée.

**Exemple:** Ce droit n'avait pas été revendiqué.
**Réponse:** C'était donc un droit non revendiqué.

**Exemple:** Ce champ n'était pas labouré.
**Réponse:** C'était donc un champ non labouré.

1 Un pion est en général un étudiant qui n'est pas diplômé.
2 Ce texte n'a pas été publié.
3 Cette version n'est pas abrégée.
4 Cet appartement n'est pas meublé.
5 Ce problème n'avait pas été résolu.
6 Cette punition n'était pas justifiée.
7 Cette opinion n'avait pas été exprimée.
8 Le boursier travaillait avec un zèle qui n'a pas diminué.

★   ★   ★

16C *'Ne ... que': 'que' immediately preceding the part of the sentence which it limits*

| | |
|---|---|
| Ce ne pourrait être qu'un accident mécanique. | It could only be a mechanical failure. |
| C'était une ancienne chapelle qui n'était ouverte et décorée qu'une fois par an. | It was a former chapel which was only open and decorated once a year. |
| Je n'avais jamais loué une voiture que lorsque je le devais à cause de ma malle. | I had only ever hired a car when I had to because of my trunk. |

**Exemple:** Ce pourrait être un simple oubli.
**Réponse:** Oui, ce ne pourrait être qu'un simple oubli.

**Exemple:** Elle avait mesuré le danger trop tard.
**Réponse:** Oui, elle n'avait mesuré le danger que trop tard.

**Exemple:** Les motifs de cloisonnement sont valables pendant les repas et la nuit.
**Réponse:** Oui, ils ne sont valables que pendant les repas et la nuit.

1 Les lycéens se retrouvent repris par leur caste lorsqu'ils sont à la maison.
2 Le fils de l'instituteur était là grâce à une bourse.
3 Le fils de l'industriel a compté sur la fortune de son père.

4 Le sujet brillant va penser au concours d'entrée des grandes écoles.
5 Pour beaucoup d'adolescents, l'internat peut être une prison monotone.
6 Dès maintenant, il faut penser à potasser.
7 Le censeur doit veiller au maintien de la discipline.
8 Le diplômé avait voulu un poste de pion.

⋆    ⋆    ⋆

## 16D 'Lequel', etc., after indirect complement

C'est une tradition au maintien de laquelle veille le corps universitaire tout entier.

It is a tradition to the continuance of which the whole teaching body pays particular attention.

Il aperçut un magasin sur la porte duquel il y avait écrit: « Ici on parle français ».

He caught sight of a shop on whose door there was written: "French spoken here".

L'homme à la réputation duquel cette calomnie a nui, ne peut pas se défendre.

The man whose reputation this calumny has harmed cannot defend himself.

Nous entrons dans une période au cours de laquelle nous aurons à redéfinir les relations entre la formation des gens, leur travail et leur temps de loisir.

We are entering upon a period in the course of which we shall have to redefine the relationships between people's training, their work and their leisure time.

**Exemple:** Le corps universitaire veille au maintien de cette tradition.
**Réponse:** C'est donc cette tradition au maintien de laquelle veille le corps universitaire.

**Exemple:** Le nom de Giraudoux se trouve parmi les noms de ces sujets brillants.
**Réponse:** Ce sont donc ces sujets brillants parmi les noms desquels se trouve le nom de Giraudoux.

**Exemple:** Cette calomnie a nui à la réputation de cet homme.
**Réponse:** C'est donc cet homme à la réputation duquel cette calomnie a nui.

1 Une étiquette est collée à l'intérieur de cette serviette.
2 Nous nous intéressons au sort de ce corps universitaire.
3 On attache tant d'importance à l'abolition de ce cloisonnement.
4 Le censeur est entré au milieu de ce chahut.
5 Les parents attachent tant d'importance à la conquête de ces diplômes.
6 Les enseignants ont tant discuté au sujet de ces programmes.

7 Le fils du juge figure au nombre de ces cancres.
8 On a tant écrit au sujet de ces concours.

★  ★  ★

## 16E  'D'autant plus que …'

| | |
|---|---|
| Le film est impressionnant, d'autant plus que le metteur en scène a veillé scrupuleusement à l'authenticité du décor. | The film is impressive, all the more so as the producer has paid scrupulous attention to the authenticity of the background. |
| L'homme qui travaille dans la grande usine boit, d'autant plus qu'il veut oublier son existence monotone. | The man working in the big factory drinks, all the more so because he wants to forget his monotonous existence. |
| C'est une rencontre qui sera suivie avec attention, d'autant plus que, dans cette affaire, les intérêts sont convergents. | It is a meeting which will be followed attentively, all the more so as, in this matter, interests are convergent. |

Complete the sentence.
**Exemple:** La chaleur était suffocante, d'autant plus que …
**Réponse:** D'autant plus que les fenêtres étaient fermées.

**Exemple:** En France les enseignants jouissent d'une grande estime, d'autant plus que …
**Réponse:** D'autant plus qu'on y respecte les aptitudes académiques.

**Exemple:** Le censeur exerçait une autorité indéniable, d'autant plus que …
**Réponse:** D'autant plus que le proviseur était souvent absent.

1 Il est forcé de potasser, d'autant plus que …
2 Elle a peu de chances de réussir, d'autant plus que …
3 Ce cancre ne se fatigue pas à potasser, d'autant plus que …
4 Les pions se font souvent chahuter, d'autant plus que …
5 Vous trouverez facilement un poste d'enseignant, d'autant plus que …
6 Ce professeur devait être chahuté, d'autant plus que …
7 Peu de jeunes gens de condition modeste accèdent à l'enseignement supérieur, d'autant plus que …
8 Il est difficile d'introduire le principe de la co-opération dans la salle de classe, d'autant plus que …

## Verb Study

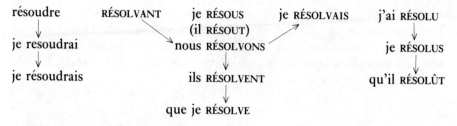

résoudre    RÉSOLVANT    je RÉSOUS    je RÉSOLVAIS    j'ai RÉSOLU
(il RÉSOUT)
je resoudrai    nous RÉSOLVONS    je RÉSOLUS
je résoudrais    ils RÉSOLVENT    qu'il RÉSOLÛT
que je RÉSOLVE

Conjugated like résoudre: dissoudre (but past participle: DISSOUS; no past historic).

1 I resolved to help them.
2 If they solved this problem I should be very pleased.
3 Do you think he is solving the problem?
4 In order to dissolve this powder you need boiling water.
5 In that case the President would dissolve the National Assembly.
6 Water slowly dissolves rocks.
7 I don't think that he has solved the problem.
8 I said that I would tell him when I had solved the problem.
9 Let us solve this problem!
10 Until he resolves to help us we can do nothing.
11 I wonder if they will solve this problem?
12 We hadn't dissolved the substance.
13 You ought to be able to solve this equation.
14 If he resolves this difficulty the rest will be easy.
15 We had had to solve many problems.
16 I doubt whether you will dissolve that substance.
17 Will you be able to solve the problem?
18 I am not resolving this difficulty.
19 Could I have solved your problem?
20 We demanded that the problem be solved.

## Essay Subjects

1 Vous devenez ministre de l'Éducation Nationale. Quelles réformes allez-vous faire?
2 S'instruit-on seulement à l'école? Quelles sont les autres sources d'instruction que vous connaissez?
3 Les examens sont-ils nécessaires?
4 Quelle matière que vous n'avez pas étudiée à l'école auriez-vous aimé étudier et pourquoi?
5 Les jeunes filles devraient-elles recevoir la même formation intellectuelle que les garçons?

## Translation

"Education," said Charles reflectively, "is what remains when you have forgotten everything you learned at school. It's odd, but when I had finished my studies I discovered that I had only learned two things: how to sleep with my eyes open and how to take notes, with the help of which I could reconstruct the whole lesson.

Yes, that was a very useful technique which I acquired, all the more so as most of the teachers didn't teach, they gave lectures (= *faire un cours magistral*). It was an unwritten tradition: the teacher came into the classroom, went up on to the rostrum, talked for an hour, and then went out again when the bell rang."

"I've heard that everything is changed nowadays," I said. "The pupils seem only to do half the work we were supposed to do. No more lessons, but discussions. No more individual work, but cooperative projects. No more examinations, but continuous assessment."

"No more discipline," growled Charles, who had guessed my unspoken thoughts. "My nephew was telling me about a disruptive incident in the middle of which the headmaster appeared. He did nothing himself, merely sent for the vice-principal to restore order. He didn't want to be involved, all the more so as he is writing a book about discipline in education."

# 17 *Quelle robe mettre?*

—Midi! crie Pierre. Nous allons être en retard. Allez, dépêche-toi chérie, habille-toi!

— Tu sais que je suis prête tout de suite.

— Oui, que tu dis!

Elle se fâche. Est-ce qu'elle n'est pas très vite habillée? Elle n'a qu'à choisir une robe. Mais c'est ici que ça se complique. Une robe? Laquelle?

— Laquelle, chéri? Ma bleue avec la ceinture rouge? Ou la verte rayée? Mes souliers marine sont chez le cordonnier à arranger les talons. Alors je ne peux pas mettre ma robe bleue. Et la verte non plus, j'y pense, mon manteau qui va avec est au dégraissage. Si je mettais ma petite blouse en lingerie et mon tailleur rouille? Qu'est-ce que tu en penses, chéri? Dis, Pierrot? Mais on gèle tout le temps chez papa, je serais obligée de rester tout le temps avec ma veste, et ma blouse se fripera. Et puis on ne la verra pas et elle est si jolie, cette blouse! N'est-ce pas qu'elle est jolie, dis, Pierrot?

— Elle est jolie, répond Pierre, mais si tu ne veux pas la mettre, ce n'est pas la peine d'y penser.

— Elle est si jolie, regarde!

Annette a décroché de la penderie la blouse en imitation de vieille dentelle et elle la tient devant elle en l'admirant.

— Dépêche-toi un peu, chérie, répète Pierre d'un ton suppliant.

— Oui, je suis prête. Écoute, tant pis, je la mets, ma blouse. Si j'ai froid, je le verrai bien!

— Tu ne vas tout de même pas prendre mal pour une blouse? dit Pierre qui s'énerve.

— Qu'est-ce que tu veux que je mette, je n'ai pas autre chose?

— Mets ta jupe plissée et ton pullover.

— Pour aller à un dîner?

— Tu ne vas pas à un dîner, tu vas manger chez tes parents. Je te préviens qu'il est midi vingt!

— Et une jupe plissée pour rester assise une heure dessus et se relever toute froissée?

— Oh écoute, mets ce que tu voudras, seulement dépêche-toi!

— C'est bête que je n'aie pas ma robe bleu marine, avec la ceinture et le foulard rouge, elle a un chic extraordinaire. Oh, que je regrette de n'avoir pas pris mes chaussures marine au cordonnier! Je suis sûre qu'elles sont prêtes. Si tu allais voir, chéri?

— A Grosbois? Mais tu es folle, je n'aurais pas le temps. La demie de midi sonne! Habille-toi!

— Oh tu me donnerais une crise de nerfs! «Habille-toi, habille-toi» quand je n'ai rien!

— Mets ta blouse, puisqu'elle te plaît.

— Naturellement. Si je prends froid, ça t'est bien égal. Et puis, après tout, tant pis, moi aussi, je m'en fiche! Si je meurs, tu te remarieras, je le sais, va, vous êtes tous pareils, les hommes, vous n'avez pas de cœur, vous êtes des égoïstes!

Pierre se détourne. Il va contempler le paysage à travers la vitre de la fenêtre. Il tâche de penser au travail de la veille, à celui du lendemain. Il ne veut pas s'abandonner à la colère qu'il sent monter en lui.

— Voilà, nous partons? propose une voix paisible.

Annette est prête. Elle a mis une robe en soie imprimée de grandes fleurs sur fond nègre, qui s'évase en corolle sur ses jambes fines. La seule robe dont elle n'avait pas parlé.

— Elle te va très bien, dit Pierre, pourquoi ne l'as-tu pas mise tout de suite?

— Je n'y pensais plus, dit-elle simplement.

Elle enfile par-dessus son manteau de fourrure, offert au jour du mariage par ses parents.

— Tu es belle, dit Pierre.

— Passe-moi mon parfum, j'ai oublié de m'en mettre une goutte.

Elle renverse le flacon contre le bout de son doigt et elle frotte ce doigt derrière son oreille.

— Oh, donne-moi ma poudre pour que je garnisse mon poudrier. Voilà, cette fois, j'y suis.

(Thyde Monnier, *Fleuve*, Milieu du Monde, 1942, pp 156–161)

| | |
|---|---|
| accrocher, *to hang up* | enfiler, 1. *to thread;* 2. *to slip (clothes) on* |
| aller à quelqu'un, *to suit someone* | |
| cette robe lui va bien, *that dress suits her very well* | le flacon de parfum, *bottle of scent* |
| la blouse, 1. *overall;* 2. *blouse* | le foulard, *scarf* |
| la ceinture, *belt* | la fourrure, *fur* |
| chaussé de (bottes), *wearing (boots)* | se friper, *to get crushed, to become crumpled* |
| la chaussure, 1. *footwear;* 2. *shoe* | froisser, *to crumple* |
| chic (*invariable in f.*), *smart* | s'habiller, *to get dressed* |
| le cintre, *coat-hanger* | la penderie, *hanging wardrobe, closet* |
| le cordonnier, 1. *shoemaker;* 2. *shoe repairer* | plissé, *pleated* |
| décrocher, *to unhook, to take down from the peg* | la poudre, *powder* |
| | le poudrier, *powder compact* |
| le dégraissage, *dry-cleaning* | le pull(over), *sweater* |
| le dégraisseur, *dry-cleaner* | la raie, 1. *stripe;* 2. *parting (in hair)* |
| la dentelle, *lace* | rayé, *striped* |
| | le rouge à lèvres, *lipstick* |

| | |
|---|---|
| la semelle, *sole (of shoe)* | le talon, *heel* |
| la tache, *stain, spot (of grease)* | le teinturier, *dyer and cleaner* |
| le tailleur, 1. *tailor;* 2. *trouser-made suit* | |
|   le tailleur-pantalon, *trouser-suit* | |

# Comprehension

1 Pourquoi Annette ne pouvait-elle mettre ni sa robe bleue ni la verte?
2 Si elle mettait son tailleur, quels inconvénients y aurait-il?
3 Qu'est-ce que Pierre ne cessait de répéter?
4 Pourquoi s'est-il énervé?
5 Qu'est-ce qu'Annette regrettait?
6 Si elle prenait froid, qu'est-ce qui s'ensuivrait, selon elle?
7 Qu'est-ce que Pierre a fait pour contenir son énervement?
8 Quelle robe Annette a-t-elle enfin mise?

# Structural Exercises

17A *'Si' + imperfect, to propose, offer or suggest something*

| | |
|---|---|
| Si tu allais voir? | Suppose you went to see? |
| Si je mettais mon tailleur-pantalon bleu? | Suppose I put on my blue trouser-suit? |
| Si on chantait? | Suppose we were to sing? |
| Si nous allions à l'arrière du bateau? | Suppose we go to the stern of the boat? |

**Exemple:** Offrez de téléphoner à Pierre.
**Réponse:** Si je téléphonais à Pierre?

**Exemple:** Offrez de choisir les vins.
**Réponse:** Si je choisissais les vins?

  1 Offrez de porter ces vêtements au dégraissage.
  2 Offrez à un(e) ami(e) d'aller chercher ses chaussures chez le cordonnier.
  3 Offrez de faire venir un taxi.
  4 Offrez d'aider votre ami(e) à tapisser la chambre.

**Exemple:** Proposez à votre ami(e) que vous buviez tous les deux une bouteille de champagne.
**Réponse:** Si nous buvions une bouteille de champagne?

**Exemple:** Proposez à votre famille de rentrer.
**Réponse:** Si nous rentrions?

5 Proposez à un(e) ami(e) que vous achetiez tou(te)s les deux ces ceintures bleu marine.
6 Proposez à vos amis que vous alliez au village.
7 Proposez à votre collègue que vous pensiez au travail.
8 Proposez à vos amis que vous preniez le déjeuner ici.

Exemple: Suggérez à votre sœur de mettre une ceinture.
Réponse: Si tu mettais une ceinture?

Exemple: Suggérez au garçon de vous donner le menu, en attendant.
Réponse: Si vous me donniez le menu, en attendant?

9 Suggérez à vos ami(e)s d'accrocher leurs manteaux là.
10 Suggérez à un monsieur d'ôter sa veste.
11 Suggérez à une dame de vous donner son numéro de téléphone.
12 Suggérez à votre sœur de mettre quelque chose de plus chic.

Exemple: Suggérez que les enfants devraient s'habiller maintenant.
Réponse: Si les enfants s'habillaient maintenant?

Exemple: Suggérez que les enfants pourraient chanter.
Réponse: Si les enfants chantaient?

13 Suggérez à une mère que son fils devrait enfiler un pull.
14 Suggérez que Pierre pourrait passer chez le cordonnier.
15 Suggérez qu'Annette pourrait se fâcher.
16 Suggérez que les talons ne seraient pas arrangés.

★　　★　　★

17B '*Être obligé/forcé de faire quelque chose*'

| | |
|---|---|
| Êtes-vous vraiment forcé de partir? | Are you really forced to leave? |
| Le bénéficiaire de l'allocation-maladie est obligé de verser d'avance tous les frais. | The drawer of sickness benefit is obliged to pay out all the costs in advance. |
| Les hommes ont été obligés d'appeler les femmes au secours. | Men were obliged to call on women for help. |
| Finalement je n'ai pas été obligé d'assister à la conférence. | In the end I wasn't obliged to attend the lecture. |

Exemple: Si le téléphone sonne, je devrai le décrocher.
Réponse: Oui, vous serez obligé de le décrocher.

Exemple: Nous avons dû accrocher nos vêtements.
Réponse: Oui, vous avez été obligés de les accrocher.

1 Je devrai porter ma veste tout le temps.
2 Elle devra porter ce manteau noir.
3 J'ai dû porter ce costume chez le dégraisseur.
4 Vous devriez porter cette blouse chez le teinturier.

**Exemple:** Je dois avouer que je me suis mis en colère.
**Réponse:** Ah, vous êtes forcé de l'avouer.

**Exemple:** J'ai dû vendre la villa.
**Réponse:** Ah, vous avez été forcé de la vendre.

5 Je dois déclarer le flacon de parfum à la douane?
6 Elle devra mettre la ceinture bleu marine.
7 J'ai dû aller chez le cordonnier.
8 Pierre a dû avouer que la robe allait bien à Annette.

⋆　　⋆　　⋆

## 17C *Subjunctive after impersonal expressions of emotion*

| | |
|---|---|
| Il est miraculeux que les langues locales aient survécu. | It's miraculous that the local languages have survived. |
| Il est heureux que vous soyez arrivé à temps. | It's lucky that you arrived in time. |
| Quel dommage que vous n'ayez jamais visité les pays scandinaves. | What a pity that you have never visited the Scandinavian countries. |
| Il serait souhaitable qu'il vienne ici. | It would be desirable for him to come here. |

**Exemple:** Je n'ai pas ma robe bleu marine. C'est bête.
**Réponse:** Oui, il est bête que vous ne l'ayez pas.

**Exemple:** Je n'ai pas de brosse. C'est malheureux.
**Réponse:** Oui, il est malheureux que vous n'en ayez pas.

**Exemple:** Elle portait cette robe rayée. C'était étonnant.
**Réponse:** Oui, il était étonnant qu'elle la portât.

1 Je n'ai pas froissé mes vêtements. C'est remarquable.
2 Nous n'avons pas de penderie dans cette chambre. C'est bête.
3 Ce manteau de fourrure ne lui va pas. C'est dommage.
4 Elle ne sait pas mettre du rouge à lèvres. C'est malheureux.
5 Elle ne peut pas porter ces talons. Ce n'est pas étonnant.
6 Mon costume tailleur ne s'est pas fripé. C'est heureux.

7 Sa blouse était froissée. C'était malheureux.
8 Elle n'avait pas garni son poudrier. C'était surprenant.

★   ★   ★

## 17D 'Que' in an exclamation; 'combien' in indirect speech

| | |
|---|---|
| Que cela doit être pénible! | How painful that must be! |
| Qu'ils sont lents! | How slow they are! |
| Qu'il fait froid! | How cold it is! |
| Qu'il est bête de vous tourmenter comme ça! | How stupid it is for you to worry like that! |
| Vous verrez combien le monde est méchant. | You will see how wicked the world is. |
| Vous ne savez pas combien vous dites vrai. | You don't know how right you are. |

**Exemple:** Dites combien la dentelle coûte cher.
**Réponse:** Que la dentelle coûte cher!

**Exemple:** Dites combien vous regrettez de ne pas avoir pris vos chaussures au cordonnier.
**Réponse:** Que je regrette de ne pas avoir pris mes chaussures au cordonnier!

1 Dites combien vous regrettez que cette veste soit froissée.
2 Dites combien ce poudrier vous plaît.
3 Dites combien la blouse et le tailleur sont chics.
4 Dites combien la semelle est épaisse.

Put the following sentences into indirect speech.
**Exemple:** « Qu'elle est belle! » pensait-il.
**Réponse:** Il pensait combien elle était belle.

**Exemple:** « Que je suis surprise de trouver votre boutique ouverte! » a-t-elle dit au teinturier.
**Réponse:** Elle a dit au teinturier combien elle était surprise de trouver sa boutique ouverte.

5 « Qu'il est bête d'avoir oublié le rouge à lèvres! » a-t-elle pensé.
6 « Que cette robe rayée vous va! » lui a-t-il dit.
7 « Que nous regrettons de ne pas être chaussés de bottes! » avons-nous dit.
8 « Que je suis content de vous voir! » ai-je dit à Annette.

★   ★   ★

## 17E  *Subjunctive after 'pour que'*

| | |
|---|---|
| Je vais téléphoner pour qu'il vienne plus tôt. | I'm going to phone so that he comes earlier. |
| J'ai donné des instructions pour que l'information soit largement diffusée. | I have given instructions for the information to be widely disseminated. |
| Pour que vos enfants n'aient pas peur en route, respectez les limitations de vitesse. | So that your children are not afraid on the journey, observe the speed limits. |
| La France a besoin d'un taux de croissance de 4% pour que le chômage ne s'accroisse pas encore. | France needs a growth rate of 4% for unemployment not to increase again. |

**Exemple:** Donne-moi la poudre et je garnirai mon poudrier.
**Réponse:** Ah, je vois: pour que tu le garnisses.

**Exemple:** Parlons à voix basse; comme ça, il ne nous entendra pas.
**Réponse:** Ah, je vois: pour qu'il ne nous entende pas.

**Exemple:** La petite fille s'était cachée dans la penderie; comme ça, son père ne la trouverait pas.
**Réponse:** Ah, je vois: pour que son père ne la trouvât pas.

1 Laissez votre veste ici et nous enlèverons la tache.
2 Passez-moi le peigne et je ferai une raie.
3 Je vais vous prêter mon foulard; comme ça, vous aurez l'air chic.
4 Donnez-lui votre pull et il ne prendra pas froid.
5 Nous allons laver cette dentelle; comme ça, elle pourra s'en servir.
6 Son mari lui a conseillé de porter sa jupe plissée: comme ça, elle n'aurait pas froid.
7 Il y avait des journaux par terre; comme ça, le parquet ne serait pas sali.
8 Marie enfilait une blouse; comme ça, sa robe ne serait pas tachée.


## Verb Study

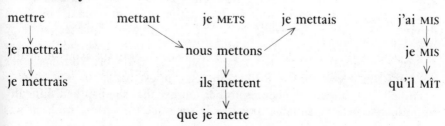

mettre → mettant → je METS → je mettais → j'ai MIS
je mettrai → nous mettons → je MIS
je mettrais → ils mettent → qu'il MÎT
que je mette

Conjugated like mettre: admettre, commettre, se démettre, omettre, permettre, promettre.

1 He didn't admit this reason.
2 If I were to allow it what would they do?
3 Do you think he will promise to do it?
4 Without promising anything he encouraged us.
5 We should like to resign.
6 They would resign if they could.
7 You have just admitted the fact.
8 I said I would tell him when I resigned.
9 Let us omit nothing!
10 Speak to her father so that he allows her to come.
11 I wonder if she will put on her fur coat?
12 He ought not to allow it.
13 They hadn't committed any crime.
14 If I put on this suit will I be too warm?
15 They had had to promise not to interrupt.
16 It is astonishing that you should allow it.
17 They will be able to put their luggage in the car.
18 He doesn't omit anything.
19 Could we have promised?
20 It was unfortunate that he had put the shoes too near the fire.

## Essay Subjects

1 «Les femmes s'habillent pour plaire aux hommes.» Êtes-vous d'accord?
2 Aimez-vous suivre la mode, la devancer, ou l'ignorer?

## Translation

How happy Pierre was that Annette had finally decided which dress to wear! He was forced to admit that the one she had chosen suited her very well. "It is lucky that we haven't wasted more time," he said to himself. "All the same I shall be obliged to drive fast for us to arrive on time." He knew how Annette's father hated people (= on) to be late for a meal.

Unfortunately the snow which covered the roads prevented him from driving as quickly as he would have liked and it was a quarter past one when they reached the Andrieu house. "What a pity that we didn't set out earlier," he thought. "Suppose I said that we'd had a breakdown (= une panne)?" But it was too late for him to make an excuse.

Annette was already explaining to her mother that she had had difficulty in finding something suitable to wear. At the same time Mme Andrieu was saying how sorry she was that lunch was not yet ready. "Suppose we have a drink while waiting," said M. Andrieu resignedly. Pierre accepted enthusiastically.

# 18 *Comment être parfaitement habillé*

Il y a un homme dont je rêve et qui est fait pour faire rêver. C'est l'homme de la publicité. Celui qui, les épaules carrées, la poitrine bombée, porte hiver comme été le prêt-à-porter. Cet homme, c'est clair, n'a jamais eu d'ennuis. Regardez-le avancer dans la vie. Il marche d'un pas ferme, l'air ravi. Tout lui sourit, le patron comme les agents, l'hôtesse de l'air comme les enfants. Et lui aussi, toujours sourit: souriant au volant dans les encombrements, souriant en se rasant, souriant à l'usine, souriant au monde, il ne fait que sourire.

Son secret? On nous l'écrit: il se sent sûr de lui. On nous demande: pourquoi toutes les femmes le regardent-elles? On nous répond: parce qu'il sait affirmer sa personnalité. Et s'il sait ainsi s'affirmer, ce n'est pas tant à cause du caractère — qui n'est pas en vente dans les magasins — qu'à cause de sa chemise qui est irrétrécissable, de son veston qui est indéformable, de son fauteuil d'avion où il se sent confortable.

C'est là qu'apparaît le merveilleux avec cet homme: ses chemises ne se rétrécissent pas; son pantalon garde son pli; chauds l'hiver, ses vêtements deviennent frais l'été; ses lames de rasoir ne l'irritent pas; il est toujours à l'heure; il n'a jamais le mal de l'air; il ne perd jamais les cheveux. Bref, l'homme heureux.

Moi aussi, j'ai un beau costume, une belle cravate, de beaux souliers. Mais si je commence ma journée d'un pas gaillard, comme l'homme de la publicité, je ne parviens jamais à la finir comme lui, indéfroissé. Mille petites choses semblent se liguer contre moi pour salir mes manchettes, déformer mon pantalon, chiffonner ma cravate. Je dois avoir une façon de salir qui m'appartient en propre. Et il me semble quelquefois que le sort me réserve le monopole des sièges poussiéreux, des traînées d'encre, des éclaboussures.

Déjà, dans mon adolescence, j'avais été péniblement impressionné en constatant que mes pantalons tombaient toujours moins bien que ceux de Marozelles ou de Guthmann — qui les achetaient dans le même magasin, et au même moment que moi. Je n'usais pas comme eux. Il y avait aussi, dans la façon de nouer la cravate, un tour de main que je ne parvenais pas à acquérir. Les nœuds des autres étaient moins gros et ils tenaient. Moi, je sentais sans cesse le nœud de ma cravate se desserrer, descendre, quitter mon col; je ne cessais donc de le remonter; en deux heures, mon col devenait sale et ma cravate tirebouchonnait.

D'ailleurs il y a d'autres drames dont cet homme ne souffre pas et qu[i] sont pour moi quotidiens. Ne serait-ce que le drame des demi-pointures[.] L'homme de la publicité, c'est évident, a des pointures franches. Pour m[a] part, j'ai toujours été poursuivi par les demi-pointures: $8\frac{1}{2}$ pour le gant; $39\frac{1}{2}$ pour la chemise; $40\frac{1}{2}$ pour la chaussure. Le 40, par exemple, que l'on m'essaie toujours d'abord, me serre terriblement. Et le 41 me semble dix fois trop grand. Alors de deux choses l'une:

Si la chaussure est trop étroite, la vendeuse me dit:

— Vous savez, à l'usage, le cuir s'assouplit!

Si je me trouve «trop à l'aise», elle me fait remarquer:

— Vous savez monsieur, le pied a toujours tendance à gonfler. Il vaut mieux prendre une demi-pointure au-dessus qu'au-dessous! Vous serez plus à l'aise ...

(Pierre Daninos, *Tout Sonia*, Livre de Poche, 1956, pp 341–351)

| | |
|---|---|
| la casquette, *cap* | nouer, *to knot, to tie* |
| chiffonner, *to rumple, to crumple* | la pantoufle, *slipper* |
| se coiffer, 1. *to put on one's hat;* 2. *to do one's hair* | le pli, *fold, pleat, crease* |
| | la pointure, *size (in shoes, gloves, collars)* |
| coiffé d'une casquette, *wearing a cap* | le prêt-à-porter, *ready-made garment* |
| le costume, *suit* | se raser, *to shave* |
| déformé, *out of shape* | se rétrécir, *to shrink (of garments)* |
| se desserrer, *to work loose* | retrousser (ses manches), *to roll up (one's sleeves)* |
| éclabousser, *to splash, to spatter* | salir, *to dirty* |
| une éclaboussure, *a splash* | serrer, *to squeeze, clasp, press* |
| le gilet, *waistcoat* | tirebouchonner, *to curl up* |
| indéformable, *that will not lose its shape* | le tissu, *woven material, fabric* |
| indéfroissable, *crease-resistant* | user (ses vêtements), *to wear out (one's clothes)* |
| irrétrécissable, *non-shrink* | |
| la manche, *sleeve* | ce tissu s'use vite, *this material wears out quickly* |
| la manchette, *cuff* | |
| le nœud, *knot, bow* | |

## Comprehension

1 Qu'est-ce qu'il y a de merveilleux aux vêtements de l'homme de la publicité?
2 Quelles sont les conséquences de son choix de vêtements?
3 De quels ennuis vestimentaires est-ce que Pierre Daninos souffre?
4 Qu'est-ce qu'il a constaté dès son adolescence?
5 Qu'est-ce qui lui arrive s'il va acheter une paire de chaussures?
6 De quelle façon est-ce que la vendeuse essaie de le rassurer?

## Structural Exercises

### 18A *Definite article used as a possessive adjective in descriptions*

| | |
|---|---|
| Elle resta là, les mains ballantes. | She remained there, with her hands dangling. |
| On voit passer des ouvriers, la veste sur l'épaule. | You see workmen going by, with their jackets on their shoulders. |
| Il regardait l'écriteau, les mains dans les poches. | He was looking at the notice, with his hands in his pockets. |
| Il marchait les yeux mi-clos, la tête basse. | He was walking with his eyes half-closed and with his head held low. |

**Exemple:** Il marche. Ses épaules sont carrées, sa poitrine est bombée.
**Réponse:** Il marche, les épaules carrées, la poitrine bombée.

**Exemple:** Il a l'air chic. Sa chemise est irrétrécissable, son costume est indéfroissable.
**Réponse:** Il a l'air chic, la chemise irrétrécissable, le costume indéfroissable.

**Exemple:** Il est arrivé. Sa cravate était impeccablement nouée, son pantalon était bien marqué d'un pli.
**Réponse:** Il est arrivé, la cravate impeccablement nouée, le pantalon bien marqué d'un pli.

1 Le voici venir. Sa casquette est sur l'oreille.
2 Il travaillait. Ses manches étaient retroussées.
3 Après une nuit dans le train, nous sommes arrivés. Nos vêtements étaient chiffonnés.
4 Il était couché sur le dos. Son gilet était éclaboussé de sang.
5 Elle est entrée. Sa veste était pendue á l'épaule.
6 Elle est restée immobile. Son poudrier était à moitié ouvert.
7 Il avait l'air négligé. Son nœud de cravate était défait, son pantalon tirebouchonnant.
8 Je suis sorti. J'avais mes pantoufles à la main.

★ ★ ★

### 18B '*Il est (adjective) que* ...'

| | |
|---|---|
| Il est vrai que je n'en sais rien. | It is true that I know nothing of it. |
| Il est clair que cet homme n'a jamais d'ennuis. | It is clear that this man never has any worries. |
| Il est bon que vous le sachiez. | It is as well that you should know. |

| | |
|---|---|
| Il est possible qu'il fasse le trajet aller-retour en une journée. | It is possible that he will do the return trip in one day. |

Exemple: Cette étoffe se fripe facilement, c'est clair.
Réponse: Oui, il est clair qu'elle se fripe facilement.

Exemple: La robe n'est pas très chic, c'est vrai.
Réponse: Oui, il est vrai qu'elle n'est pas très chic.

1 Ce complet est indéformable, c'est évident.
2 Cette chemise est irrétrécissable, c'est vrai.
3 Ce nœud se desserrera bientôt, c'est clair.
4 Cet homme ne s'est pas rasé, c'est certain.

Exemple: Tout s'est bien passé, c'est merveilleux.
Réponse: Oui, il est merveilleux que tout se soit bien passé.

Exemple: Ce tissu se rétrécit tellement, c'est étonnant.
Réponse: Oui, il est étonnant qu'il se rétrécisse tellement.

5 Ce costume s'est vite déformé, c'est malheureux.
6 Il ne sait pas nouer une cravate, c'est ridicule.
7 Elle n'a rien de mieux à mettre, c'est possible.
8 Il ne s'est pas rasé, c'est honteux.

★　★　★

## 18C 'Ne faire que' followed by the infinitive

| | |
|---|---|
| Je ne fais qu'exécuter les ordres que j'ai reçus. | I am only carrying out the orders which I have received. |
| Son assaillant n'a fait que le blesser légèrement. | His attacker only wounded him slightly. |
| Je ne faisais que rouler du mauvais côté de la route. | I was only driving on the wrong side of the road. |
| Les peuples basque et breton ne font qu'exiger la reconnaissance de leurs droits. | The Basque and Breton peoples are only demanding recognition of their rights. |

Exemple: Il sourit toujours.
Réponse: Oui, effectivement, il ne fait que sourire.

Exemple: Je salis mes manchettes tout le temps.
Réponse: Oui, effectivement, vous ne faites que les salir.

1 Ce nœud se desserre toujours.
2 Il ôte et remet sa casquette tout le temps.
3 Il nous éclabousse tout le temps.
4 Elle se coiffe tout le temps.

**Exemple:** J'ai tâté cette étoffe.
**Réponse:** Ah, vous n'avez fait que la tâter.

**Exemple:** Il a répété la même chose.
**Réponse:** Ah, il n'a fait que la répéter.

5 J'ai regardé cette étoffe.
6 Elle a essayé les chaussures.
7 Pour toute réponse, il a retroussé les manches.
8 Elle m'a serré le bras.

★　　★　　★

## 18D *Masculine adjective used as an abstract noun*

| | |
|---|---|
| L'important, dans les vacances, c'est le départ. | With holidays, the important thing is the setting off. |
| Je croyais vous avoir fait comprendre le sérieux de ma réclamation. | I thought I had made you understand the serious nature of my objection. |
| Pour ajouter au lugubre de la scène, un chien hurlait. | To add to the lugubrious nature of the scene, a dog was howling. |
| Le propre de la douleur physique, c'est que la mémoire l'évacue rapidement. | The characteristic thing about physical pain is that memory quickly gets rid of it. |
| Jusqu'où iront-elles, les femmes? Le sûr est qu'elles y vont. | How far will women go? The one sure thing is that they are on the move. |

**Exemple:** Il est merveilleux qu'il soit toujours impeccablement habillé.
**Réponse:** Oui, voilà le merveilleux.

**Exemple:** Il est bizarre que ma pointure soit toujours partie.
**Réponse:** Oui, voilà le bizarre.

**Exemple:** Il est intéressant qu'on ait posé cette question.
**Réponse:** Oui, voilà l'intéressant.

1 Il est ennuyeux que ce costume ne soit pas indéfroissable.
2 Il est étonnant que ce prêt-à-porter soit indéformable.
3 Il est essentiel que ce tissu ne s'use pas.
4 Il est intéressant d'analyser la publicité.
5 Il est important de ne pas se salir les manchettes.

138

6 Il est difficile d'empêcher la cravate de tirebouchonner.
7 Il est extraordinaire qu'il n'ait que des demi-pointures.
8 Il est terrible de penser à tous ces gens qui meurent de faim.

★　★　★

18E *'Il vaut mieux' + infinitive; 'il vaut que' + subjunctive*

| | |
|---|---|
| Il vaut mieux n'en rien dire. | It's better to say nothing about it. |
| Il vaudra mieux prendre un taxi. | It will be better to take a taxi. |
| Il vaudrait mieux rester à la maison. | It would be better to stay at home. |
| Il vaut mieux qu'il en soit ainsi. | It is better that it should be so. |
| Il vaut mieux que vous le fassiez vous-même. | It is better that you should do it yourself. |

**Exemple:** Vous me conseillez de louer ma maison?
**Réponse:** Oui, il vaut mieux la louer.

**Exemple:** Vous me conseillez de prendre la pointure au-dessus?
**Réponse:** Oui, il vaut mieux la prendre.

1 Vous me conseillez de parler à l'hôtesse de l'air?
2 Vous me conseillez de faire nettoyer ce costume?
3 Vous me conseillez d'aller à la gare en taxi?
4 Vous me conseillez de vendre mon appartement?

**Exemple:** Vous lui avez conseillé d'aller à l'agence de voyages lui-même?
**Réponse:** Oui, il vaut mieux qu'il y aille lui-même.

**Exemple:** Vous leur avez conseillé de faire la demande eux-mêmes?
**Réponse:** Oui, il vaut mieux qu'ils la fassent eux-mêmes.

5 Vous lui avez conseillé d'écrire au patron elle-même?
6 Vous lui avez conseillé de prendre les billets lui-même?
7 Vous lui avez conseillé de répondre elle-même à la lettre?
8 Vous leur avez conseillé d'aller eux-mêmes à l'aéroport?

**Verb Study**

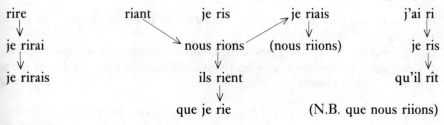

Conjugated like rire: sourire.

1 She would have laughed if she had been able.
2 They were about to laugh.
3 I thought that I would feel happier when she had smiled.
4 I must have smiled.
5 You only smiled.
6 They had just laughed.
7 Would you have laughed?
8 I should have liked to laugh.
9 There was nobody who was smiling.
10 If he had laughed all would have been lost.
11 It is good that we should laugh from time to time.
12 Were you smiling?
13 Instead of smiling he merely looked at me.
14 They might laugh.
15 I hope they will laugh.
16 He ought not to have smiled.
17 Although he laughed, she forgave him.
18 You will want to laugh when you read this letter.
19 The evening passed without his having smiled.
20 We weren't laughing.

## Translation

When his wife asked him how his day had gone Charles only smiled sadly. "It would be better not to speak of it," he said. "It is better that you should not know how I have suffered."

"Idiot!" said his wife. "What happened? It's clear that it was nothing serious."

"Nothing serious!" he groaned. "The astonishing thing is that I have survived. It is possible that I shall never recover (= *se remettre*)."

It is true that it was an extraordinary story. As he was walking on the pavement from his car to his office someone had violently opened a shutter on the fourth floor and a flower pot had fallen at his feet.

## Essay Subjects

1 Peut-on se faire une idée de la personnalité d'une personne d'après sa façon de s'habiller?
2 «La publicité, un des grands maux de ce temps, insulte nos regards falsifie toutes les épithètes, gâte les paysages, corrompt toute qualité et tout critique.» (Paul Valéry)

With his legs trembling, he began to walk up the stairs. Having almost arrived at the first floor, he slipped and found himself lying with his chin on the top step.

"Never two without three," he thought. "My misfortunes are only beginning."

How right he was! As he was drinking some coffee to steady (= *raffermir*) his nerves he dropped the cup and the coffee spattered his shirt, the sleeve of his jacket and the documents spread out on his desk.

When he told his colleagues about his misadventures they only laughed. His wife, too, had difficulty in preventing herself from laughing. The strange thing is that we can all bear the misfortunes of others.

# 19 *Un petit hôtel familial au bord de la mer*

L'hôtel Beau Rivage, où Suzanne était descendue, n'était pas luxueux. Il était convenable et familial. On entrait directement dans un hall carrelé ouvert sur la mer. C'était un décor qui évoquait extraordinairement des vacances familiales, surtout à l'heure tardive où Croizat arriva. La pièce était dorée par le soleil couchant. Un soleil doucement rose. Croizat se sentit d'un coup envahi par des souvenirs d'enfance qu'il croyait complètement oubliés: des vacances à Royan avec sa mère, lorsqu'il avait treize ans.

Des mères de famille tricotaient en attendant le dîner. Une patinette était posée contre un mur. Il y eut des criailleries enfantines et une mère irritée qui disait avec un bel accent méridional: «Je t'ai déjà dit d'aller te laver les mains!»

Le gérant n'était pas à la réception. Croizat interrogea une servante agitée qui finissait de mettre le couvert. Il flottait une odeur de soupe de poissons et de tomate provençale. La servante filait déjà en emportant une pile d'assiettes. Il dut attendre longtemps. Enfin dans l'ombre d'un couloir, au rez-de-chaussée, Suzanne apparut.

Elle était toute en blanc, avec une ceinture de cuir noir. Elle lui sembla tout à coup plus petite parce qu'elle portait des espadrilles. Et ce changement de taille lui donna un aspect plus accessible, moins intimidant, plus vulnérable.

— Voulez-vous venir dîner avec moi à Toulon? Je suis venu vous chercher.

Il vit ses yeux ciller, un peu apeurés.

— Si ça ne vous ennuyait pas ... J'aimerais mieux ...

— Quoi donc?

— Que nous dînions plutôt ici.

— Mais ... si vous voulez. Vous préférez ça?

Quelle drôle d'idée! Dans cet hôtel ils allaient être en butte aux curiosités de toutes ces femmes désœuvrées. Déjà dans leur dos des mères chuchotaient. Suzanne passait entre elles sans les voir et réclamait à la serveuse agitée un couvert pour lui à la petite table qu'elle occupait près de la fenêtre.

La nuit ne parvenait pas à monter de la mer et à envahir le ciel. L'électricité des lampes gardait un éclat faux à cause de tous ces reflets qui traînaient dans l'air et sur les murs. Les tables étaient recouvertes de nappes de couleurs, un peu sales. Il y avait des retardataires. Leurs ronds de serviette étaient enfilés au goulot des bouteilles de vin entamées. Chaque famille qui arrivait coulait des regards curieux vers Croizat. La nourriture était médiocre, le service interminable. Les enfants circulaient entre les tables

— Dites-moi, c'est bien familial, votre hôtel. Je n'aurais jamais cru qu'i en existait un comme ça, sur la Côte.

— N'est-ce pas? dit-elle, enchantée.

— Vous ne vous ennuyez pas?

— Oh non! C'est reposant. Dans la journée il y a un peu trop de lumière. Mais on baisse les stores.

(Philippe Diolé, *L'Eau Profonde*, Gallimard, 1959, pp 242–244)

| | |
|---|---|
| une auberge, *inn* | le luxe, *luxury* |
| une chambre à un lit, *single room* | luxueux, *luxurious, sumptuous* |
| une chambre à deux lits, *double room* | la pension, 1. *board and lodging;* |
| convenable, *suitable, decent, respectable* | 2. *boarding-house* |
| le courrier, *mail, post* | la réception, *reception desk or office* |
| descendre à un hôtel, *to stay, put up, at* | régler la note, *to settle the bill* |
| *an hotel* | le retardataire, *late-comer* |
| un hôtel familial, *family hotel* | le rond de serviette, *serviette-ring* |
| le gérant, *manager* | la servante, *servant-girl* |
| la gérante, *manageress* | la serveuse, *waitress* |
| le hall, *entrance hall, hotel lounge* | le service, *service* |
| un hôtelier, *hotel-keeper* | |

## Comprehension

1 Qu'est-ce que l'hôtel rappelait à Croizat?
2 Quels indices y avait-il de la présence d'enfants?
3 Qu'est-ce que l'air sentait?
4 Quel changement est-ce que Croizat a constaté dans l'aspect de Suzanne?
5 Qu'est-ce qu'il l'a invitée à faire?
6 Pourquoi Croizat était-il gêné à la perspective de dîner à l'hôtel?
7 Qu'est-ce qui a fait dire à Croizat que l'hôtel était «bien familial»?

## Structural Exercises

19A *The passive, with the agent introduced by 'par'*

| | |
|---|---|
| La voiture a été révisée par les employés du garage. | The car was serviced by the garage hands. |
| Tout n'a pas été réglé par cette conférence. | Not everything was settled by this conference. |
| L'échantillon a été envoyé au client par le marchand. | The sample was sent to the customer by the shopkeeper. |
| Elle aurait été certes acquittée par un autre tribunal. | She would certainly have been acquitted by another court. |

**Exemple:** Le soleil couchant dorait la pièce.
**Réponse:** La pièce était dorée par le soleil couchant.

Exemple: Un passant a renversé la patinette.
Réponse: La patinette a été renversée par un passant.

Exemple: Les retardataires ont fait un grand bruit.
Réponse: Un grand bruit a été fait par les retardataires.

1 Un jeune Anglais occupe la chambre à côté de la mienne.
2 Deux sœurs assurent le service.
3 La gérante fait la cuisine.
4 Des amis m'ont recommandé cette pension.
5 La femme a réglé la note.
6 Un incendie a détruit l'hôtel où nous sommes descendus l'année dernière.
7 La serveuse a enlevé nos ronds de serviette.
8 Tout à coup des souvenirs d'enfance ont envahi l'esprit de Croizat.

★   ★   ★

## 19B 'On', *followed by active verb, with passive meaning*

| | |
|---|---|
| On lui a défendu de sortir. | He was forbidden to go out. |
| On ne m'attendait pas aujourd'hui. | I wasn't expected today. |
| On nous a fait rebrousser chemin. | We were made to retrace our footsteps. |
| Je n'aime pas qu'on rie de moi. | I don't like being laughed at. |
| Nous n'avons plus besoin qu'on nous apprenne l'importance de la progression scientifique. | We no longer need to be informed of the importance of scientific progress. |

Exemple: Est-ce que les stores sont baissés dans la journée?
Réponse: Oui, dans la journée, on les baisse.

Exemple: Quelqu'un s'occupe de vous?
Réponse: Oui, on s'occupe de moi.

Exemple: Est-ce que quelqu'un nous a demandés au téléphone?
Réponse: Oui, on vous a demandés au téléphone.

1 Est-ce que quelqu'un a trouvé mon rond de serviette?
2 Est-ce que quelqu'un m'a demandé au téléphone?
3 Quelqu'un a répondu à votre coup de sonnette?
4 Est-ce qu'ils ont été conduits à un hôtel convenable?

Exemple: Aimez-vous qu'on se plaigne de vous?
Réponse: Mais non, je n'aime pas qu'on se plaigne de moi.

**Exemple:** Veulent-ils qu'on vienne prendre le courrier?
**Réponse:** Mais non, ils ne veulent pas qu'on vienne le prendre.

5 Est-ce que les hôteliers aiment qu'on se plaigne du service?
6 Voulez-vous qu'on vous téléphone avant sept heures?
7 Veut-il qu'on lui fasse monter le petit déjeuner?
8 Avez-vous besoin qu'on vous dise que ce n'est pas un hôtel luxueux?

★   ★   ★

## 19C *Verbs used impersonally*

| | |
|---|---|
| Entre le moment où le vin est produit et celui où il doit être vendu, il se passe, en moyenne, trois ans. | Between the time when the wine is produced and when it is to be sold there is, on average, a lapse of three years. |
| Il reste un problème capital: les enfants. | There remains one fundamental problem: the children. |
| Il s'était mis à tomber une petite pluie fine. | A fine drizzle had begun to fall. |
| Il s'en échappait de temps en temps un lapin. | From time to time there emerged a rabbit. |

**Exemple:** Une odeur de soupe de poissons flottait dans l'air.
**Réponse:** Il flottait dans l'air une odeur de soupe de poissons.

**Exemple:** Puis un drôle d'homme est entré.
**Réponse:** Puis il est entré un drôle d'homme.

**Exemple:** Des vélos, des patinettes traînaient un peu partout.
**Réponse:** Il traînait un peu partout des vélos, des patinettes.

1 Rien ne se passe dans cet hôtel familial.
2 La note reste encore à régler.
3 Si le service est compris reste à savoir.
4 Des retardataires sont arrivés.
5 A l'auberge, une chambre à deux lits restait encore.
6 Je n'aurais jamais cru qu'une pension comme ça existait de nos jours.
7 Un soleil doucement rose brillait.
8 Un grand chien noir circulait entre les tables.

★   ★   ★

## 19D *Subjunctive after 'aimer mieux'*

| | |
|---|---|
| Aimeriez-vous mieux qu'il vienne ici? | Would you prefer him to come here? |
| Nous aimerions mieux que vous le fassiez vous-même. | We would prefer you to do it yourself. |
| J'aimerais mieux que nous dînions ici. | I would prefer us to have dinner here. |
| Nous aimerions mieux qu'il dise franchement son avis. | We would rather he stated his opinion frankly. |

**Exemple:** Nous nous arrêterons plutôt ici. C'est ce que vous proposez?
**Réponse:** Oui, j'aimerais mieux que nous nous arrêtions ici.

**Exemple:** Vous prendrez le petit déjeuner dans la chambre. C'est ce que la gérante propose?
**Réponse:** Oui, elle aimerait mieux que je le prenne dans la chambre.

**Exemple:** Nous nous mettrons à cette table-là. C'est ce que la serveuse propose?
**Réponse:** Oui, elle aimerait mieux que nous nous mettions là.

1 Elle descendra plutôt à un hôtel familial. C'est ce que vous proposez?
2 Nous prendrons le déjeuner ici. C'est ce que vos amis proposent?
3 Je resterai dans le hall. C'est ce qu'elle propose?
4 Nous reviendrons demain. C'est ce que le gérant propose?
5 Je rentrerai de bonne heure. C'est ce que la gérante propose?
6 La servante fera la course. C'est ce que vous proposez?
7 Le petit garçon mettra sa patinette dans la cour. C'est ce que le gérant propose?
8 J'irai directement à la réception. C'est ce que vous proposez?

\*    \*    \*

## 19E *'Parvenir à faire quelque chose'*

| | |
|---|---|
| Je parviens généralement à me faire comprendre. | I generally manage to make myself understood. |
| Il est parvenu à s'échapper. | He made good his escape. |
| Nous ne parviendrons jamais à sécher nos vêtements. | We shall never manage to dry our clothes. |
| Êtes-vous parvenu à le convaincre? | Did you manage to convince him? |

**Exemple:** J'ai essayé de trouver le gérant.
**Réponse:** Mais vous n'êtes pas parvenu à le trouver?

**Exemple:** Il a essayé de trouver un taxi.
**Réponse:** Mais il n'est pas parvenu à en trouver un?

**Exemple:** J'ai essayé de lui faire comprendre que je ne cherchais pas un hôtel luxueux.
**Réponse:** Mais vous n'êtes pas parvenu à le lui faire comprendre?

1 Elle a essayé de trouver son courrier.
2 Nous avons essayé de trouver un hôtel convenable.
3 Croizat a essayé de parler à la servante.
4 J'ai essayé de trouver une auberge qui avait deux chambres à un lit.
5 Ils ont essayé de faire comprendre à la serveuse qu'ils mouraient de faim.
6 Il a essayé de trouver une chambre à deux lits.
7 Ils ont essayé de fermer le chauffage.
8 Elle a essayé de faire comprendre à l'hôtelier ce qu'elle voulait dire.

## Verb Study

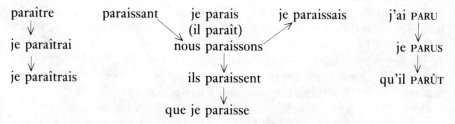

Conjugated like paraître: apparaître, connaître, disparaître, reconnaître, reparaître.

1 Suddenly they came into sight.
2 I will send him a photograph, so that he recognizes me.
3 Don't you know her?
4 I wonder whether they will recognize me.
5 After disappearing for some time he reappeared.
6 We have had to appear pleased.
7 She would have disappeared.
8 Although he had known them formerly, he didn't recognize them.
9 The house ought to come into sight presently.
10 We left (*past historic*) after they had disappeared.
11 We would appear more cheerful if we could.
12 Had you already recognized her?
13 I used to know him.
14 The sun was about to disappear behind the hill.
15 Won't they have recognized you?

16 The book could be published (= 'appear') within six months.
17 He left without my having recognized him.
18 How stupid he appears!
19 They might have disappeared.
20 Would you prefer him not to appear?

## Essay Subjects

1 «Déjà dans leur dos, des mères chuchotaient ... Chaque famille qui arrivait coulait des regards curieux vers Croizat.» Imaginez les commentaires des clients de l'hôtel.
2 Souvenirs de vacances familiales.
3 L'étalement des vacances.

## Translation

Charles had put up at a small family hotel on the Côte d'Azur which had been recommended to him by a friend. Although it wasn't luxurious, it was respectable and its atmosphere (= *l'ambiance*) was congenial. The cooking, which was done by the manageress, was excellent, but the service, which was ensured by members of her family, was rather slow.

That evening, Charles would have preferred the dinner to be served a little more rapidly, because he was tired by his long journey. Finally, the waitresses managed to finish serving the meal and Charles was able to retire.

He had been given a room on the first floor with a balcony, overlooking the street. He got into bed but it was too hot for him to be able to sleep. He tossed and turned and, as thirst began to torture him, he remembered that there was still some beer left in a two-litre bottle which he had put to cool on the balcony.

He managed to find the beer but unfortunately the bottle slipped from his hands and fell on to the pavement below. There followed a formidable explosion and then shouts were heard: "It's a bomb", "It's the Bretons", "It's the Basques", "No panic!" "They shall not pass!" (The last sentence was uttered by a military voice.)

Charles left very early the next morning.

## 20 *Le hall d'un palace*

Attendant les clients qui, sans doute, dorment encore — on n'est guère matinal dans les grands hôtels — le liftier regarde les chasseurs nettoyer les montants du tambour de la porte d'entrée. Pour éviter de se tacher, ils ont enlevé leur veste. Ils ont introduit les pans de leur cravate noire dans leur chemise blanche. La tenue de Philippe Cellier était aussi négligée tout à l'heure, quand il astiquait les plaques de propreté et les poignées des portes palières de son ascenseur, ou qu'il passait l'aspirateur dans sa cabine. Il regarde les gosses appliqués, leur pantalon de drap bleu à liseré rouge — le même que le sien — au pli impeccable; il les imagine, hors de l'hôtel, en blue jeans délavés, rieurs. Oui, c'est évident, aussitôt leur service terminé, ils s'égaient en chahutant.

Lui, dans l'intervalle de son service, il s'applique à tuer le temps. Il n'est plus d'âge à chahuter, même si l'on admet que ses cheveux blonds taillés en brosse et sa sveltesse le rajeunissent; et aussi l'éclat de ses yeux bleus vifs. Pour le moment, il attend, il attend qu'un client pénètre dans la cabine de l'ascenseur et lui donne un ordre sec, ou qu'un coup de sonnette l'appelle à un étage. Heureusement qu'il y a, à cet hôtel, assez d'allées et venues pour que l'oisiveté du liftier ne se prolonge jamais longtemps. Non que manœuvrer l'ascenseur soit distrayant. Mais pendant cette manœuvre, le liftier n'a pas le temps de penser à son ennui. Il n'est que huit heures et demie. Pourtant, lui, Philippe Cellier, liftier, est arrivé à sept heures avec la première équipe du «Hall». Il y a maintenant une heure que ses labeurs ménagers sont achevés et que Philippe attend, les mains croisées.

Un coup de sonnette: le tableau indique «troisième». Se machinale que soit l'entrée dans l'ascenseur, si machinale que soit la manipulation de l'appareil, la réflexion de Philippe Cellier s'interrompt pour faire place à un comportement stylé et à une certaine attention: il faut arrêter la cabine au niveau exact du palier, ouvrir les portes, sortir, laisser sortir le client ...

— Est-ce que Mme Fontaine est déjà descendue?

— Je n'ai encore vu sortir personne ce matin, Monsieur.

Le dialogue est nécessairement bref: le temps de trois étages en un ascenseur moderne ... Mais, en bas, de nouveau, à contempler l'immobilité des chasseurs près de la porte tournante, la fébrilité des concierges qui trient le courrier tout en donnant et recevant d'incessants coups de téléphone («concierge écoute»), la placidité des réceptionnistes qui sortent leurs livres de réservation, la pensée reprend son rythme.

Comme toute société, la société du hall est hautement spécialisée. Chacun y tient son rang, y accomplit sa tâche et éprouverait un sentiment d'imposture s'il se substituait à un autre. Le concierge et ses aides restent à leurs comptoirs, les chasseurs sont à la porte ou en course, le bagagiste charge et décharge les bagages, le voiturier ouvre la porte des voitures qu'il va éventuellement ranger. Un chasseur serait aussi surpris de voir un liftier faire une course qu'un banquier d'entendre un médecin énoncer des pronostics boursiers.

(Roger Stéphane, *L'Ascenseur*, Robert Laffont, 1960, pp 9–12 and 54)

| | |
|---|---|
| les allées et venues (*f.*), *comings and goings* | le liftier, *lift attendant* |
| un aspirateur, *vacuum cleaner* | le maître d'hôtel, *head waiter* |
| astiquer, *to polish* | manœuvrer (l'ascenseur), *to operate (the lift)* |
| le bagagiste, *luggage clerk* | le palace, *sumptuous hotel* |
| le chasseur, *page-boy* | la pièce d'identité, *identity document* |
| le client, (*hotel*) *guest, visitor* | la plaque, *plate (of metal)* |
| le comptoir, *counter* | la porte tournante, *revolving door* |
| le coup de sonnette, *ring of the bell* | le réceptionniste, *receptionist* |
| le coup de téléphone, *telephone call* | stylé, *well trained* |
| faire une course, *to run an errand, to go out on business* | le tableau, 1. *indicator board;* 2. *key board* |
| une équipe, *team, gang, working-party* | trier le courrier, *to sort the mail* |
| la femme de chambre, *chambermaid* | le veilleur de nuit, *night receptionist* |
| remplir la fiche, *to fill in the form* | le voiturier, *garage attendant* |

## Comprehension

1 Quelles étaient les premières tâches de Philippe Cellier chaque matin, en prenant son service?
2 Comment était-il au physique?
3 Pourquoi ne restait-il jamais longtemps oisif?
4 Qu'est-ce qui a interrompu ses réflexions?
5 Revenu au rez-de-chaussée, qu'est-ce qu'il a contemplé?
6 Comment le travail était-il réparti entre le personnel du hall?

## Structural Exercises

20A *'Non que' followed by the subjunctive*

| | |
|---|---|
| Son travail lui plaît, non que manœuvrer l'ascenseur soit distrayant. | He likes his job, not that working the lift is entertaining. |
| J'ai voulu parler avec quelqu'un, non que je sache quelque chose de nouveau. | I wanted to speak with someone, not that I know anything new. |
| Elle accepta avec joie, non qu'il y | She accepted joyfully, not that there |

| | |
|---|---|
| eût entre nous beaucoup d'amitié, mais elle aimait nos enfants. | was much friendship between us, but she liked our children. |
| Il ne vint pas, non qu'il fût malade, mais il était occupé. | He didn't come, not that he was ill, but he was busy. |

**Exemple:** Vous avez accepté de faire cette course?
**Réponse:** Oui, non que je la fasse volontiers.

**Exemple:** Il a accepté d'attendre?
**Réponse:** Oui, non qu'il attende volontiers.

**Exemple:** Vous et votre équipe, vous avez accepté de commencer le travail si tôt?
**Réponse:** Oui, non que nous le commencions volontiers si tôt.

1 Elle a accepté de faire le ménage?
2 Vous et vos amis, vous avez accepté de montrer vos pièces d'identité?
3 Vous avez accepté de recevoir les coups de téléphone?
4 Il a accepté de remplir les fiches?
5 Vous avez accepté de descendre à cet hôtel?
6 Elle a accepté de prendre des pensionnaires?
7 Il a accepté de dormir dans la mansarde?
8 Vous avez accepté d'aller à Londres?

\* \* \*

## 20B *Past participle used absolutely with 'aussitôt', 'une fois'*

| | |
|---|---|
| Il passera la frontière, une fois la nuit tombée. | He will cross the frontier, once night has fallen. |
| Une fois les classes constituées et la rentrée faite, chaque groupe d'élèves forme une petite société qui évolue à sa propre façon. | Once the classes have been decided upon and school has re-started, each group of pupils forms a miniature society which evolves in its own way. |
| Aussitôt le souper fini, la lampe éteinte, on s'installait devant la maison, sous la treille. | As soon as supper was finished and the lamp had been turned out, we used to settle down in front of the house, under the arbour. |
| Aussitôt Mlle Prudence disparue, il traversa le jardin et poussa la porte. | As soon as Miss Prudence had disappeared, he went across the garden and pushed open the gate. |

**Exemple:** Aussitôt qu'ils ont terminé leur service, ils chahutent.
**Réponse:** Aussitôt leur service terminé, ils chahutent.

Exemple: Une fois que nous serons arrivés là, nous verrons la mer.
Réponse: Une fois arrivés là, nous verrons la mer.

Exemple: Aussitôt que j'aurai réglé la note, nous partirons.
Réponse: Aussitôt la note réglée, nous partirons.

1 Aussitôt que ces allées et venues seront finies, l'hôtel sera tranquille.
2 Aussitôt que la plaque a été astiquée, le liftier a remis sa veste.
3 Aussitôt qu'on aura trié le courrier, je vous l'apporterai.
4 Aussitôt qu'il a eu fait cette course, le chasseur est allé déjeuner.
5 Aussitôt que le réceptionniste a été sorti, je me suis approché du comptoir.
6 Aussitôt que la voiture s'est arrêtée, le bagagiste s'est empressé de décharger les valises.
7 Une fois que la femme de chambre a été partie, il a fermé la porte à clef.
8 Une fois qu'il aura rangé cette voiture, le voiturier sera de retour.

★　　★　　★

## 20C 'Attendre que' followed by the subjunctive

| | |
|---|---|
| Attendez une minute que j'aille chercher la femme de chambre. | Wait a minute while I go and fetch the chambermaid. |
| Nous attendrons que vous ayez fini de trier le courrier. | We will wait until you have finished sorting the mail. |
| J'attends qu'il soit sorti. | I'm waiting until he has gone out. |
| Ils attendaient qu'elle descendît. | They were waiting for her to come down. |

Exemple: Attendez là! Le gérant viendra vous parler.
Réponse: Bon, j'attendrai qu'il vienne me parler.

Exemple: Attendez là, messieurs! Le bagagiste va chercher vos bagages.
Réponse: Bon, nous attendrons qu'il aille les chercher.

1 Attendez là! Le maître d'hôtel reviendra.
2 Voulez-vous attendre un instant! Le liftier descendra l'ascenseur.
3 Attendez-moi! J'aurai bientôt fait mes courses.
4 Attendez là, messieurs! Le chasseur prendra vos bagages.

Exemple: Qu'est-ce que vous attendiez? Le gérant devait venir vous parler?
Réponse: Oui, justement, j'attendais qu'il vînt me parler.

Exemple: Qu'est-ce que le maître d'hôtel attendait? Un client important devait arriver?
Réponse: Oui, justement, il attendait qu'un client important arrivât.

5 Qu'est-ce que vous attendiez, vous autres? Le réceptionniste **devait vous** donner la clef?

6 Qu'est-ce qu'ils attendaient? Le liftier devait descendre l'ascenseur?

7 Qu'est-ce que vous attendiez? Le chasseur devait prendre vos bagages?

8 Qu'est-ce qu'elle attendait? Quelqu'un devait venir à sa rencontre?

★   ★   ★

20D *'Il y a (une heure) que ...'*

| | |
|---|---|
| Il y a quelque temps que ma fille va à cette école. | My daughter has been going to that school for quite some time now. |
| Il y avait déjà dix minutes que le déjeuner était prêt. | Lunch had been ready for a good ten minutes. |
| Il y a une heure qu'elle a fini ses labeurs ménagers. | It's an hour since she finished her housework. |
| Il y a des mois que des pourparlers ont été engagés sur ce point. | It's some months since negotiations were entered into on this point. |

**Exemple:** La réceptionniste vous cherche depuis une heure.
**Réponse:** Oui, oui, je le sais: il y a une heure qu'elle me cherche.

**Exemple:** Nous sommes descendus à cet hôtel il y a un an.
**Réponse:** Oui, oui, je le sais: il y a un an que vous y êtes descendus.

1 J'attends ce coup de téléphone depuis trois heures.
2 Ses labeurs ménagers sont finis depuis une heure.
3 Le voiturier est parti il y a une demi-heure.
4 L'ascenseur est remonté il y a quelques minutes.

**Exemple:** Il travaillait là depuis des années.
**Réponse:** Oui, oui, je le savais: il y avait des années qu'il travaillait là.

**Exemple:** J'avais vu la femme de chambre il y avait un quart d'heure.
**Réponse:** Oui, oui, je le savais: il y avait un quart d'heure que vous l'aviez vue.

5 Le maître d'hôtel se tenait là depuis quelques minutes.
6 Mes parents descendaient à cet hôtel familial depuis dix ans.
7 L'hôtelier avait acheté ce palace il y avait cinq ans.
8 J'attendais le courrier depuis deux bonnes heures.

★   ★   ★

## 20E Infinitive preceded by 'à', with the value of a causal or conditional clause or phrase

A la regarder de loin, la montagne a l'air de n'être faite que d'un énorme bloc de roche.

If you look at it from a distance the mountain seems to be made out of one huge block of rock.

Allons, essuyez vos yeux. Que penserait-on à vous voir?

Come along now, wipe your eyes. What would people think if they saw you?

Le problème français actuel, à en croire les experts, n'est qu'un problème international.

France's present problem, if the experts are to be believed, is merely an international problem.

A y regarder de plus près, on s'aperçoit que le problème se présente d'une manière bien plus simple.

Looking more closely into the matter, you realize that the problem appears much simpler.

**Exemple:** En attendant les clients, le liftier s'ennuie.
**Réponse:** C'est vrai. Il s'ennuie à les attendre.

**Exemple:** En interrogeant ces gosses, nous perdons notre temps.
**Réponse:** C'est vrai. Nous perdons notre temps à les interroger.

1 En frottant ainsi la plaque, il perd son temps.
2 En nettoyant la cabine, vous tuez le temps.
3 En chahutant, ces étudiants perdent leur temps.
4 En manœuvrant l'ascenseur, le liftier s'ennuie.

**Exemple:** Si on le voit, on ne le croirait pas si vieux.
**Réponse:** C'est vrai. A le voir, on ne le croirait pas si vieux.

**Exemple:** Si nous causons plus longuement, nous risquons de réveiller l'enfant.
**Réponse:** C'est vrai. A causer plus longuement, nous risquons de le réveiller.

5 Si on les rencontre hors de l'hôtel, on ne les croirait pas chasseurs.
6 Si on arrête brutalement l'ascenseur, on risque de provoquer un accident.
7 Si on se comporte de cette façon, on risque d'offenser les clients.
8 Si on examine la société du hall, on voit qu'elle est hautement spécialisée.

## Verb Study

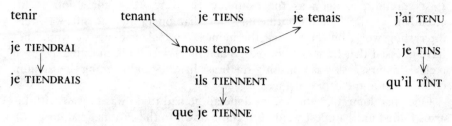

tenir      tenant      je TIENS      je tenais      j'ai TENU

je TIENDRAI      nous tenons      je TINS

je TIENDRAIS      ils TIENNENT      qu'il TÎNT

que je TIENNE

Conjugated like tenir: appartenir, contenir, maintenir, obtenir, retenir, soutenir.

1 We will believe it when they keep their promise.
2 I will hold it if I can.
3 While maintaining this tradition, we must think of the future.
4 If he didn't support us we should be beaten at the elections.
5 We had been holding them for a long time.
6 It is right that this house should belong to him.
7 Hadn't you retained it?
8 May he obtain this permission?
9 We had to keep to the right (= *tenir la droite*).
10 He will have to restrain himself.
11 I am looking for a book which contains such details.
12 I hope that they will maintain this tradition.
13 There was nobody who supported this idea.
14 They won't have obtained the permission.
15 Will all this land belong to him?
16 Don't these articles belong to her?
17 I maintained my accusations.
18 Would you please hold this rope?
19 The box will contain all those things.
20 I didn't think he had maintained the tradition.

## Essay Subjects

1 « L'hôtellerie n'est pas un commerce comme les autres. Ce ne sont pas des objets qu'on vend, mais de la vie. L'employé d'hôtel apprend beaucoup sur les hommes. » Développez ces idées.
2 Réflexions d'un liftier.

## Translation

Last summer, as soon as the exams were over, Alain got a job as lift attendant at the Hôtel Continental, not that operating the lift was very interesting work, but he needed the money. To look at him, you would not have guessed that he was so bored. When he arrived each morning at seven o'clock his first task was polishing the brass handles and running the vacuum cleaner inside the cabin of the lift.

Once his domestic chores were done all he had to do was to wait with his arms folded until a guest wanted to come down to the entrance hall or go up to a bedroom. Then, however automatic the working of the lift might be, he no longer had time to think about his boredom and had to pay attention to what the guest was saying.

"Has Mme Dupont-Durand come down yet?"

"It's about an hour since she went out, sir."

"Very good. I'll wait until she comes back."

If Alain is to be believed there is as much snobbery ($=$ *le snobisme*) among the hotel employees as among the guests. He had been working there only a few hours when he realized that the personnel was highly specialized. Each one carried out his own task and would not think of doing someone else's work, not that there wasn't a certain comradeship.

# 21 «*Le Flore*» à *Saint-Germain-des-Prés*

Il était plus de minuit. La chaleur de juillet avait incité les gens à rester dehors. La foule traînait lentement sa lassitude sur le boulevard Saint-Germain, entre les voitures serrées contre le trottoir et l'alignement des tables qui envahissaient la chaussée. A la terrasse du «Flore», aucun guéridon n'était libre. Vincent entra dans la salle. Elle était à peu près vide et il y faisait plus frais que dehors mais les banquettes avaient, sous l'éclat des lustres, un aspect si peu engageant que Vincent ressortit.

Il jeta un coup d'œil agacé vers la terrasse. Au bout de l'étroit couloir ménagé entre les tables, il aperçut un couple qui se levait. En trois enjambées, bousculant presque le garçon, il atteignit les deux chaises libres et s'en empara, se laissant tomber sur l'une et posant son chapeau sur l'autre comme on plante un drapeau sur un territoire conquis.

La table devant laquelle Vincent s'était installé était très mal placée. Sa position sur le passage des clients, des garçons et des flâneurs l'exposait aux bousculades. Mais Vincent préférait encore attendre devant un guéridon branlant, en plein air, plutôt que dans la salle, sous l'œil impassible de la caissière. Il croisa les jambes, posa sur la table encore humide, après le coup de serpillière du garçon, le journal du soir plié en quatre, et il attendit tranquillement le demi qu'il avait commandé.

Il saisit son journal mais le contact du papier mouillé par la table mal épongée lui fut désagréable. Il reposa le quotidien sur le guéridon et tira de son étui une cigarette qu'il s'efforça d'allumer avec lenteur pour calmer son énervement. Il regarda sa montre. Il était assis depuis dix minutes et le garçon ne l'avait pas encore servi. Dans l'état d'esprit où il se trouvait, la négligence du serveur l'impatienta plus qu'il n'eût été de mise. Comme l'homme en veste blanche, un plateau à la main, passait à sa portée, il le saisit par le bras. Les verres et les bouteilles vacillèrent sous le choc et faillirent tomber.

—Et mon demi? dit Vincent d'un ton sec. Il y avait dans sa voix une colère contenue qui effraya le garçon. Il saisit un verre et une canette de bière danoise qui étaient destinés à un autre consommateur et les posa sur le guéridon en marmonnant une excuse, puis il repartit vers l'intérieur du café.

La promptitude avec laquelle il avait été servi calma Vincent. Il étendit la main vers le flacon embué dont le contact lui fut agréable, puis il versa lentement la bière dans son verre en évitant de la faire mousser. Il n'aimait pas les boissons glacées, surtout la bière qui lui donnait le hoquet lorsqu'elle était servie trop froide. Malgré la chaleur, Vincent n'avait pas très soif. Les années passées dans le Sud Marocain l'avaient habitué à des températures beaucoup plus pénibles que celles de la canicule européenne.

(François Ponthier, *Les Beaux Gestes*, Robert Laffont, 1959, pp 25–27)

| | |
|---|---|
| la banquette, *long seat (in train, bus);* *wall sofa* | le demi, *half-litre* ($\frac{7}{8}$ *pint*) *of beer* |
| le bar, (*public*) *bar* | embué, *clouded, dimmed (with damp, steam)* |
| la boisson, *drink* | éponger, *to sponge, to mop up* |
|   la boisson glacée, *iced drink* | flâner, *to stroll* |
| la bousculade, *scrimmage, scuffle, hustle* | le flâneur, *stroller, idler* |
| bousculer, *to jostle, hustle* | le hoquet, *hiccup* |
| branlant, *shaky, rickety* | s'installer, *to settle down* |
| le cafetier, *café owner* | le lustre, *chandelier* |
| la caisse, *pay-desk* | la mousse, *froth* |
| la caissière (le caissier), *cashier* | mousser, *to froth, to foam* |
| la canette de bière, *tin, can, of beer* | la serpillière, *floor-cloth, mop-rag* |
| la commande, *order* |   donner un coup de serpillière, *to mop up* |
| commander (une consommation), *to order (a drink)* | la terrasse, 1. *terrace;* 2. *pavement in front of café* |
| le consommateur, 1. *consumer;* 2. *customer (in café)* | |

## Comprehension

1 Pourquoi y avait-il tant de monde à minuit passé?
2 Qu'est-ce qui empêchait la foule de circuler librement?
3 Pourquoi Vincent n'a-t-il pas voulu s'installer dans la salle du café?
4 Comment a-t-il pris possession des deux chaises devant le guéridon?
5 De quoi s'est-il impatienté?
6 Comment a-t-il manifesté sa colère?
7 Pourquoi n'avait-il pas très soif même par la canicule?

## Structural Exercises

21A *'Peu' before an adjective with negative value*

| | |
|---|---|
| Je trouve cette solution peu satisfaisante. | I find this solution unsatisfactory. |
| Les premières réactions de l'opposition sont peu favorables. | The first reactions of the opposition are unfavourable. |
| La persistance de certaines caractéristiques peu encourageantes du communisme mondial. | The persistence of certain discouraging characteristics of world communism. |
| Une rivière peu profonde. | A shallow river. |
| Êtes-vous si peu soucieux de l'avenir? | Are you so heedless of the future? |

| Il constatait que cette planification était peu capable de soutenir une économie industrielle avancée. | He was coming to the conclusion that this planning system was incapable of sustaining an advanced industrial economy. |
|---|---|

**Exemple:** Ce bar est fréquenté?
**Réponse:** Oh non, il est peu fréquenté.

**Exemple:** Les consommateurs ont l'air engageant?
**Réponse:** Oh non, ils ont l'air peu engageant.

**Exemple:** Il était prolixe d'habitude?
**Réponse:** Oh non, il était peu prolixe d'habitude.

1 Cette boisson est commune?
2 La rivière est profonde à cet endroit?
3 La salle a un aspect engageant?
4 La caissière a dit quelque chose d'intelligible?
5 Ce renseignement était utile?
6 Les flâneurs qui passaient devant la terrasse étaient curieux?
7 La servante qui vous a servi était intelligente?
8 Cette façon de faire vous paraissait honnête?

★    ★    ★

21B '*Faillir faire quelque chose*'

| Vous avez failli manquer le train. | You nearly missed the train. |
|---|---|
| J'ai failli me faire écraser. | I nearly got myself run over. |
| Ils ont failli me gâcher ma soirée. | They nearly ruined my evening for me. |
| Il faillit commander au conducteur de s'arrêter. | He nearly ordered the driver to stop. |

**Exemple:** Les verres sont tombés?
**Réponse:** Non, mais ils ont failli tomber.

**Exemple:** Vous avez manqué le train?
**Réponse:** Non, mais j'ai failli le manquer.

**Exemple:** Vincent et vous, vous vous êtes disputés?
**Réponse:** Non, mais nous avons failli nous disputer.

1 J'ai renversé la canette?
2 Vincent a bousculé le garçon?

3 La serveuse a laissé tomber le plateau?
4 Vous avez eu le hoquet?
5 Votre montre s'est arrêtée?
6 Les bouteilles se sont cassées?
7 Il a fait mousser la bière?
8 Vincent est ressorti du café?

★   ★   ★

21C *Use of a noun in place of a verb*

| | |
|---|---|
| On a constaté une pénurie de professeurs à la rentrée des classes. | It was realized that there was a shortage of teachers when the schools reopened after the holidays. |
| Mais le soir même, à la sortie de l'école, il disparut pendant une demi-heure. | But that very evening, when school came out, he disappeared for half an hour. |
| Les journalistes ont interviewé la vedette à sa descente d'avion. | The journalists interviewed the star as he/she got off the plane. |
| Il pleuvait encore à notre départ de Rome. | It was still raining when we left Rome. |

Preliminary exercise:
Indicate the noun which corresponds to the infinitive given:

Exemple: Passer.
Réponse: Le passage.

1 Entrer  2 Arriver  3 Sortir  4 Monter  5 Descendre
6 Aller  7 Venir  8 S'arrêter  9 Retourner  10 Partir

Now replace the verbal clause by a noun phrase.

Exemple: Quand le train a passé.
Réponse: Au passage du train.

Exemple: Quand il est parti.
Réponse: A son départ.

Exemple: Quand vous êtes arrivé.
Réponse: A votre arrivée.

1 Le guéridon a branlé quand l'auto a passé.
2 Le garçon s'est levé quand les clients sont entrés.
3 Ils nous attendaient quand nous sommes sortis du bar.

4 J'ai acheté un percolateur quand je suis retourné de France.
5 Quand ils sont partis, le garçon donnait un coup de serpillière à la table.
6 Je l'attendais quand elle est descendue du train.
7 Quand le printemps viendra, le cafetier sortira les guéridons et les chaises sur sa terrasse.
8 Les parents seront contents quand les classes rentreront.

★    ★    ★

21D *Adverbial periphrasis: 'd'un ton sec', 'd'un air content', 'd'une manière concise'*

| | |
|---|---|
| «N'est-ce pas?» dit-elle d'un air ravi. | "Isn't it?" she said delightedly. |
| Je parlais d'une manière générale. | I was speaking generally. |
| Il partit d'un pas tranquille vers le carrefour. | He set off steadily towards the cross-roads. |
| «Cela m'est égal,» dit-il d'une voix triste. | "It's all the same to me," he said sadly. |

**Exemple:** «Et mon demi?» a dit Vincent. Son ton était sec.
**Réponse:** «Et mon demi?» a dit Vincent d'un ton sec.

**Exemple:** Il regardait la canette embuée. Il avait l'air content.
**Réponse:** Il regardait la canette embuée d'un air content.

**Exemple:** «La bière glacée me donne le hoquet,» a-t-il répondu. Sa voix était triste.
**Réponse:** «La bière glacée me donne le hoquet,» a-t-il répondu d'une voix triste.

1 Le client s'épongeait le front. Il avait l'air fatigué.
2 Le cafetier regardait la terrasse, pleine de consommateurs. Il avait l'air content.
3 «Ici nous serons à l'abri de la bousculade,» a-t-elle dit. Sa voix était calme.
4 La caissière m'a raconté les événements. Sa manière était concise.
5 Il s'est approché de la caisse. Il avait l'air nonchalant.
6 Ils se sont installés devant un guéridon branlant. Ils avaient l'air fâché.
7 «Ah, vous m'avez commandé un demi,» ai-je dit. Mon ton était approbateur.
8 «J'ai encore laissé tomber le plateau,» a-t-il dit. Sa voix était malheureuse.

★    ★    ★

| | |
|---|---|
| Comme ça, nous éviterons de devoir faire la queue au guichet. | In this way we shall avoid having to queue at the ticket-office. |
| Il évita de faire mousser la bière. | He avoided making the beer froth. |
| Il évitait lâchement de rencontrer mon regard. | In a cowardly way he was avoiding meeting my gaze. |
| Évitez de lui parler. | Avoid speaking to him. |

**Exemple:** Prenez garde de ne pas faire mousser la bière.
**Réponse:** Oui, j'éviterai de la faire mousser.

**Exemple:** Prenez garde de ne pas boire de boissons glacées.
**Réponse:** Oui, j'éviterai d'en boire.

1 Prenez garde de ne pas vous installer devant le guéridon branlant.
2 Prenez garde de ne pas être bousculé par les passants.
3 Prenez garde de ne pas perdre votre temps à flâner.
4 Prenez garde de ne pas vous asseoir sur cette banquette-là.

**Exemple:** Ont-ils pris garde de ne pas s'asseoir sous le lustre?
**Réponse:** Oui, ils ont évité de s'y asseoir.

**Exemple:** Avez-vous pris garde de ne pas parler à la caissière?
**Réponse:** Oui, j'ai évité de lui parler.

5 Est-ce qu'il a pris garde de ne pas passer devant la caisse?
6 Est-ce que la serveuse a pris garde de ne pas laisser tomber le plateau?
7 Avez-vous pris garde de ne pas renverser mon demi?
8 Avez-vous pris garde de ne pas boire d'eau?

## Verb Study

apercevoir    apercevant    j'APERÇOIS    j'apercevais    j'ai APERÇU

j'APERCEVRAI          nous apercevons          j'APERÇUS

j'APERCEVRAIS          ils APERÇOIVENT          qu'il APERÇÛT

que j'APERÇOIVE

Conjugated like apercevoir: décevoir, devoir, recevoir.

1 Will he disappoint us?
2 We will leave when I have received that telephone call.
3 On catching sight of us he uttered a cry.
4 If we didn't owe so much money the tradesmen might be more pleasant.
5 You had been receiving guests for a long time.
6 I am sorry they have disappointed you.
7 I hadn't caught sight of them.
8 May we receive a phone call here?
9 You must have caught sight of me.
10 It is not that I owe much money.
11 We shall have to disappoint them.
12 I hope that he will not catch sight of us.
13 I was waiting for him to receive his guests.
14 They won't have caught sight of you.
15 We are about to receive a phone call.
16 He disappointed us.
17 Don't I owe you some money?
18 Don't disappoint them!
19 You won't be able to catch sight of them from here.
20 I didn't think that he had received a reward.

## Essay Subjects

1 Imaginez la suite du texte: « Le Flore ».
2 Vous attendez un(e) ami(e) dans un café. Décrivez les allées et venues.

## Translation

When the cinema came out Gaston and I made our way to the "Café des Sports", talking animatedly about the film which we had just seen. Whilst moving aside to avoid jostling a waiter who was passing with a tray in his hand, Gaston nearly knocked over one of the rickety pedestal tables.

As we passed by, the customers seated at the table made far from polite remarks and I was pleased that Gaston did not hear them, for he is a not over-tolerant man. Fortunately he was already walking determinedly towards a wall-seat where there was room for two.

Once settled down there, we waited for our order to be taken. On our arrival I had noticed that there did not seem to be many waiters and I almost said to Gaston: "Suppose we went somewhere else?" because he is a man disinclined to wait patiently.

We had been sitting there for five minutes and all the waiters seemed to be avoiding looking at us. Gaston rapped on the table. "Tell me," he said in a loud voice, "is it you who are all blind or is it we who are invisible?"

## 22 *La petite fille des propriétaires descend regarder le café le soir*

Élisabeth se mit à réciter sa table de multiplication pour hâter la venue du sommeil. Elle en était à «neuf fois sept» quand le bruit de la foule s'amplifia. C'était le moment du premier entracte au «Trianon Lyrique». Elle sauta du lit et courut à la fenêtre. Les spectateurs sortaient du théâtre et s'assemblaient, par groupes bavards, devant le café. Les autos trompetaient nerveusement pour protester contre les piétons qui débordaient sur la chaussée. Un marchand de cacahuètes poussait son cri plaintif en longeant la terrasse. Sans doute y avait-il en bas de belles dames aux bras nus, de beaux messieurs aux plastrons blancs.

Élisabeth eut une envie folle de descendre dans la salle à cette heure tardive. Mais elle dirait à sa mère qu'elle avait soif, ou qu'elle avait mal au ventre. Ce ne serait pas la première fois qu'elle userait d'un prétexte pour jeter un coup d'œil sur le public élégant qui se pressait au comptoir. D'ailleurs ses parents seraient si absorbés qu'ils ne remarqueraient même pas sa présence. Elle se rhabilla sommairement et s'engagea dans l'escalier. Au tournant qui surplombait la salle, elle s'arrêta, s'assit sur une marche et inséra son visage entre les barreaux de la rampe.

Que c'était beau! Un paradis nocturne vivait à ses pieds, lumineux, animé, bruyant. Devant un pareil spectacle, on comprenait tout de suite pourquoi cet établissement s'appelait le «Cristal». Les grandes glaces murales, entourées de riches moulures, multipliaient par deux les figures roses des consommateurs, les globes blancs des lampes et les réclames bariolées des apéritifs. Le zinc luisait comme une route d'argent poli. Debout dans sa cuirasse brillante, le percolateur avait tant de manettes qu'il était certainement capable de faire autre chose que du café. Toutes les banquettes en moleskine marron étaient occupées. Il y avait là des hommes importants, qui jetaient de la fumée par la bouche et par les narines, et des femmes décolletées, avec des paillettes sur le devant de leur robe. L'une attirait l'attention par son écharpe vaporeuse et ses éclats de rire. Une autre avait de si grosses bagues aux doigts que cela devait la gêner pour tenir un porte-plume.

Mais la reine de la fête, c'était, comme toujours, la maman d'Élisabeth. Elle trônait à la caisse, sur une chaise haute, dans un décor de boîtes de cigarettes multicolores. Maurice, le garçon, en tablier blanc, s'approchait d'elle avec son plateau chargé de verres et réglait d'avance, en jetons, le prix des consommations qu'il allait servir dans la salle. Elle comptait les soucoupes plus vite que lui, plus vite que n'importe qui au monde: un coup d'œil, c'était fini. Le garçon s'éloignait, portant un trésor de liquides jaunes, rouges, verts au-dessus de sa tête, et maman s'occupait déjà des messieurs qui venaient pour

le tabac. Elle savait si bien l'emplacement réservé à chaque marque de cigarettes qu'elle prenait le paquet à tâtons, d'un geste machinal, sans s'arrêter de
parler avec le client. Parfois, quand il s'agissait d'un habitué, elle le servait
avant même qu'il lui eût rappelé sa préférence.

L'oncle Denis, un tablier bleu sur le ventre et les manches retroussées,
travaillait au comptoir. Lui aussi avait fort à faire. Tous les gens du quartier
l'aimaient, parce qu'il était très gentil et très doux. Papa, lui, opérait à l'autre
bout du zinc, devant la pompe à bière. Entre deux commandes, l'oncle Denis
releva la tête et s'essuya le front d'un revers du poignet. Son regard rencontra
celui d'Élisabeth. Effrayée, elle posa un doigt sur la bouche. Il cligna de l'œil
et lui fit signe d'approcher. Elle secoua la tête. Il saisit un verre, le rinça, y
versa un peu de grenadine et d'eau et le plaça sur l'égouttoir. C'était pour
elle. Séduite par cette invitation, elle se décida.

(Henri Troyat, La Grive, Plon, 1956, pp 10–13)

---

| | |
|---|---|
| un apéritif, *appetizer, drink before meal* | la moleskine, *American cloth* |
| bariolé, *gaudy, of many colours* | le percolateur, *percolator* |
| la cacahuète, *peanut* | la pompe à bière, *beer-pump* |
| la consommation, *drink (in café)* | la réclame, *advertisement; publicity* |
| un égouttoir, *draining board* |   faire de la réclame, *to advertise* |
| la grenadine, *pomegranate syrup* | régler (l'addition), *to settle (the bill)* |
| un habitué, *regular customer* | rincer, *to rinse* |
| le jeton, *token (for public telephone box,* | la tournée, *round (of drinks)* |
|   *etc.)* | trôner, *to sit in state* |
| la manette, *handle, hand lever* | le zinc, *(zinc) counter* |
| la marque (de cigarettes), *brand, make* | |
|   *(of cigarettes)* | |

---

## Comprehension

1 Qu'est-ce qu'Élisabeth faisait pour hâter la venue du sommeil?
2 Pourquoi a-t-elle couru à la fenêtre?
3 Quelle était l'explication de l'augmentation du bruit venant de la rue?
4 Quel prétexte lui servirait pour descendre dans la salle du café?
5 Comment s'expliquait-elle le nom du café?
6 Quelles clientes dans la salle ont attiré les regards d'Élisabeth?
7 Aux yeux d'Élisabeth, qu'est-ce que sa maman faisait d'extraordinaire?
8 En apercevant Elisabeth, quelle a été la réaction de l'oncle Denis?

## Structural Exercises

### 22A *Inversion of verb and subject after 'sans doute'*

| | |
|---|---|
| Sans doute l'a-t-il oublié. | Probably he has forgotten it. |
| Sans doute arrivera-t-elle demain. | I dare say she will arrive tomorrow. |
| Sans doute y avait-il en bas de belles dames aux bras nus. | Probably there were beautiful bare-armed ladies downstairs. |
| Il avait dû déposer son compagnon sur le rocher et sans doute viendrait-il l'y rechercher le soir. | He must have put off his companion on the rock and probably he would come back for him in the evening. |

**Exemple:** Il accepterait peut-être si vous insistiez?
**Réponse:** Oui, sans doute accepterait-il si j'insistais.

**Exemple:** On n'a peut-être pas rincé ce verre.
**Réponse:** Oui, sans doute ne l'a-t-on pas rincé.

**Exemple:** Il y avait peut-être d'autres clients en bas.
**Réponse:** Oui, sans doute y en avait-il d'autres en bas.

1 Il a peut-être lu la réclame.
2 Nous payons peut-être à la caisse.
3 L'homme au tablier est peut-être le frère du propriétaire.
4 Le percolateur ne fonctionne peut-être pas.
5 La pompe à bière ne marche peut-être pas.
6 La serveuse était peut-être derrière le zinc.
7 Le garçon a peut-être essuyé l'égouttoir avec ce torchon.
8 Les consommations seront peut-être chères dans cet établissement.

★　★　★

### 22B *Relative clause corresponding to a present participle in English*

| | |
|---|---|
| Elle a jeté un coup d'œil sur le public élégant qui se pressait au comptoir. | She glanced at the fashionable people thronging at the bar. |
| Il a entendu une voix qui disait « J'y vais » et puis des pas qui se rapprochaient. | He heard a voice saying "I'll go" and then approaching footsteps. |
| Il y aura sans doute d'autres crises dans les mois qui viennent. | There will probably be other crises in the coming months. |
| La lumière bleuâtre baissait de minute en minute comme celle d'une lampe qui meurt. | The bluish light was getting lower every minute, like that of a dying lamp. |

166

**Exemple:** Vous avez vu ce public élégant? Il se pressait au comptoir.
**Réponse:** Oui, je l'ai vu qui se pressait au comptoir.

**Exemple:** Vous avez entendu ces clients? Ils se disputaient avec le barman.
**Réponse:** Oui, je les ai entendus qui se disputaient avec le barman.

**Exemple:** Vous avez remarqué la dame? Elle riait aux éclats.
**Réponse:** Oui, je l'ai remarquée qui riait aux éclats.

1 Vous avez entendu ce marchand de cacahuètes? Il poussait son cri plaintif.
2 Vous avez vu la serveuse? Elle rinçait les verres dans cette eau sale.
3 Avez-vous remarqué le tournant? Il surplombait la salle.
4 Avez-vous vu la caissière? Elle trônait à la caisse.
5 Vous avez vu les piétons? Ils débordaient sur la chaussée.
6 Avez-vous remarqué l'oncle Denis? Il travaillait au zinc.
7 Vous avez vu le cafetier? Il opérait à l'autre bout du zinc.
8 Vous avez entendu ces autos? Elles trompetaient nerveusement.

★     ★     ★

## 22C *'S'occuper de quelque chose/de quelqu'un'*

| | |
|---|---|
| Je vais m'occuper de l'affaire. | I shall attend to the matter. |
| Occupez-vous de ce qui vous regarde! | Mind your own business! |
| Est-ce qu'on s'occupe de vous? | Are you being attended to? |
| Je m'en occuperai. | I shall see to it. |

**Exemple:** Joséphine est à l'égouttoir?
**Réponse:** Oui, elle s'occupe de la vaisselle.

**Exemple:** Grand-mère est à la cuisine?
**Réponse:** Oui, elle s'occupe du gigot.

**Exemple:** L'oncle Denis est au comptoir?
**Réponse:** Oui, il s'occupe des apéritifs.

1 Grand-père est dans la cave?
2 Maman est à la caisse?
3 Élisabeth est devant l'étalage de boîtes de cigarettes?
4 Marie et Louise sont derrière le percolateur?
5 Maurice est à la terrasse?
6 Papa est devant la pompe à bière?
7 Vous allez chercher les jetons?
8 Robert et vous, vous allez chercher les sandwichs?

★     ★     ★

## 22D  *Subjunctive after 'avant que'*

| | |
|---|---|
| Je vous reverrai avant que vous partiez. | I'll see you again before you leave. |
| Ne parlez pas avant qu'il ait fini. | Don't speak before (until) he has finished. |
| Avant que la nouvelle fût officielle, tout le monde était au courant. | Before the news was official everybody knew all about it. |
| Elle servait le client avant même qu'il lui eût rappelé sa préférence. | She used to serve the customer even before he had reminded her of his preference. |

**Exemple:** Il va prendre sa place au zinc. Vous voulez lui parler?
**Réponse:** Oui, je veux lui parler avant qu'il y prenne sa place.

**Exemple:** Il va boire sa consommation. Vous voulez l'avertir?
**Réponse:** Oui, je veux l'avertir avant qu'il la boive.

1  Je vais rincer le verre. Vous voulez goûter la grenadine?
2  Nous allons nous installer. Vous voulez nous parler?
3  Elle va descendre dans la salle. Vous voulez lui parler?
4  Il va sortir. Vous voulez le photographier?
5  Toutes les banquettes vont être occupées. Vous voulez vous asseoir?
6  Le garçon va servir dans la salle. Vous voulez lui parler?
7  Nous allons prendre un apéritif. Vous voulez jeter un coup d'œil sur le journal?
8  Ce sera bientôt trop tard. Vous voulez lui téléphoner?

**Exemple:** Et elle a servi le client après qu'il lui a rappelé sa préférence?
**Réponse:** Non, avant qu'il lui ait rappelé sa préférence.

**Exemple:** Et il a réglé l'addition après qu'elle est partie?
**Réponse:** Non, avant qu'elle soit partie.

9  Et vous avez remarqué l'auto après qu'elle a trompeté?
10  Et vous avez reconnu le marchand de cacahuètes après qu'il a poussé son cri?
11  Et vous êtes allé au comptoir après qu'il est entré?
12  Et vous l'avez remarqué après qu'il s'est levé?
13  Et vous l'avez vue après qu'elle s'est engagée dans l'escalier?
14  Et l'entracte a eu lieu après que vous êtes arrivé?
15  Et vous l'avez reconnu après qu'il a levé la tête?
16  Et elle a acheté un jeton après que son ami est parti?

★    ★    ★

## 22E Past participle with the value of a phrase or a clause

Effrayée, elle posa un doigt sur la bouche.

In her fright she put a finger on her lips.

Affolée, elle essaya de tirer le signal d'alarme.

In her panic she tried to pull the communication cord.

Terminé, cet avion aura coûté plus de 15 milliards de francs.

When it is finished this plane will have cost more than 15 thousand million francs.

Usés, les pneumatiques n'échouent plus aussi nombreux dans les décharges publiques.

When they are worn out tyres do not now end up on public rubbish-tips in such quantities.

**Exemple:** Parce que j'étais désorienté, j'ai dû demander le chemin à un passant.
**Réponse:** Désorienté, j'ai dû demander le chemin à un passant.

**Exemple:** Parce qu'ils étaient ennuyés, ils étaient assis à ne rien dire.
**Réponse:** Ennuyés, ils étaient assis à ne rien dire.

**Exemple:** Parce qu'ils ont été surpris, les voleurs n'ont pas touché à la caisse.
**Réponse:** Surpris, les voleurs n'ont pas touché à la caisse.

1 Parce que j'ai été surpris, j'ai laissé tomber toutes les cacahuètes.
2 Parce qu'il était dégoûté, il s'est détourné du zinc.
3 Parce qu'elle était effrayée, la serveuse a lâché prise de la manette.
4 Parce qu'il était confus, il a laissé tomber le jeton pour le téléphone.
5 Parce qu'il était fâché, il a saisi le tablier du garçon.
6 Parce que j'étais affolé, j'ai renversé toutes les consommations.
7 Parce que nous étions désemparés, nous sommes entrés dans le premier café que nous avons vu.
8 Parce que j'étais désorienté, j'ai erré de-ci de-là dans le quartier.

## Verb Study

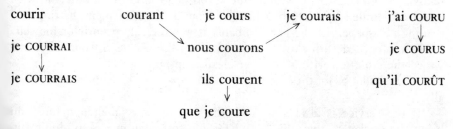

courir    courant    je cours    je courais    j'ai COURU

je COURRAI    nous courons    je COURUS

je COURRAIS    ils courent    qu'il COURÛT

que je coure

Conjugated like courir: accourir, parcourir.

169

1 We didn't run.
2 If he were to run he would arrive in time.
3 Before you cover a hundred kilometres it will be dark.
4 Without going through the region it is impossible to know it.
5 Would you like to run?
6 I would run if I could.
7 They had just run up.
8 We promised that we would not run when we left.
9 Let us run!
10 I preferred him not to run.
11 I wonder if they will go through the whole of France.
12 The children had run up.
13 We ought to run.
14 If he runs he will be quickly out of breath.
15 They had had to run to catch him.
16 Do we have to run?
17 Probably I shall be able to run.
18 We don't run.
19 Could you have run?
20 I didn't want him to run.

## Essay Subjects

1 Imaginez les réactions de maman, de papa, et des clients lorsqu'ils s'aperçoivent de la présence d'Élisabeth.
2 Quelles différences d'optique se révèlent dans les deux textes 21 et 22 et comment ces différences sont-elles rendues sensibles au lecteur?

## Translation

Before Gaston had finished speaking I had a foreboding (= *un pressentiment*) of what was going to happen. In astonishment several regular customers turned round to stare at him. We heard a voice muttering: "I'll go and attend to that fellow," and a large man, with a blue apron tied round his middle and with his sleeves rolled up, detached himself from a group of men chatting and reading newspapers at the bar. Probably it was the café proprietor himself.

He approached with slow tread, picked up the glasses off our table and wiped the table-top with a not over-clean mop-rag.

"What shall it be for these gentlemen? Champagne?" he enquired sarcastically.

"If the service is always so slow the ice will have melted before you bring the bucket to the table," said Gaston in irritation. "Why don't you attend to your customers instead of chatting with your pals?"

"Listen, sonny (= *fiston*)," the café proprietor began, but Gaston interrupted him.

"I thank heaven that I am not your son," he said coldly.

In his rage the other threw the rag at Gaston who ducked and the rag, flying through the air, wrapped itself round the head of a fat gentleman drinking beer.

Gaston stood up and probably he would have started fighting, but I grabbed his arm and hurried him out.

Much water will have flowed under the bridges of the Seine before I set foot in that café again.

## 23 *Prise de contact avec une ville de province*

J'ai eu la chance de trouver un taxi (mais il paraît qu'il y en a toujours «au train de Paris») et j'ai dû traverser la ville, presque de bout en bout, avant de trouver cet hôtel. Dix heures et demie, une douce soirée tiède. Pas un chat dans les rues. Deux quartiers brillent d'un vif éclat: celui qui jouxte la gare (mais il est un peu interlope, naturellement) avec beaucoup d'hôtels et de bars («les voyageurs de commerce,» m'a dit mon guide) et ensuite, le centre, image fabuleuse qui traduit une réalité habituellement commerciale. Comme si le cœur des cités était immanquablement l'emplacement des Dames de France, des Nouvelles Galeries et d'Uniprix. Le plus souvent, c'est l'expression la plus stricte de la réalité.

Le centre de S ..., ce sont les allées de la République et les rues qui y aboutissent. Lorsque je le traversai, les vitrines étaient brillamment illuminées. J'ai rarement vu une telle concentration de tubes fluorescents et d'enseignes multicolores sur un espace finalement si restreint. Il est peu de dire que cela illumine, cela rutile.

J'eus pourtant comme une sensation de malaise que je m'expliquai assez vite. Cette féerie lumineuse, prodiguée avec assez de goût, était répandue quasiment en pure perte. Les rues étaient désertes et silencieuses. Seule, une jeune fille, que je distinguai mal, se trouvait en arrêt devant un magasin de chaussures. Le contraste entre cette débauche publicitaire et les habitudes ancestrales se révélait trop fort pour que j'y crusse sérieusement. Et pourtant le fait était là.

La chambre numéro 10, qui m'était affectée, donnait sur une rue extrêmement paisible, éclairée par des lampadaires somptueux. La ville était riche et orgueilleuse. Les lampes étaient violettes et blanches, très modernes, aux vapeurs de mercure, je crois. De temps en temps, j'entendais une voiture glisser en souplesse, silencieusement.

[Le lendemain matin, le narrateur voulut se familiariser avec la ville.]

Je renonçai rapidement à pousser jusqu'aux limites. S ... est vraiment très étendu. Tranchant sur un horizon rectiligne, deux ou trois buildings de quinze étages attestaient de la vitalité de l'agglomération et de la sollicitude des pouvoirs publics à l'égard des mal logés.

Je tombai en arrêt devant une espèce de forteresse sans âge mais d'un considérable volume. C'était sûrement le «château». J'en inspectai le pourtour planté d'arbres, mais ne me risquai pas à en franchir la poterne. On promettait pourtant les délices d'un musée folklorique.

Je me hâtai de revenir «dans le centre». Pour une ville de moyenne importance, les rues présentaient une animation singulière et qui me plut. Pour être exact, il y avait foule. Nous n'étions pourtant pas un vendredi (le vendredi et le mardi se tiennent le grand et le petit marché, ce qui n'est pas sans importance), j'en conclus que ce mouvement était le rythme même de la ville et je m'en félicitai. La densité humaine d'une agglomération est un signe certain du genre de vie qu'on y mène.

(Edward de Capoulet-Junac, *L'Ordonnateur des Pompes Nuptiales*, Gallimard, 1961, pp 9–10 and 13)

---

aboutir à, *to end at/in; to converge on*
une agglomération, *conurbation; built-up area*
l'aménagement (*m.*), *lay-out, re-planning, development*
l'animation (*f*), *bustle, 'life', excitement*
la banlieue, *outskirts, outer suburb*
le bitume, *asphalt, pitch*
le building, *skyscraper*
le centre commercial, *shopping centre*
la cité, 1. *large town;* 2. *centre of Paris;* 3. *garden city*
désert, *deserted*
s'égarer, *to lose one's way*
l'emplacement (*m.*), *site (of a building)*
le quartier excentrique, *outlying suburb*

le quartier interlope, *district of ill repute*
jouxter, *to be adjacent to*
le lampadaire, *ornamental street-lamp*
la lampe aux vapeurs de mercure, *mercury light*
la limite, *boundary*
les mal logés, *the poorly housed*
paisible, *peaceful*
le pourtour, *circumference, precincts*
les pouvoirs publics, *the authorities*
rectiligne, *linear*
le réverbère, *street-lamp*
rutiler, *to glow, to gleam red*
silencieux, *silent*
la vitrine, *shop window*

---

## Comprehension

1 Où se trouvait l'hôtel par rapport à la gare?
2 Quels étaient les deux quartiers brillamment illuminés?
3 Comment le voyageur s'est-il expliqué la sensation de malaise qu'il a eue en traversant le centre de la ville?
4 Qu'est-ce qui a fait penser au voyageur que la ville était riche et orgueilleuse?
5 A qui étaient destinés les trois buildings?
6 Pourquoi a-t-il conclu qu'il ferait bon vivre dans cette ville?

## Structural Exercises

23A *Omission of the article in an opposition*

| | |
|---|---|
| M. Legris, médecin, habitait au premier. | M. Legris, a doctor, lived on the first floor. |
| Il étudiait «Phèdre», tragédie de Racine. | He was studying "Phèdre", a tragedy by Racine. |
| C'était à Birla House, demeure d'un milliardaire hindou. | It was at Birla House, the residence of a Hindu multi-millionaire. |

**Exemple:** La rue de France aboutit à la rue Masséna. C'est l'artère principale de Nice.

**Réponse:** La rue de France, artère principale de Nice, aboutit à la rue Masséna.

**Exemple:** Il habite l'Ile Saint Louis. C'est un quartier paisible, au cœur de Paris.

**Réponse:** Il habite l'Ile Saint Louis, quartier paisible au cœur de Paris.

**Exemple:** Ce building a été bâti par Le Corbusier. C'était un architecte célèbre.

**Réponse:** Ce building a été bâti par Le Corbusier, architecte célèbre.

1 La Place de la Bastille n'a rien de spécial. C'est l'emplacement de l'ancienne prison.
2 Le Cours-la-Reine aboutit à la Place de la Concorde. C'est une allée plantée d'arbres.
3 Le Vieux-Port a été détruit par les Allemands. C'est un quartier interlope de Marseille.
4 La Conciergerie jouxte le Palais de Justice. C'est une ancienne prison.
5 Fourvières est desservi par un funiculaire. C'est une banlieue de Lyon.
6 Nous nous sommes égarés dans la «Vieille Ville». C'est le centre commercial de Toulon.
7 «La Cité Radieuse» a été bâtie par Le Corbusier. C'est un building à Marseille.
8 La rue Bonaparte aboutit au quai Voltaire. C'est une vieille rue étroite.

★ ★ ★

## 23B *'Renoncer à faire quelque chose'*

| | |
|---|---|
| J'ai renoncé à lutter. | I've given up struggling. |
| L'énergie nucléaire est, sans doute, inévitable; y renoncer serait une capitulation devant l'avenir. | Nuclear energy is probably inevitable; to give it up would be a surrender in the face of the future. |
| Je renonce à comprendre. | I give up trying to understand. |

**Exemple:** Vous avez parcouru l'agglomération?
**Réponse:** Non, j'ai renoncé à la parcourir.

**Exemple:** Elle a regardé les vitrines?
**Réponse:** Non, elle a renoncé à les regarder.

**Exemple:** Ils ont vu l'aménagement?
**Réponse:** Non, ils ont renoncé à le voir.

1 Vous avez visité cette banlieue?
2 Il a parcouru les quartiers excentriques?
3 Vous avez compris ce plan d'aménagement?
4 Le conseil municipal a relogé les mal logés?
5 L'architecte a poursuivi ses études d'aménagement?
6 Les pouvoirs publics ont construit la cité?
7 L'archéologue a cherché l'emplacement de la ville romaine?
8 Les urbanistes ont fait démolir ce quartier interlope?

★   ★   ★

## 23C 'Seul' in apposition = 'seulement'

| | |
|---|---|
| Seul un professeur averti peut dispenser un enseignement de qualité. | Only a well-informed teacher can give high-quality teaching. |
| Seuls les enfants goûtent à quatre heures. | Only children have a snack at four o'clock. |
| Seul un plan mondial de croissance organisée et équilibrée peut éviter une catastrophe générale. | Only a world plan for organized, balanced growth can avoid a general catastrophe. |
| Seules des nuances séparent désormais les différents projets. | Henceforth only slight differences separate the various plans. |

**Exemple:** Une jeune fille se trouvait dans la rue. Est-ce que d'autres personnes s'y trouvaient?
**Réponse:** Non, seule une jeune fille s'y trouvait.

**Exemple:** Une ville de province peut montrer un manque d'animation. Est-ce que d'autres villes peuvent montrer ce manque d'animation?
**Réponse:** Non, seule une ville de province peut montrer ce manque d'animation.

**Exemple:** Un réverbère brillait encore. N'y avait-il pas d'autres sources de lumière?
**Réponse:** Non, seul un réverbère brillait encore.

1 Le centre commercial est encore illuminé. Est-ce que d'autres quartiers le sont?
2 Les quartiers excentriques sont agréables à habiter. Y a-t-il d'autres qui le sont?
3 Des platanes et des marronniers poussent au milieu du bitume. Est-ce que d'autres arbres y poussent?
4 Les premiers voyageurs à sortir de la gare trouveront un taxi. Est-ce que les autres voyageurs en trouveront un?

5 Quelques piétons passaient dans les rues. Est-ce que des voitures y passaient aussi?

6 Un chat se promenait dans la rue déserte. N'y avait-il pas d'êtres humains à s'y promener?

7 Le veilleur vous attendait à l'hôtel. N'y avait-il personne d'autre à vous attendre?

8 Un building de quinze étages s'élevait sur le terrain. N'y avait-il pas d'autres bâtiments?

★   ★   ★

## 23D 'Trop/assez ... pour que', followed by the subjunctive

| | |
|---|---|
| La soupe était trop chaude pour qu'il la mangeât. | The soup was too hot for him to eat. |
| Il était trop soûl pour qu'on le prit au sérieux. | He was too drunk to be taken seriously. |
| Il n'était pas assez grand pour qu'on le laissât seul. | He wasn't big enough to be left alone. |
| Ils étaient assez malades pour que leur mère envoyât chercher le médecin. | They were ill enough for their mother to send for the doctor. |

**Exemple:** Les mal logés sont nombreux. Est-ce que la municipalité peut leur trouver des logements?
**Réponse:** Non, ils sont trop nombreux pour que la municipalité puisse leur en trouver.

**Exemple:** Le réverbère était loin. Pouvait-il distinguer le numéro de la maison?
**Réponse:** Non, le réverbère était trop loin pour qu'il pût le distinguer.

1 Le quartier est interlope. Voulez-vous vous y aventurer?
2 Il est tard. Est-ce que les magasins seront ouverts?
3 Le quartier était désert. Voulait-elle s'y aventurer?
4 Les rues étaient rectilignes. Est-ce qu'il les trouvait intéressantes?

**Exemple:** Le marché est important. Est-ce qu'il y aura foule?
**Réponse:** Oui, le marché est assez important pour qu'il y ait foule.

**Exemple:** La banlieue était grande. On pouvait donc s'y égarer?
**Réponse:** Oui, elle était assez grande pour qu'on pût s'y égarer.

5 L'animation des rues est grande. Est-ce que le visiteur s'y plaît?
6 La ville est grande. Est-ce que vous vous y sentez perdu?

7 Les vitrines étaient illuminées. Il voyait donc comme en plein jour?
8 Le bâtiment était impressionnant. Il s'est donc trompé?

★   ★   ★

23E *'Se hâter de faire quelque chose'*

| | |
|---|---|
| Je me suis hâté de sortir. | I hurried out. |
| Il ne faut point se hâter de juger les caractères. | You mustn't be too hasty in judging characters. |
| Nous nous hâterons de terminer ce travail. | We shall make haste to finish this work. |
| Je me hâtai de revenir au centre. | I hurried back to the centre. |

**Exemple:** Vous êtes retourné au centre de la ville?
**Réponse:** Oui, je me suis hâté d'y retourner.

**Exemple:** Ils ont traversé la ville?
**Réponse:** Oui, ils se sont hâtés de la traverser.

**Exemple:** Il a trouvé un taxi?
**Réponse:** Oui, il s'est hâté d'en trouver un.

1 Vous avez trouvé une chambre?
2 Vous et vos amis, vous avez visité le musée?
3 Il est allé à la gare?
4 Les mal logés ont organisé une manifestation?
5 Elle a rejoint les autres?
6 Ils ont quitté l'agglomération?
7 Elles sont sorties de ce quartier interlope?
8 Vous avez répondu à sa lettre?

## Verb Study

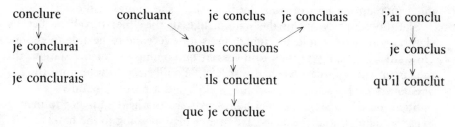

Conjugated like conclure: inclure (past participle: INCLUS), exclure.

1 We would have included it if we had been able.
2 I was about to conclude.
3 He said that you would conclude that he was wrong.

4 He must have excluded it.
5 They didn't exclude the possibility.
6 I had concluded that he wasn't coming.
7 Would they have excluded him from the team?
8 He would have liked to include your name in the list.
9 Long before he concluded we were all bored.
10 If we had included her name she would have been pleased.
11 I prefer that they should not include us.
12 Do you conclude that I am right?
13 Instead of excluding them invite them to come in.
14 I might conclude that you are both wrong.
15 They hope that you will include them.
16 Although he didn't exclude the possibility, he didn't consider it seriously.
17 We ought to have included them.
18 They will want us to conclude.
19 Without his having concluded they made him sit down.
20 I didn't want him to exclude anybody.

## Essay Subjects

1 Vous arrivez dans une ville de province à une heure tardive. Le lendemain matin, vous partez à la découverte de la ville, que vous trouvez toute différente de ce que vous avez imaginé la veille.
2 Souvenirs d'un voyageur de commerce.

## Translation

Only the experience of living in Caen made Julie understand what life in a provincial town is like. Caen, the chief town (= *le chef-lieu*) of the department of the Orne, is 223 kilometres from Paris and seemed the end of the world to Julie, a young Parisienne, when she arrived there one autumn evening. "Why did I give up the idea of studying in Paris?" she thought, in despair.

She didn't hurry out of the station, like all the other travellers, because she thought there would be enough taxis for everyone to be able to get one. How surprised she was then to discover, on coming out of the station, that the last of the waiting taxis had just left! "You'll have to wait until the first one comes back—if one does come back," said a porter gloomily.

She took a few steps but her suitcases were too heavy for her to manage to carry them far and she soon gave up her plan of going to the hotel on foot. Forty minutes elapsed before another taxi appeared. Only those who have had such an experience will know how relieved Julie was. The fair-haired, blue-eyed driver was very courteous. He hastened to put the luggage in the boot (= *le coffre*), helped Julie to get in and then asked cheerfully: "Now, where would you like to go?"

## 24 *Une ville satellite: Sarcelles*

Les premières images du film d'Henri Verneuil «Mélodie en sous-sol» révèlent au spectateur venu suivre une intrigue policière le panorama de Sarcelles. Égaré parmi les immeubles de béton clair et de glaces, arpentant des avenues rectilignes, surpris par les pelouses encore minces, un homme qui était en prison depuis cinq ans cherche vainement le pavillon qu'il avait fait construire dans cette banlieue alors campagnarde. Une ville qu'il ne pouvait imaginer a jailli du sol. La vie urbaine s'est installée et des milliers de fenêtres toutes semblables le regardent.

Quiconque arrive à Sarcelles connaît cette sensation de dépaysement. Ce ne sont pas les proportions familières d'une ville traditionnelle qui nous sont offertes, et le manque de points de repère, tels les clochers ou les bâtiments publics, l'absence de vitrines au long des rues étonnent et désorientent.

Sarcelles était une petite commune calme où résidaient de nombreux retraités quand la S.C.I.C. (Société Centrale Immobilière de la Caisse des Dépôts) décida en 1955 d'y construire un ensemble urbain qui en ferait une ville. Si la mairie, suffisante avant 1955, est restée dans le «vieux» Sarcelles, on a dû créer dans la cité nouvelle une annexe importante, un commissariat de police, une gendarmerie (caserne et bureaux du corps militaire chargé du maintien de l'ordre), une poste, des cabines téléphoniques, etc.

Il fallait aussi prévoir les écoles. Déjà six groupes scolaires ont été construits, mais aujourd'hui on admet que dix ou douze groupes seront nécessaires. Si la création des écoles primaires n'a pas fait de difficultés, il n'en est pas de même pour le lycée prévu dans l'aménagement de la ville et impatiemment attendu. Les classes secondaires fonctionnent dans des baraquements et il en sera ainsi pendant au moins un an. Les plans du lycée ont été acceptés, le permis de construire délivré, mais il a fallu de longs mois pour obtenir l'expropriation de ceux qui détenaient ces terrains.

Selon les normes établies par les spécialistes, un centre commercial est nécessaire dès qu'il s'agit de desservir de cinq cents à mille cinq cents logements et il est souhaitable que son rayon d'action ne dépasse pas trois cents mètres. A Sarcelles quatre centres commerciaux permettent à chacun de trouver, à moins de trois cent cinquante mètres de chez lui, les boutiques indispensables ou les points de vente de denrées de première nécessité.

A l'origine, les constructeurs et urbanistes étaient opposés au marché forain traditionnel mais il est vite apparu que celui-ci pouvait avoir un effet régulateur sur les prix, tout en constituant un lieu de rencontre. C'est pourquoi cinq marchés forains ont lieu chaque semaine, ce qui crée une animation supplémentaire et apporte une ambiance à laquelle tant de ménagères sont attachées.

Quand on a vécu quelques jours à Sarcelles, on conçoit que le manque d'animation des rues soit à l'origine de nombreuses critiques. Dans ce domaine, les urbanistes révisent peu à peu leurs conceptions. S'il faut admettre les grandes dimensions des axes de circulation — le nombre des automobiles et leur multiplication dans les années à venir y obligent — on en revient aux artères plus étroites pour piétons. Il est nécessaire, disent certains sociologues, que les êtres vivant en communauté urbaine se «frottent» les uns aux autres.

Pour 1 mètre carré de surface au sol sur laquelle on a construit, il existe à Sarcelles 5 mètres carrés d'espaces verts et 3,5 mètres carrés de voies de circulation ou parkings. «Haussmann faisait des quartiers riches,» m'a dit un Sarcellois. «Ici, on a fait des quartiers modestes; notre luxe, c'est la lumière et l'espace. L'ensemble des bâtiments de la ville n'occupent que 1/10ᵉ des terrains qui ont été acquis.»

(Mauriice Denuzière, «Cités sans Passé, I, II», *Le Monde Hebdomadaire*, 24–30 octobre et 31 octobre–6 novembre, 1963)

---

une ambiance, *atmosphere, surroundings*
aménager, *to re-plan, to redevelop*
arpenter, 1. *to survey, measure (land);*
    2. *to stride along*
une artère, *thoroughfare*
un axe de circulation, *'throughway'*
le baraquement, *collection of hints*
la boutique, *shop*
la cabine téléphonique, *phone-box*
la caserne, *barracks*
la circulation, *traffic*
le clocher, *belfry, bell-tower*
le commissariat de police, *police station*
la commune, *parish (smallest administrative unit)*
le dépaysement, *feeling of being lost*
désorienter quelqu'un, *to make someone lose his bearings*
desservir, *to serve (a district)*
un espace vert, *'green belt'*

le faubourg, *inner suburb*
la gendarmerie, *headquarters of the gendarmes*
le groupe scolaire, *(primary) school buildings*
la mairie, *town hall*
le marché forain, *open-air market*
le parking, *car park*
la pelouse, *lawn, grass plot*
le permis de construire, *building licence*
le piéton, *pedestrian*
le point de repère, *landmark*
le point de vente, *sales-point*
la poste, *post office*
la ville satellite, *'overspill town'*
urbain, *urban*
  la vie urbaine, *town life*
l'urbanisme (*m.*), *town planning*
un urbaniste, *town planner*

## Comprehension

1 En quelles circonstances le personnage du film «Mélodie en sous-sol» était-il revenu à Sarcelles?

2 Qu'est-ce qui provoque une sensation de dépaysement chez quiconque visite Sarcelles?

3 A quelle difficulté la construction du lycée s'est-elle heurtée?

4 Pourquoi a-t-on créé quatre centres commerciaux au lieu d'un seul?
5 Quelles raisons ont amené les urbanistes à revenir à l'idée du marché forain traditionnel?
6 Comment se justifie la création de rues piétonnières?
7 Qu'est-ce que les Sarcellois apprécient surtout dans leur ville?

## Structural Exercises

24A *'Faire/laisser/voir/entendre', followed by an active infinitive, with passive meaning*

| | |
|---|---|
| J'ai entendu siffler cet air par des soldats américains. | I heard this tune whistled by American soldiers. |
| Il avait entendu dire qu'il était extrêmement dangereux de se promener tout seul dans les rues de Paris. | He had heard it said that it was extremely dangerous to go walking all alone in the streets of Paris. |
| J'ai fait faire deux exemplaires. | I've had two copies made. |
| Je vais faire renouveler mon permis de conduire. | I'm going to have my driving licence renewed. |
| Il a laissé voir son trouble. | He let his agitation be seen. |
| L'article 177 prévoit prison et amendes pour les fonctionnaires qui se seraient laissé corrompre. | Article 177 stipulates prison and fines for civil servants who have let themselves be bribed. |
| Nous avons vu jouer cette pièce à Avignon. | We saw this play acted at Avignon. |
| Je l'ai souvent vu faire. | I've often seen it done. |

**Exemple:** Des boulevards ont été percés par ordre de Haussmann.
**Réponse:** Oui, il a fait percer des boulevards.

**Exemple:** Un clocher a été ajouté à la cathédrale par ordre de l'évêque.
**Réponse:** Oui, il a fait ajouter un clocher.

1 La caserne a été démolie par ordre du ministre.
2 La voiture a été révisée par ordre de Mme Fournier.
3 Un espace vert a été aménagé par ordre des pouvoirs publics.
4 Des parkings souterrains ont été construits par ordre du préfet.

**Exemple:** On a démoli ce pavillon.
**Réponse:** Comment, vous avez laissé démolir ce pavillon?

**Exemple:** On a bâti des buildings ici.
**Réponse:** Comment, vous avez laissé bâtir des buildings ici?

5 On a abattu ces vieux arbres.
6 On a saccagé la cabine téléphonique.
7 On a détruit ce point de repère.
8 On a créé une ambiance de méfiance.

**Exemple:** Ils ont vu la circulation que l'on déviait à l'entrée de l'agglomération.
**Réponse:** Ah, c'est à l'entrée de l'agglomération qu'ils ont vu dévier la circulation?

**Exemple:** J'ai vu cette pièce que l'on jouait à Londres.
**Réponse:** Ah, c'est à Londres que vous avez vu jouer cette pièce?

9 J'ai vu la côte que l'on aménageait dans le Languedoc.
10 Il a vu la poste que l'on reconstruisait à Châteauneuf.
11 Nous avons vu le terrain que l'on arpentait près du carrefour.
12 J'ai vu la ville satellite que l'on construisait à Sarcelles.

**Exemple:** On vous a dit que le nouveau groupe scolaire est presque prêt?
**Réponse:** Oui, j'ai entendu dire qu'il est presque prêt.

**Exemple:** On vous a dit, à vous et à vos amis, qu'on va saccager cet espace vert?
**Réponse:** Oui, nous avons entendu dire qu'on va le saccager.

13 On vous a dit que le marché forain a lieu le vendredi?
14 On vous a dit que le parking est gratuit?
15 On a dit à vos amis que la boutique est ouverte tous les jours?
16 On a dit à votre père qu'on va fermer cette rue à la circulation?

★   ★   ★

## 24B 'Quiconque'

| | |
|---|---|
| Quiconque arrive à Sarcelles connaît cette sensation de dépaysement. | Whoever arrives in Sarcelles knows this feeling of being lost. |
| Quiconque vous connaît, comprendra vos raisons. | Anybody who knows you will understand your reasons. |
| Pas question d'en laisser le contrôle à quiconque! | There is no question of letting anyone at all have control of it! |
| J'interdis à quiconque de toucher aux fleurs de mon jardin. | I forbid anyone at all to touch the flowers in my garden. |
| Un ouvrier est mieux qualifié que quiconque pour défendre les intérêts des ouvriers. | A worker is better qualified than anyone else to defend workers' interests. |

182

**Exemple:** Est-ce que tous ceux qui arrivent à Sarcelles connaissent cette sensation de dépaysement?
**Réponse:** Mais oui, quiconque y arrive la connaît.

**Exemple:** Est-ce que tous ceux qui s'intéressent à l'urbanisme voudront visiter cette ville satellite?
**Réponse:** Mais oui, quiconque s'y intéresse voudra la visiter.

**Exemple:** Est-ce que tous ceux qui aiment l'animation iront au marché forain?
**Réponse:** Mais oui, quiconque l'aime y ira.

1 Est-ce que tous ceux qui arpentent ces avenues rectilignes se sentent un peu dépaysés?
2 Est-ce que tous ceux qui ont vu l'aménagement des plages du Languedoc en parlent avec enthousiasme?
3 Est-ce que tous ceux qui voudraient un permis de conduire doivent s'adresser à la mairie?
4 Est-ce que tous ceux qui empruntent cette artère gagnent cinq minutes sur le parcours?
5 Est-ce que tous ceux qui ont habité ailleurs seront surpris par le manque d'animation?
6 Est-ce que tous ceux qui vivent en communauté urbaine ressentent le besoin de se frotter à leurs voisins?
7 Est-ce que tous ceux qui ont beaucoup voyagé diront que Paris est la plus belle ville du monde?
8 Est-ce que tous ceux qui connaissent Londres apprécient la verdure des jardins publics?

★   ★   ★

## 24C  *Inversion of verb and subject in a relative clause introduced by 'où'*

| | |
|---|---|
| Sarcelles était une petite commune calme où résidaient de nombreux retraités. | Sarcelles used to be a quiet little district where many retired people lived. |
| C'est le «bidonville» où se réfugient les sans-abri. | That's the 'shanty town' where the homeless take refuge. |
| Il se rendait à Rouen où habitaient sa femme et ses enfants. | He was making his way to Rouen where his wife and children lived. |
| Ils débouchèrent dans une éclaircie où se trouvait une ferme. | They came out into a clearing where there was a farm. |

**Exemple:** J'ai vu un panier plat. Des fromages s'y étalaient.
**Réponse:** J'ai vu un panier plat où s'étalaient des fromages.

**Exemple:** C'est une caserne. Les gendarmes y sont logés.
**Réponse:** C'est une caserne où sont logés les gendarmes.

**Exemple:** C'est le parking. Ma voiture y stationne.
**Réponse:** C'est le parking où stationne ma voiture.

1 C'est un vieux quartier. Les touristes étrangers s'y égarent quelquefois.
2 C'est la cité nouvelle. Une annexe de la mairie, un commissariat et une poste s'y trouvent.
3 Voilà les baraquements. Les classes secondaires y fonctionnent.
4 La municipalité vient d'acheter ce terrain. Le nouveau groupe scolaire y sera construit.
5 C'est le centre commercial. Les ménagères du quartier y viennent s'approvisionner.
6 Regardez cette pelouse! Un vieux chien y dort.
7 Nous nous sommes approchés du parking. Une voiture anglaise y stationnait.
8 C'était un axe de circulation. De gros camions y roulaient.

★ ★ ★

24D *'Il faut du temps pour faire quelque chose'*

| | |
|---|---|
| Il a fallu de longs mois pour obtenir l'expropriation. | It took long months to obtain the compulsory purchase order. |
| Il me faudra trois jours pour tout mettre en état. | It will take me three days to put everything in order. |
| Il faudrait des heures pour vous expliquer cela. | It would take hours to explain that to you. |
| Combien de temps vous faudra-t-il pour faire la réparation? | How long will you take to do the repair? |

**Exemple:** Nous avons mis six mois à obtenir l'expropriation.
**Réponse:** C'est vrai? Il vous a fallu six mois pour l'obtenir?

**Exemple:** Il a mis un an à perdre cette sensation de dépaysement.
**Réponse:** C'est vrai? Il lui a fallu un an pour la perdre?

**Exemple:** Elle mettra un an à s'habituer à la vie urbaine.
**Réponse:** C'est vrai? Il lui faudra un an pour s'y habituer?

1 Nous avons mis cinq ans à obtenir le permis de construire.
2 J'ai mis un quart d'heure à trouver la cabine téléphonique.
3 Ils ont mis deux ans à s'habituer à ce manque d'animation.
4 Le Baron Haussmann a mis dix-sept ans à aménager le centre de Paris.

5 Elle a mis vingt minutes à arriver au point de vente le plus proche.
6 Ils mettront une demi-heure à arriver au commissariat.
7 Nous mettrons dix minutes à atteindre le centre commercial.
8 Je mettrai une demi-heure à aller à la poste.

★   ★   ★

## 24E  Use of definite article with abstract nouns

| | |
|---|---|
| Pour nous, le luxe c'est la lumière et l'espace. | For us, luxury is light and space. |
| Sur la route, la vue c'est la vie. | On the road, sight is life. |
| On se sert de la terreur pour répandre la peur. | Terror is used to spread fear. |
| Le moyen existe pour maintenir la croissance dans la stabilité. | The means exists to maintain growth in stability. |
| La Fortune sourit aux audacieux. | Fortune favours the brave. |

**Exemple:** Comment s'appelle la sensation que l'on éprouve quand on est dépaysé?
**Réponse:** C'est le dépaysement.

**Exemple:** Comment s'appelle le fait de ne pas être dans un lieu où l'on devrait être?
**Réponse:** C'est l'absence.

**Exemple:** Comment s'appelle la mesure de ce qui sépare deux points, deux lignes, deux objets?
**Réponse:** C'est la distance.

Comment s'appelle:
1 Le caractère de ce qui est animé?
2 L'étude systématique des méthodes permettant d'adapter l'habitat urbain aux besoins des hommes?
3 L'opération administrative par laquelle le propriétaire d'un immeuble est obligé de vendre à l'Administration sa propriété?
4 L'action de critiquer?
5 L'atmosphère matérielle ou morale qui environne une personne, une réunion de personnes?
6 Le bien ou le plaisir coûteux qu'on s'offre sans nécessité?
7 Ce par quoi les choses sont éclairées?
8 La politique économique tendant à faire correspondre l'activité et la population régionale avec les possibilités et les besoins économiques de la région?

## Verb Study

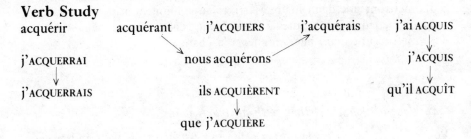

acquérir      acquérant      j'ACQUIERS      j'acquérais      j'ai ACQUIS

j'ACQUERRAI      nous acquérons      j'ACQUIS

j'ACQUERRAIS      ils ACQUIÈRENT      qu'il ACQUÎT

que j'ACQUIÈRE

Conjugated like acquérir: conquérir, s'enquérir (de).

1 I haven't yet acquired the land.
2 I wonder whether he will acquire the land.
3 Before he conquered England William was Duke of Normandy.
4 They are acquiring a handsome fortune.
5 After conquering Gaul (= *la Gaule*) Caesar returned to Rome.
6 Have you had to make enquiries about him?
7 We would have acquired some experience.
8 Although he had acquired a fortune, he didn't spend much money.
9 We ought to make enquiries.
10 They left (*past historic*) the country after the enemy had conquered it.
11 The pleasure of possessing is not worth the trouble of acquiring.
12 They had acquired a fortune.
13 We were enquiring about his health.
14 She was about to acquire a country house.
15 I will enquire about it.
16 We could conquer if we tried.
17 I don't think he has enquired about it.
18 The Romans never conquered Scotland.
19 I might have acquired some money in that way.
20 It is a habit easily acquired.

## Essay Subject

Imaginez que vous êtes urbaniste, jouissant de pleins pouvoirs. Comment aménageriez-vous une ville que vous connaissez ou, si vous voulez, une ville nouvelle?

## Translation

It didn't take long to reach the Place de la République where Julie's hotel was. She was going to stay there a few days before settling into a flat. Anybody who knows the history of the town will tell you that the Place de la République was formerly called the Place Royale. You have probably heard it said that history still lives in place-names so it is not too difficult to guess why the name of that square was changed.

Respect for truth compels me to tell you that the phrase: 'The town with the hundred belfries', often used to describe Caen, is not strictly accurate. I don't believe that there are one hundred, but it is true that it would take some time to count them all. Anyone who walks through the town will see many fine bell-towers rising up and will often hear church bells rung. At one end of the town stands l'Abbaye aux Hommes, where William the Conqueror is buried, and at the other end l'Abbaye aux Dames, where his wife, Matilda, rests.

It took some weeks for Julie to get used to provincial life, but she soon began to appreciate its advantages. What a pleasure to be able to stride along the pavements without getting yourself jostled all the time! How pleasant it was to go around (= *circuler*) on a bicycle without getting yourself run over! And then there was the adjoining countryside to be visited. The Norman countryside resembles a huge garden, a vast green lawn, intersected with hedges, where, in the spring, thousands of apple trees bloom.

# 25 « *Faut que ça roule!* »

En allant, au volant de ma voiture, interviewer un agent de la circulation, je chantonnais machinalement: «Les agents sont de braves gens», si machinalement qu'à un carrefour, on me siffla et m'expliqua rondement de ne pas accélérer mais ralentir, quand le feu était à l'orange. Avertissement! Je rougis puis rembrayai en ponctuant mon geste d'un vigoureux: «Ah! ces flics!», ce qui me remplaça d'emblée dans l'atmosphère de l'entretien que j'allais avoir, à propos, justement, des rapports «humains» entre les usagers de la voie publique et les représentants de la loi.

Mon agent habitait un charmant pavillon de banlieue, en plein soleil, avec jardin, garage, Peugeot dans le garage et pastis pour me recevoir. Nous bavardons et en arrivons à la circulation.

— Vous avez quatorze ans de métier. Expliquez-moi la circulation parisienne, vue par l'agent qui est au milieu du carrefour.

— Nous sommes là, d'abord, pour que le carrefour soit net et dégagé. Il faut que «ça roule». C'est dans le cas où ça «ne roule pas» que nous en venons à la répression.

— Et «ça roule» plutôt bien ou plutôt mal?

— Plutôt bien. En général, les rapports entre l'usager et l'agent sont cordiaux. Les impolis sont rares. L'usager français est un indiscipliné. Il ne viole pas souvent le règlement mais il frôle sans cesse l'infraction. Les autos passent à l'orange, les piétons entament les clous avant le «Passez» vert.

— Que pensez-vous des piétons?

— Le piéton qui me met en colère, c'est celui qui sait qu'il a la loi pour lui s'il est dans les clous. Il traverse lentement en se disant: «J'ai la priorité». Résultat: il gêne toute la circulation.

— Et les deux-roues?

— Ceux-là, ce sont les pires. Ils ne sont jamais à droite, ils sont partout. Se faufilent, changent de file sans prévenir. Ils ne connaissent rien du Code de la Route. Comme ils sont jeunes, ils sont adroits et ont des réflexes, mais ils sont redoutables.

— Que pensez-vous des taxis?

— Je sais que les usagers n'en pensent pas beaucoup de bien! Moi, je les estime. Ce sont des gens de métier. Vous voyez, par exemple: quand nous arrêtons une file de voitures, nous le faisons toujours sur un taxi parce qu'on sait qu'il ralentira et pensera à mettre son bras pour avertir ceux qui viennent derrière. Ils sont souvent agaçants pour les usagers mais ils sont disciplinés pour nous.

— Quelles sont les fautes qui se répètent le plus souvent et que vous déplorez?

—Ce sont toutes les occasions de couper une file et qui font les retards et les embouteillages. C'est l'usager qui n'a pas toujours un plan de Paris dans sa voiture et coince la circulation pour avoir son renseignement. C'est l'accélération, puis le freinage au feu qui forme les bouchons. Sur les quais, rive droite, les feux sont synchronisés à 45–50 km/h. Si tous roulaient à cette vitesse, tous attraperaient les feux au vert. Les stationnements en double file, dans les rues étroites, et qui bloquent la circulation. En somme, ce que je déplore, c'est tout ce qui gêne les autres et notre travail.

J'ai vidé mon verre, j'ai remercié «Monsieur l'agent», et en rentrant sur Paris, je me suis demandé: «Puisque nous avons des intérêts communs, puisque nous sommes tous de bonne foi, comment se fait-il que nous soyons toujours, eux comme nous, dans la position du combat des coqs? Il doit y avoir un grain de sable dans l'engrenage!»

Peut-être les Parisiens ont-ils trop d'imagination!

(Paule Giron, «Faut que ça roule!», *L'Express*, 14 juin, 1962)

---

un automobiliste, *motorist*
avertir, *to warn*
un avertissement, *a warning*
bloquer la circulation, *to obstruct the traffic*
le bouchon, *traffic jam*
le passage clouté; les clous (*m.*), *pedestrian crossing*
le Code de la Route, *Highway Code*
débrayer, *to declutch*
démarrer, *to move off, to start up* (intrans.)
un embouteillage, *traffic block, congestion*
embrayer, *to let in the clutch*
se faufiler, *to weave in and out*
le feu (de circulation), *traffic light*
le feu est à l'orange/au rouge/au vert, *the lights are amber/red/green*
la file (de voitures), *line (of vehicles)*
couper la file, *to cut in*
en double file, *in a double line*

garer (une voiture), *to park (a car)*
le klaxon, *car horn*
donner un coup de klaxon, *to hoot*
prévenir, *to (fore)warn, give a warning signal*
la priorité, *right of way*
«priorité à droite», *'give way to the right'*
une route de priorité, *major road*
rouler, *to roll along, to drive along*
le stationnement, *parking*
«stationnement interdit», *'no parking'*
stationner, *to park* (intrans.)
«défense de stationner», *'no parking'*
la voie publique, *public thoroughfare*
un usager de la voie publique, *road-user*
le volant, *steering-wheel*

## Comprehension

1 Quel incident a préparé la journaliste au reportage qu'elle allait faire?
2 Que s'est-elle fait expliquer par l'agent?
3 Qu'est-ce que l'agent pensait des automobilistes français?
4 Quel comportement des piétons le mettait quelquefois en colère?

5 Pourquoi est-ce que les «deux-roues» sont à craindre?
6 Selon l'agent, qu'est-ce qui provoque les retards et les embouteillages?
7 De quelle façon l'attitude de la journaliste envers la police a-t-elle évolué au cours de l'entrevue?

## Structural Exercises

### 25A 'Penser de'

| | |
|---|---|
| Que pensez-vous des piétons? | What do you think of pedestrians? |
| Les usagers de la voie publique ne pensent pas beaucoup de bien des chauffeurs de taxi. | Road-users do not think highly of taxi-drivers. |
| Ils ne pensent pas beaucoup de bien d'eux. | They do not think highly of them. |
| Je pense beaucoup de bien du Code de la Route. | I think highly of the Highway Code. |
| J'en pense beaucoup de bien. | I think highly of it. |

Exemple: Vous avez parlé à l'agent à propos des usagers de la voie publique?
Réponse: Oui, et il m'a dit ce qu'il pensait d'eux.

Exemple: Vous avez parlé à ces chauffeurs de taxi à propos des femmes au volant?
Réponse: Oui, et ils m'ont dit ce qu'ils pensaient d'elles.

Exemple: Vous avez parlé à la journaliste à propos des rapports entre le public et la police?
Réponse: Oui, et elle m'a dit ce qu'elle en pensait.

1 Vous avez parlé à la dame à propos de cet agent qui l'a sifflée?
2 Vous avez parlé à ce chauffeur à propos de l'embouteillage?
3 Vous avez parlé aux agents à propos de la circulation?
4 Vous avez parlé à l'agent immobilier à propos du pavillon?
5 Vous avez parlé à ce piéton à propos du chauffeur qui a passé à l'orange?
6 Vous avez parlé à vos voisins à propos de ce nouveau règlement?
7 Vous avez parlé aux automobilistes à propos des agents de police?
8 Vous avez parlé à l'agent à propos de cette jeune fille à vélo qui se faufilait partout?

\* \* \*

## 25B 'Penser à'

— A quoi pensez-vous?      "What are you thinking about?"
— A ce que vous me disiez.      "About what you were saying to me."
Pensez-vous quelquefois à lui?      Do you sometimes think of him?
Je m'efforçais de ne plus penser à Marthe, et par là même, ne pensais qu'à elle.      I was trying hard not to think of Marthe, and for that very reason was thinking of nothing but her.
Je l'ai fait sans y penser.      I did it without thinking about it.
N'y pensez plus!      Think no more about it!

**Exemple:** Vous avez pensé à Marie?
**Réponse:** J'ai pensé à elle, mais je n'ai encore rien fait.

**Exemple:** vous avez pensé à l'auto de Marie?
**Réponse:** J'y ai pensé, mais je n'ai encore rien fait.

**Exemple:** Vous avez pensé à votre garagiste?
**Réponse:** J'ai pensé à lui, mais je n'ai encore rien fait.

**Exemple:** Vous avez pensé à téléphoner à votre garagiste?
**Réponse:** J'y ai pensé mais je n'ai encore rien fait.

1 Vous avez pensé à garer la voiture?
2 Ils ont pensé à l'urbaniste?
3 Elle a pensé à l'avertissement?
4 Le maire a pensé à tous ces mal logés?
5 Elle a pensé à interviewer un agent de la circulation?
6 Les détectives ont pensé à la caissière?
7 Vous avez pensé à aller chercher la clef du pavillon?
8 Il a pensé à ces deux caissières?

     ★    ★    ★

## 25C More adjectival phrases with 'de'

Une auberge de jeunesse.      A Youth Hostel.
Un programme de choc.      A crash programme.
Une sortie de secours.      An emergency exit.
Les heures de pointe.      The rush hours.
Des réparations d'urgence.      Emergency repairs.
Les objecteurs de conscience.      Conscientious objectors.
La communauté de couleur.      The coloured community.
Une cinémathèque de prêt.      A film lending library.
Un groupe de travail.      A working party.

**Exemple:** Comment appelle-t-on des gens dont c'est le métier?
**Réponse:** On les appelle «des gens de métier».

**Exemple:** Comment appelle-t-on un axe qui facilite la circulation?
**Réponse:** On l'appelle «un axe de circulation».

**Exemple:** Comment appelle-t-on une société où règne la tolérance?
**Réponse:** On l'appelle «une société de tolérance».

Comment appelle-t-on

1 Une route qui donne la priorité?
2 Les feux qui indiquent la position d'une voiture?
3 Un chauffeur dont c'est le métier de conduire?
4 Un voyageur dans le commerce?
5 Une société où règne l'abondance?
6 Le signal qui indique que le numéro de téléphone est occupé, qui indique l'occupation du numéro de téléphone?
7 Un état où règne le bien-être?
8 Un terrain où des enfants peuvent simuler des aventures?

★   ★   ★

## 25D 'Comment se fait-il que ...?' followed by the subjunctive

| | |
|---|---|
| Comment se fait-il qu'on n'ait pas découvert l'identité du criminel? | How is it that the criminal's identity has not been discovered? |
| Comment se fait-il que la coopération entre les universités soit restée si limitée jusqu'à présent? | How does it come about that cooperation between the universities has remained so limited until now? |
| Comment se fait-il que je ne m'en sois pas aperçu? | How is it that I was not aware of it? |
| Comment se faisait-il qu'il partît déjà? | How did it come about that he was leaving already? |

**Exemple:** Nous nous querellons toujours.
**Réponse:** Mais comment se fait-il que nous nous querellions toujours?

**Exemple:** Il ne connaît pas le Code de la Route.
**Réponse:** Mais comment se fait-il qu'il ne le connaisse pas?

1 Je n'habite plus la banlieue.
2 Le train ralentit.
3 Les enfants ont froid.
4 Il n'en sait rien.

**Exemple:** L'agent n'était pas au milieu du carrefour.
**Réponse:** Mais comment se faisait-il qu'il n'y fût pas?

**Exemple:** Il ne voulait pas me recevoir.
**Réponse:** Mais comment se faisait-il qu'il ne voulût pas vous recevoir?

5 L'auto passait au rouge.
6 Le chauffeur de taxi n'avait pas ralenti.
7 Il n'était pas encore rentré.
8 Le camion ne s'était pas arrêté.

★ ★ ★

## 25E *Inversion of verb and subject after 'peut-être'*

Peut-être avez-vous une vision trop poétique du monde.

Perhaps you have too poetic an outlook on the world.

Peut-être regarde-t-il les gens avec plus d'intelligence que de chaleur.

Perhaps he looks at people more with the intellect than with affection.

J'allais connaître ses parents. Peut-être s'inquiétait-il de cette présentation?

I was going to meet his parents. Perhaps he was worried about this introduction?

Peut-être le rhinocéros s'est-il échappé du jardin zoologique!

Perhaps the rhinoceros has escaped from the zoo!

**Exemple:** Je crois que les Parisiens ont trop d'imagination.
**Réponse:** Oui, peut-être ont-ils trop d'imagination.

**Exemple:** Je crois qu'il vaudrait mieux rentrer.
**Réponse:** Oui, peut-être vaudrait-il mieux rentrer.

**Exemple:** Je crois que le chauffeur n'avait pas prévenu.
**Réponse:** Oui, peut-être n'avait-il pas prévenu.

1 Je crois que le feu est au rouge.
2 Je crois qu'il y a un embouteillage.
3 Je crois que c'est une route de priorité.
4 Je crois que les conducteurs de voitures de sport démarrent trop vite.
5 Je crois que les autres voitures vont ralentir.
6 Je crois que les paysans veulent bloquer la circulation.
7 Je crois que le stationnement deviendra de plus en plus difficile.
8 Je crois qu'il aurait mieux valu traverser dans les clous.

## Verb Study

voir       voyant       je vois       je voyais       j'ai VU

je VERRAI       nous voyons       je VIS

je VERRAIS       ils voient       qu'il VÎT

que je voie

Conjugated like voir: entrevoir, prévoir (Fut.: je PRÉVOIRAI).

1 We will leave when you have seen everything.
2 Will they see the manager if they can?
3 By foreseeing the future you can avoid difficulties.
4 If I didn't catch a glimpse of him I should be surprised.
5 I had been seeing them every day for some years.
6 I am sorry that you didn't foresee that.
7 May I see what you have written?
8 We hadn't foreseen it.
9 He must have caught a glimpse of you.
10 I turned round so that he should see me.
11 You ought to have foreseen it.
12 I hope that they will see you in Paris.
13 It was too dark for him to see you.
14 We might have caught a glimpse of them.
15 At last I am about to see him.
16 They didn't foresee it.
17 Haven't you an inkling of the truth?
18 Would you please see her?
19 She would be able to see you.
20 I didn't think he had seen us.

## Essay Subjects

1 Le problème de la circulation.
2 Conversation entre un agent français et son homologue anglais.
3 Les rapports entre la police et le grand public.

## Translation

The Prefect of Police has just thought of an excellent slogan for policemen: 'Be courteous with the public.' Whilst thinking highly of such a recommendation, one cannot help wondering how it is that no-one has thought of saying to the public: 'Be courteous with the police.' Here then are a few rules of good form (= *le savoir-vivre*) for badly brought-up citizens:

### With a town policeman

Perhaps you have gone through (= *griller*) a red light or parked your car on a double line. Perhaps your car has obstructed the traffic in a narrow street. If a guardian of the peace points it out to you you are strongly advised not to call him a 'dirty copper'. He would smile courteously of course, for he is tactful, but what would he think of your conduct?

If the obligation of drawing up a summons (= *dresser procès-verbal*) seems to intimidate him put him at his ease. If his pen is not working properly lend him yours; and at the moment when he asks you to pay, do not argue about the amount of the fine. Hand over the sum requested, whilst leaving a generous tip. You will of course think of sending a note of thanks within twenty-four hours to the Prefect of Police, with a bouquet of flowers for his spouse.

### In a police car

How is it that the public always says 'Black Maria' (= *panier à salade*) instead of 'police car'? This custom is not to be imitated. At the moment when your fellow travellers are getting into the police car all noisy demonstrations are to be avoided. Wait until everybody is seated before sitting down in your turn. If all the seats are occupied remain standing. Even if you are extremely tired you must never allow yourself to collapse heavily on the floor.

### In a police station

Perhaps you have been invited to go to the police station. Strict politeness demands that you should reply immediately to the invitation, and that you should be correctly dressed.

On your arrival, state (= *décliner*) your identity and during the visit keep a watch on your conversation and your behaviour. Remember to employ the 'vous' form of address (= *le vouvoiement*). Only your hosts have the right to address you as 'tu' (= *tutoyer*) and to appear in shirt-sleeves.

(With acknowledgments to « *Le Canard Enchaîné* »)

## 26 *Une grève des transports à Paris*

Des files de passants silencieux, plus compactes que d'ordinaire, se hâtaient, glissaient d'une marche différente de celle des autres journées vers leurs occupations quotidiennes. Des camions bourrés d'hommes, prolétaires à bleus de chauffe et casquettes, employés à feutres mous et pardessus de confection, de femmes aussi, jeunes ou mûres, à visages de ménagères, d'ouvrières, de vendeuses, de dactylos, des camions bourrés roulaient sur la chaussée; des voitures bizarres, de modèles anciens et baroques, sorties de garages insoupçonnables, de banlieues non explorées, s'intercalaient entre les poids lourds; chargées à bloc, elles cueillaient obligeamment, au vol, des gens qui les hélaient, plantés aux carrefours, et qui arrivaient, par prestidigitation, à s'insinuer dans le tas de chair humaine charriée, compressible au delà de toute prévision, de toute physiologie vraisemblable.

Tout cela dans un silence impressionnant, paradoxal, inexplicable; à croire, plutôt qu'à une dépression générale de la rumeur citadine, que l'on fût devenu soi-même à moitié sourd. Toujours pas de taxi. A cette heure, généralement, on ne faisait pas le pied de grue. Et aucune allée et venue d'autobus, du 91 en particulier, très fréquent, qui joint Montparnasse à la gare de Lyon, les chemins occidentaux de l'Océan à la route méridionale de la Méditerranée, qui dessert, chemin faisant, Austerlitz et l'Espagne.

Capevirade commençait à s'énerver, à interroger à tout bout de champ sa montre. Mais à défaut de taxi, elle paraissait assez aléatoire, la planche de salut de l'autobus, du 91, si rare ce matin; il n'en avait pas aperçu un seul encore. Quant au métro, qui grondait souterrainement ou devrait gronder — mais le sol ne semblait pas vibrer sous ses pieds, une inertie de mort régnait aux profondeurs, — quant au métro, inutile d'y songer; pas de ligne directe, il faudrait changer. Que de minutes perdues aux tourniquets, aux portillons automatiques, à errer dans les escaliers et les boyaux et à attendre la correspondance!

Hé! Taxi, taxi! Erreur, une bagnole assez miteuse qui en avait l'aspect, et pleine, de surcroît, d'une cargaison humaine qui s'empilait. Un garçon hilare, hissé sur le toit de la carrosserie, en équilibre instable, adressa au morfondu du trottoir une moquerie qu'étouffaient la distance et les cahotements, les cris des articulations rouillées du vieux clou arraché à sa retraite d'invalide.

Soudain une voix de femme glapit près de lui: «Le 91! L'autobus, là-bas!» En effet, un mirage suscité par l'attente et l'espoir ne la trompait pas; le 91, oblong, ivoire et vert, arrivait du fond du boulevard de Port-Royal. Il se précisait, grandissait, s'arrêtait. Par bonheur, trois voyageurs descendirent mais quatre attendaient qui se précipitèrent sauvagement, le receveur essayan en vain de les modérer. Plus qu'une place; car il n'y avait aucune possibilité, même en se serrant jusqu'à l'asphyxie, en se réduisant en bouillie, d'admettre un voyageur de plus. Capevirade écarta du coude la femme d'âge mûr et de complexion fragile qui s'efforçait de l'éliminer, criait, tempêtait, aurait griffé si elle n'avait pas eu des gants de laine. L'autobus démarra, prit de la vitesse, insoucieux de l'injure et de la vocifération de la délaissée, qu'avalait peu à peu la distance.

(Alexandre Arnoux, *Double Chance*, Albin Michel, 1958, pp 195–209)

| | |
|---|---|
| la bagnole, *old car* | se morfondre, *to stand shivering* |
| bourré de, *crammed with* | la plateforme (d'un autobus), *platform* |
| le boyau, *connecting corridor (in the Métro)* | (*of a bus*) |
| | le poids lourd, *heavy lorry* |
| le cahotement, *jolting* | le prix du voyage, *fare* |
| cahoter, *to jolt* | faire la queue, *to queue* |
| citadin, *of the town, urban* | avoir du retard, *to be behind time* |
| la rumeur citadine, *the hum of the city* | l'autobus a cinq minutes de retard, |
| le vieux clou, *veteran car* | *the bus is five minutes behind* |
| la correspondance, *connection, interchange service* | *schedule* |
| | se serrer, *to stand/sit close together* |
| la ligne directe, *through line* | serrez-vous! *close up!* |
| faire le pied de grue, *to kick one's heels* | le tourniquet, *turnstile* |
| héler (un taxi), *to hail (a taxi)* | prendre de la vitesse, *to pick up speed* |
| le métro, *Underground* | |

## Comprehension

1 Qu'est-ce qui remplaçait, plus ou moins bien, les transports publics?
2 Qu'est-ce qu'il y avait de bizarre à l'ambiance?
3 Quels quartiers est-ce que la ligne d'autobus 91 desservait?
4 Qu'est-ce qui montre que Capevirade commençait à s'énerver?
5 Pourquoi n'a-t-il pas pensé à prendre le métro?
6 Qui s'est moqué de lui?
7 Pourquoi y a-t-il eu une bagarre à l'arrivée de l'autobus?

## Structural Exercises

26A *More cases of the use of a noun instead of a verb, with time expressions*

| | |
|---|---|
| Il y a des vibrations au passage du train. | There are vibrations as the train passes by. |
| A la lecture de ces résultats, tout le monde parut surpris. | When these results were read out everybody appeared surprised. |
| Ne descendez pas avant l'arrêt complet du train. | Don't get out until the train has come to a complete halt. |

| Gardez votre ceinture attachée jusqu'à l'extinction du signal lumineux. | Keep your seat-belt fastened until the signal light goes out. |
|---|---|
| Je passerai vous voir dès mon retour. | I'll come round and see you as soon as I'm back. |

*Preparatory exercise*

Give the noun which corresponds to the verb, for example: partir — le départ. Then recast the sentences which follow, using nouns instead of verbs.

**Exemple:** Quand le train partira.  **Réponse:** Au départ du train.
**Exemple:** Dès que je suis arrivé.  **Réponse:** Dès mon arrivée.
**Exemple:** Après qu'il est entré.  **Réponse:** Après son entrée.

| 1 | Acheter. | Après qu'on avait acheté la maison. |
|---|---|---|
| 2 | S'arrêter. | Quand le train s'arrêtera. |
| 3 | Entendre. | Quand on entend cette musique. |
| 4 | Envoyer. | Quand on aura envoyé les marchandises. |
| 5 | Éteindre. | Jusqu'à ce que les lumières soient éteintes. |
| 6 | Fermer. | Avant que le bureau soit fermé. |
| 7 | Lire. | Quand on lit ce livre. |
| 8 | Se marier. | Dès qu'elle s'est mariée. |
| 9 | Mourir. | Après que le grand-père est mort. |
| 10 | Naître. | Quand le troisième fils est né. |
| 11 | Ouvrir. | Dès que les magasins seront ouverts. |
| 12 | Paraître. | Avant que le livre ait paru. |
| 13 | Passer. | Quand l'autobus a passé. |
| 14 | Rentrer. | Quand les classes rentrent. |
| 15 | Retourner. | Dès que je retournerai en Angleterre. |
| 16 | Sortir. | Jusqu'à ce qu'il sorte. |
| 17 | Tomber. | Quand les feuilles tombent. |
| 18 | Vendre. | Avant qu'on vende le pavillon. |
| 19 | Voir. | En voyant Françoise. |
| 20 | Voler. | Il a saisi la balle alors qu'elle volait. |

Recast the following sentences, making them more concise:

1 Elle a pu descendre avant que le train se soit arrêté.
2 Je me morfondais à attendre que l'autobus 91 arrivât.
3 Nous l'avons vu faire le pied de grue, comme l'autobus a passé.
4 N'essayez pas de passer pendant que le portillon se ferme.
5 Si nous manquons la correspondance, nous arriverons après que le bureau s'ouvrira.
6 En voyant la vieille bagnole, tout le monde a éclaté de rire.

7 Dès qu'on arrive à Paris, on est frappé par la rumeur citadine.
8 Quand on a entendu les témoins, tout est devenu clair.

★    ★    ★

## 26B 'Arriver à faire quelque chose'     *Parvenir - P. 146*

| | |
|---|---|
| Si nous arrivons à en vendre une centaine, nous pourrons le construire en série et abaisser son prix de moitié. | If we manage to sell a hundred we will be able to mass-produce it and bring down its price by a half. |
| Je n'arrive pas toujours à comprendre. | I don't always manage to understand. |
| J'espérais arriver à reconstituer notre fortune. | I hoped to manage to rebuild our fortune. |

**Exemple:** Nous ne réussirons jamais à monter dans cet autobus.
**Réponse:** Non, nous n'y arriverons jamais.

**Exemple:** Je ne réussirai jamais à dormir avec tout ce bruit.
**Réponse:** Non, vous n'y arriverez jamais.

1 Avec tout ce cahotement, nous ne réussirons jamais à nous tenir debout.
2 Vous ne réussirez jamais à avoir cette correspondance.
3 Est-ce qu'ils réussiront à héler un taxi?
4 Je ne réussirai jamais à verser le thé avec tout ce cahotement.

**Exemple:** Vous avez réussi à trouver un taxi?
**Réponse:** Non, je n'y suis pas arrivé.

**Exemple:** A-t-il réussi à démarrer sans secousse?
**Réponse:** Non, il n'y est pas arrivé.

5 Avez-vous réussi à passer par le tourniquet?
6 Ont-ils réussi à s'insinuer sur la plateforme de l'autobus?
7 Avez-vous réussi à découvrir s'il y a une ligne directe?
8 A-t-elle réussi à ouvrir la portière?

★    ★    ★

## 26C 'Que de ... !' = 'what a lot of ... !'

| | |
|---|---|
| Que de minutes perdues aux tourniquets! | What a lot of minutes wasted at the turnstiles! |
| Que de monde! | What a lot of people! |
| Que de difficultés je prévois! | What a lot of difficulties I foresee! |
| Que de chemin parcouru depuis! | What a lot of ground covered since! |

**Exemple:** Vous êtes surpris qu'il y ait tant de gens?
**Réponse:** Oui, que de gens!

**Exemple:** Vous êtes surpris qu'il y ait tant de vieux clous?
**Réponse:** Oui, que de vieux clous!

**Exemple:** Vous êtes surpris que nous ayons perdu tant de minutes à errer dans les boyaux du métro?
**Réponse:** Oui, que de minutes perdues!

1 Vous êtes surpris qu'il y ait tant de correspondances?
2 Vous êtes surpris qu'il y ait tant de taxis?
3 Vous êtes surpris qu'il y ait tant de gens au tourniquet?
4 Vous êtes surpris que les poids lourds fassent tant de bruit?
5 Vous êtes surpris qu'il y ait tant de cahotement?
6 Vous êtes surpris que nous ayons perdu tant de minutes à nous morfondre?
7 Vous êtes surpris que nous ayons passé tant d'heures à faire le pied de grue?
8 Vous êtes surpris qu'il y ait tant de monde à cette heure matinale?

★   ★   ★

### 26D  'Mettre/passer/perdre du temps à faire quelque chose'

| | |
|---|---|
| J'ai mis une heure à arriver au centre. | I took an hour to get to the centre. |
| Ils ont passé l'après-midi à lire. | They spent the afternoon reading. |
| Je passai la fin de l'après-midi à me promener dans les vieux quartiers de la ville. | I spent the latter part of the afternoon walking in the old parts of the town. |
| Nous avons perdu des minutes à errer dans les boyaux du métro. | We wasted minutes wandering about in the connecting corridors of the Underground. |

**Exemple:** Il m'a fallu une heure pour arriver à l'hôpital.
**Réponse:** Comment! Vous avez mis une heure à arriver à l'hôpital?

**Exemple:** J'ai attendu à l'arrêt pendant vingt minutes.
**Réponse:** Comment! Vous avez passé vingt minutes à attendre à l'arrêt?

**Exemple:** J'ai flâné dans le quartier. J'ai perdu ainsi un quart d'heure.
**Réponse:** Comment! Vous avez perdu un quart d'heure à flâner dans le quartier?

1 Il m'a fallu quarante minutes pour rentrer.
2 J'ai fait le pied de grue pendant une heure.

3 Il m'a fallu trois quarts d'heure pour arriver à la gare.
4 Nous avons hélé des taxis pendant une demi-heure.
5 Il a fallu cinq minutes au receveur pour décider qui allait monter.
6 Il s'est disputé avec le receveur. Il a perdu ainsi dix minutes.
7 Nous avons attendu la correspondance pendant deux heures.
8 J'ai attendu les autres. J'ai perdu ainsi une heure.

★   ★   ★

## 26E 'Arracher/emprunter/acheter/voler/prendre/cacher quelque chose à quelqu'un' (with pronouns)

| | |
|---|---|
| J'ai acheté cette voiture à mon neveu. | I bought this car from my nephew. |
| Le voleur a arraché les billets de banque à la caissière. | The thief snatched the banknotes from the lady cashier. |
| La marée haute a caché les écueils aux plaisanciers. | The high tide hid the shoals from the 'week-end sailors'. |
| Se trouver obligé d'emprunter une voiture à la famille, à mon âge, c'est gênant. | To find oneself obliged to borrow a car from the family, at my age, is embarrassing. |
| C'est une mitrailleuse prise aux rebelles. | It's a machine-gun taken from the rebels. |
| Le pickpocket a volé un portefeuille à un passant. | The pickpocket stole a wallet from a passer-by. |

**Exemple:** Il a arraché le carnet de tickets au receveur?
**Réponse:** Oui, il le lui a arraché.

**Exemple:** On vous a volé les billets?
**Réponse:** Oui, on me les a volés.

**Exemple:** Ils ont acheté ces cravates à ces marchands ambulants?
**Réponse:** Oui, ils les leur ont achetées.

1 Avez-vous emprunté cette carte du métro à vos amis?
2 Est-ce que le train a caché la belle dame à Robert?
3 Est-ce qu'un voleur a arraché le sac à main à la dame?
4 A-t-il pris la boîte d'allumettes aux enfants?
5 Avez-vous emprunté cette revue à Marie?
6 On vous a volé votre portefeuille?
7 Ont-ils emprunté le prix du voyage à leurs amis?
8 A qui avez-vous acheté ce vieux clou? A Henri?

## Verb Study

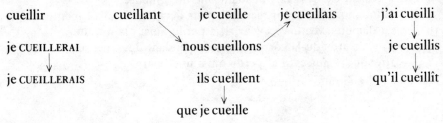

cueillir      cueillant      je cueille      je cueillais      j'ai cueilli

je CUEILLERAI      nous cueillons      je cueillis

je CUEILLERAIS      ils cueillent      qu'il cueillît

que je cueille

Conjugated like cueillir: accueillir, recueillir, se recueillir.

1 Didn't she pick the flowers?
2 We have been collecting information for some time.
3 Let me know when you gather the fruit.
4 They wouldn't welcome you like friends.
5 I want you to collect your thoughts.
6 Won't you please pick the roses?
7 Although he had made us welcome (= *accueillir aimablement*), I didn't trust him.
8 They must not pick all the flowers.
9 If we didn't make them welcome your aunt would be angry.
10 I hadn't collected any information.
11 It was raining too much for her to pick any fruit.
12 I didn't think that she had picked the flowers.
13 They will make you welcome.
14 I would have collected my thoughts if I had been able to.
15 Before welcoming them I should prefer to know who they are.
16 She may have gathered the apples.
17 We are sorry that he gave you a cold reception (= *accueillir froidement*)
18 He will have to make them welcome.
19 They used to gather a few flowers.
20 I had just collected my thoughts.

## Essay Subjects

1 Conversation entre des gens qui font la queue pour l'autobus.
2 Les grèves.

## Translation

Capevirade took a few minutes to worm his way into the mass of people on the platform of the bus.

"What a lot of time we have wasted in arguing," he said, but som of his fellow passengers didn't hide from him their disapproval of the way he had managed to get on by elbowing the middle-aged lady aside.

"There are some people who have no manners at all," an aristocratic-looking lady remarked. "That poor lady ought to have torn his hair out. I can't contain myself at the sight of such caddishness (= *la muflerie*). But then, what can you expect in a country where power has been taken from the natural leaders and given to the rabble (= *la canaille*)?"

"I will not let the Republic be insulted," shouted a thin-faced man, on hearing this inflammatory speech. "All citizens are equal before the law since the Bastille was taken, and the gentleman has the right to get on the bus if he was at the stop before the lady arrived."

"Thank you, sir," said Capevirade, who was trying to find his wallet in order to buy a book of tickets from the conductor. He finally managed to put his hand into his trouser pocket.

"I've been robbed of my wallet," he screamed.

"I've heard that story before," said the conductor. "You'll get off at the next stop. What a lot of dishonest people there are nowadays!"

## 27 Un quartier commerçant

Je suis né à Avignon, rue de la Carréterie, au numéro 3.

C'était un ancien quartier resté commerçant, animé, populaire, et où touchaient le long de la rue échoppes, boutiques, magasins, remises, entre remparts, l'Église des Carmes, le clocher de Saint-Augustin, le coin du por Matheron. Le commerce y était vivant. On y trouvait de tout. Il y ava: des selliers, des grainetiers, des sabotiers, des épiciers, des quincailliers, papetiers, des marchands de vin, des droguistes, des merciers, des bonnet et des drapiers, et aussi des limonadiers, et des charrons, j'en passe!

Sauf la charronnerie, rien ou presque n'était travail d'artisan, mais sin commerce. On ne fabriquait guère, mais on échangeait beaucoup, au de et en gros, du matin au soir. Il s'exhalait ainsi de ce commerce un air puis: en odeurs mélangées. C'était le cuir, le blé, le tourteau, les épices, les résineux, la fibre, la laine, le vin, la soude, le soufre, le café, le savon, et to les huiles, dont les émanations, surtout aux chaleurs de l'été, s'élevaient e les maisons et y pénétraient très profondément.

Il y avait une épicerie bizarre. Une femme seule y tenait boutique. voyait devant soi une vitrine étroite, une porte vitrée et, à travers toutes vitres, trois ou quatre étagères, où étaient posées régulièrement des boîte conserves. Du plafond pendait une lampe à pétrole en porcelaine. Le comp était haut. Y trônait un bocal plein de cornichons au vinaigre. Devan comptoir, des sacs de blé noir, de maïs, d'avoine, de légumes secs.

En somme, une épicerie plutôt mal approvisionnée, et qui sentait le l'huile, le pain de savon, le clou de girofle. Rien, par conséqu d'extraordinaire. De jour, on y voyait peu ou pas de clients. Quand c entrait, la porte faisait retentir un timbre éclatant de nickel. La boutiqu tremblait et, comme elle était très petite, cet éclat jurait avec son volu On se demandait à quoi bon ce tintamarre.

L'épicière, qui vivait seule, pouvait compter une quarantaine d'ann Brune, corpulente, de traits réguliers, l'œil tranquille, elle avait le vi toujours impassible. Jamais je ne l'ai vu sourire. Elle parlait peu, ser posément, d'un air de penser à ses poids, au paquet à faire et à la monr Elle avait les mains grasses, lentes et une alliance.

Pour moi, ce qui m'avait frappé, c'était l'enseigne: AU GROS S Pourquoi «Au gros Sel»? Je savais que c'est là une denrée vulgaire. S avait lu: «Au Clou de Girofle», «Au Poivre de Cayenne», fort bien, j'au eu du plaisir. Car, le clou de girofle, on le conservait précieusement v sous un couvercle, dans un bocal, et le poivre bien plus encore! mais le sel!

L'épicière, Mme Soubre, défendait ses denrées du grand soleil par stores épais et verts. Son magasin était maintenu, en été, dans une lumière filtrée, où boîtes et bocaux, caisses et sacs, sans parler d'elle-même et de sa clientèle, tout, pendant quatre mois au moins, devenait glauque.

(Henri Bosco, *Un Oubli Moins Profond*, Gallimard, 1961,
pp 15, 17, 123–124, 126–127)

| | |
|---|---|
| s'approvisionner (chez), *to get one's supplies (from)* | une échoppe, *street stall, booth* |
| la bonneterie, *hosiery; knitted goods* | une enseigne, *shop sign* |
| le bonnetier, *hosier* | une étagère, *set of shelves* |
| la boutique, *small shop* | vendre en gros, *to sell wholesale* |
| tenir boutique, *to keep a shop* | la mercerie, *haberdashery* |
| le commerçant, *tradesman* | le mercier, *haberdasher* |
| la conserve, *tinned food* | la papeterie, *stationer's shop* |
| une boîte de conserve, *a tin of canned food* | la papetier, *stationer* |
| la denrée, *commodity; foodstuff* | la quincaillerie, *ironmonger's shop* |
| vendre au détail, *to sell retail* | le quincaillier, *ironmonger* |
| le drapier, *draper* | le timbre, *(fixed) bell (with striking hammer)* |
| la droguerie, *hardware store* | la vitre, *pane of glass* |
| le droguiste, *hardware storekeeper* | la porte vitrée, *glass door* |

## Comprehension

1 Quelles sortes de commerçants avaient leurs boutiques dans le quartier?
2 Qu'est-ce que les rues sentaient donc?
3 Pourquoi voyait-on peu de clients à l'épicerie?
4 Qu'est-ce qu'il y avait de bizarre au timbre du magasin?
5 Comment était l'épicière?
6 A quoi avait-elle l'air de penser, en servant?
7 Pourquoi Henri Bosco trouvait-il paradoxal l'enseigne de l'épicerie?

## Structural Exercises

27A *Position of adjectives with the noun*

1 *Placed after the noun:*

1.1 *the majority (65%) of adjectives*
une épicerie bizarre    a strange grocer's shop
une vitrine étroite    a narrow shop-window
un spectacle permanent    a continuous performance

1.2 *present and past participles*
un quartier commerçant    a business quarter
des couleurs éblouissantes    dazzling colours

| | |
|---|---|
| une maison préfabriquée | a pre-fabricated house |
| des odeurs mélangées | mixed smells |

1.3 *adjectives longer than the noun and long adjectival phrases*

| | |
|---|---|
| une usine hydroélectrique | a hydro-electric power station |
| un discours démesurément long | an inordinately long speech |

**Exemple:** La pente est raide.
**Réponse:** Oui, c'est une pente raide.

**Exemple:** Le spectacle est exaltant.
**Réponse:** Oui, c'est un spectacle exaltant.

**Exemple:** Cette femme est remarquablement jolie.
**Réponse:** Oui, c'est une femme remarquablement jolie.

1 La voiture est française.
2 Le trajet est inhabituel.
3 La lumière est aveuglante.
4 Cet écrivain est distingué.
5 Ce monument est extraordinaire.
6 Ce procédé est diplomatique.
7 Ces textes sont illisibles.
8 Ces écrivains sont mondialement connus.

2 *Placed before the noun:*

2.1 *beau, bon, dernier, grand, gros, haut, jeune, joli, long, mauvais, méchant, nouveau, petit, premier, vilain, vieux*

| | |
|---|---|
| un beau jeune homme | a handsome young man |
| une longue rue | a long street |
| le gros sel | coarse salt |
| un vieux copain | an old pal |

2.2 *adjectives used in a metaphorical sense*

| | |
|---|---|
| le simple commerce | mere trade |
| un lourd impôt | a heavy tax |
| une triste affaire | a sorry business |
| ce noir tableau de la situation | this black picture of the situation |

2.3 *when the noun is followed by an adjectival phrase or by an adjective placed after the noun, an adjective normally placed after the noun can be placed before*

| | |
|---|---|
| une grise après-midi de dimanche | a grey Sunday afternoon |
| cette intéressante ville de Rennes | this interesting city of Rennes |
| la plus puissante usine hydro-électrique d'Europe occidentale | the most powerful hydro-electric station in Western Europe |
| cet inhabituel procédé diplomatique | this unusual diplomatic procedure |

**Exemple:** Ces messieurs sont gros.
**Réponse:** Oui, ce sont de gros messieurs.

**Exemple:** Ce repas est maigre.
**Réponse:** Oui, c'est un maigre repas.

**Exemple:** Ces moyens d'analyse sont incomparables.
**Réponse:** Oui, ce sont d'incomparables moyens d'analyse.

9 Ces affaires sont mauvaises.
10 Ces mouchoirs sont jolis.
11 Ces vieilles dames sont petites.
12 Cet avantage est mince.
13 Cette amitié est étroite.
14 Ce monument de l'art russe est extraordinaire.
15 Ces axes de circulation sont splendides.
16 Ce sujet de conversation des Français est le principal.

*Recapitulation*
17 Cette route est longue et pavée.
18 Cette route est longue de cent kilomètres.
19 Ce premier ministre est jeune.
20 Ce premier ministre est relativement jeune.
21 Cet homme est petit et extraordinaire.
22 Ce procédé est nouveau et inhabituel.
23 Ce métier est dur.
24 Cette lettre est illisible et incompréhensible.
25 Cette condition de succès est la principale.

\*     \*     \*

## 27B  'Y' = 'à/dans' + *noun or pronoun*

| | |
|---|---|
| Les maisons étaient près de la fabrique et les odeurs y pénétraient profondément. | The houses were near to the factory and the smells permeated *them*. |
| Nous ne nous y sommes jamais habitués. | We never got used *to it*. |
| C'est une obligation et il n'y a pas moyen d'y échapper. | It's an obligation and there's no way of escaping *it*. |
| Je n'y tiens pas. | I'm not keen *on it*. |
| — Il est parvenu à avoir la communication téléphonique? | "He managed to get through with his phone call?" |
| — Il y est parvenu, mais il y a eu de la peine. Il y a perdu beaucoup de temps. | "He managed *it*, but he had difficulty *with it*. He wasted a lot of time *over it*." |

Exemple: Est-ce que les odeurs pénétraient très profondément dans les maisons?
Réponse: Oui, elles y pénétraient très profondément.

Exemple: Êtes-vous arrivé à vous faire comprendre?
Réponse: Oui, j'y suis arrivé.

Exemple: Est-ce que le quincaillier avait l'air de penser à la monnaie?
Réponse: Oui, il avait l'air d'y penser.

1 Vous et votre ami, êtes-vous entrés dans la droguerie?
2 Est-ce qu'on conservait le poivre dans ce bocal?
3 Est-ce que vous vous intéressez à ces denrées étranges?
4 Est-ce que le papetier est arrivé enfin à faire le paquet?
5 Est-ce que le girofle ressemble au poivre? Non ...
6 Est-ce que les rideaux s'assortissaient au tapis? Non ...
7 Avez-vous touché au bocal? Non ...
8 Aviez-vous pensé à vous approvisionner ici? Non ...

★   ★   ★

## 27C 'En' = 'de' + *noun or pronoun*

| | |
|---|---|
| Un train peut en cacher un autre. | One train may hide another. |
| Quand le timbre retentissait, toute la boutique en tremblait. | When the door-bell rang the whole shop shook *with it*. |
| Un enfant de six mois saurait s'en servir. | A six-month-old child could use *it*. |
| Je m'en souviendrai. | I'll remember (*it*). |
| Prenez ces sandwichs; je n'en aurai pas besoin. | Take these sandwiches; I shan't need *them*. |
| Elle feignit de ne pas s'en apercevoir. | She pretended not to be aware *of it*. |
| —C'est déjà Paris? | "It's Paris already?" |
| —Oui, je crois que nous nous en approchons. | "Yes, I think we're getting near." |

Exemple: Est-ce que la boutique tremblait de ce tintamarre?
Réponse: Oui, elle en tremblait.

Exemple: Est-ce que le mercier est descendu de l'auto?
Réponse: Oui, il en est descendu.

Exemple: Venez-vous de la quincaillerie?
Réponse: Oui, j'en viens.

1 Avez-vous besoin de cette boîte de conserve?
2 Vous êtes-vous souvenu de l'enseigne?
3 Est-ce que le client se méfie des denrées offertes à vil prix?
4 Est-ce qu'ils se serviront de ce bocal?
5 Vous êtes-vous approché de la porte vitrée?
6 Est-ce que le commerçant s'est rendu compte de son erreur?
7 Est-ce que vous avez fait de cette caisse une table?
8 Est-ce que la vitrine était garnie de stores?

★ ★ ★

## 27D 'Sentir' = 'to smell of'

| | |
|---|---|
| Cette pièce sent l'humidité. | This room smells of damp. |
| L'escalier sentait la mangeaille refroidie. | The staircase smelt of stale food. |
| L'air sentait le foin. | The air smelt of hay. |
| Le chauffeur sentait le vin à plein nez. | The driver reeked of wine. |

**Exemple:** Il y a dans cette pièce une odeur d'huile.
**Réponse:** Oui, elle sent l'huile.

**Exemple:** Il y a dans les champs une odeur de feu.
**Réponse:** Oui, ils sentent le feu.

**Exemple:** Une odeur d'eau de Javel flottait dans l'escalier.
**Réponse:** Oui, il sentait l'eau de Javel.

1 Il y a dans l'épicerie une odeur de savon.
2 Dans ce quartier flotte une odeur de gaz.
3 Dans cette prairie il y a une odeur de foin fauché.
4 Dans les wagons du train flotte une odeur de suie.
5 Dans le taxi flottait une odeur d'huile.
6 Dans l'autobus il y avait des odeurs de tabac.
7 Autour du chauffeur de taxi flottait une odeur de vin.
8 Dans toutes les maisons du village il y avait une odeur d'humidité.

★ ★ ★

## 27E Stressing of a statement: 'c'est là ...'

| | |
|---|---|
| C'est là une denrée vulgaire. | *That* is very ordinary merchandise. |
| C'est là ce que je veux dire. | *That* is what I mean. |
| Ce n'est pas là son mari. | *That*'s not her husband. |
| Ce ne sont pas là mes affaires. | *That*'s not my business. |

**Exemple:** Un magasin qui vend du papier, c'est une papeterie.
**Réponse:** Ah! c'est là une papeterie.

**Exemple:** Voilà ce que je veux dire.
**Réponse:** Ah! c'est là ce que vous voulez dire.

**Exemple:** Voilà la vitrine où j'ai vu le bocal.
**Réponse:** Ah! c'est là la vitrine où vous l'avez vu.

1 Un marchand qui vend de la peinture et des produits d'entretien, c'est un droguiste.
2 Une quincaillerie est un magasin où l'on achète des ustensiles de ménage et des outils.
3 Un store est un rideau mobile fait de toile qui défend les denrées du soleil.
4 Vendre au détail, c'est vendre en petites quantités à des particuliers.
5 Vendre en gros, c'est vendre par grandes quantités à des marchands.
6 Voilà l'épicerie où je m'approvisionne.
7 Voici la boîte de conserves que je cherchais.
8 Voilà le timbre qui faisait tout le tintamarre.

## Verb Study

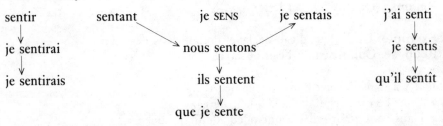

sentir — sentant — je SENS — je sentais — j'ai senti
je sentirai — nous sentons — je sentis
je sentirais — ils sentent — qu'il sentît
que je sente

Conjugated like sentir: se sentir, consentir, mentir, partir (*Perfect:* je suis parti), se repentir, sortir (*Perfect:* je suis sorti).

1 Did you feel ill?
2 We wonder whether they will leave tomorrow.
3 I don't want you to feel lonely.
4 After telling a lie he repented.
5 I have had to consent to it.
6 Aren't we going out?
7 I would have smelt the oil if there had been any.
8 Although the bus had left on time, it was now behind schedule.
9 I ought to feel happy.
10 We left (*past historic*) after they had gone out.

11 Wouldn't he consent to it if you asked him?
12 We had felt ill.
13 I smell gas.
14 They were about to leave.
15 Won't you have gone out?
16 I might repent of it.
17 I don't think they have consented to it.
18 Don't tell a lie!
19 We might have left earlier.
20 Do you want me to tell a lie?

## Essay Subjects

1 Les petits commerçants peuvent-ils survivre?
2 Souvenirs de première enfance.

## Translation

"Villers-Bocage," said my friend Charles, "*that*'s the ideal spot for holidays. It's a pretty little village in the heart of what is called 'Norman Switzerland'. I still think of it with pleasure."

"How is it that you know it?" I asked.

He explained that his grandfather and grandmother used to keep a shop there. It was a general stores in the main street—a shop such as you hardly see today; it had two narrow shop-windows, a glazed door and a noisy door-bell.

It was his grandfather who had made it into a shop; before he had bought it it was a private house. As customers approached it they saw a large sign: 'Bazar de la Ville', but they didn't really need it to direct their steps there, for the air smelt of coffee, cheese and soap.

Inside there was an extremely long counter and a high cash-desk where grandmother sat in state. On the shelves were set out tins of preserved foods and some fascinating glass jars containing many-coloured sweets. Charles was very interested in them, but he was forbidden to touch them. *That*, he thought, was a sorry business. To be surrounded by good things to eat and to have to forgo them seemed a very odd idea to a young boy of five.

# 28 *Le Grand Magasin*

De l'autre côté de la rue il y avait un Grand Magasin bourré de monde qui engorgeait et dégorgeait par ses portes vitrées, à chaque seconde, des flots de visiteurs, la plupart des femmes, chargées de paquets et de sacs en papier. Le chien suivit une sorte de trace, le nez à ras de terre et Adam suivit le chien. Ils pénétrèrent presque ensemble dans le magasin. Comme ils passaient la porte, une enseigne de néon s'alluma au-dessus d'eux et fit miroiter, entre les jambes, sur le dos velu de la bête, et un peu sur le parquet de linoléum, des lettres inversées: «Prisunic» «Prisunic» «Prisunic».

Immédiatement ils furent entourés de gens, de femmes, ou d'enfants, ou bien de murs, de plafonds et d'étalages. Au-dessus, il y avait une espèce de plaque jaune, d'où pendaient, entre deux tubes de néon, les pancartes sur lesquelles on avait écrit: «réclames», «quincaillerie» ou «vins» ou «articles ménagers». La tête passait très haut au milieu de ces rectangles de carton, et parfois, les accrochait, ce qui les faisait virer longtemps autour de leurs cordes. Les comptoirs étaient disposés ainsi: en angles droits, avec des passages pour permettre aux clients de circuler.

Tout cela brillait d'un tas de couleurs vives, vous bousculait à gauche et à droite, vous disait: «achetez! achetez!», vous montrait de la marchandise, des sourires, des bruits de talons de femmes sur le sol en matière plastique, et puis posait des disques sur le plateau du pick-up, au fond du magasin, entre le bar et le photomaton. Il y avait une musique générale de piano et de violon qui couvrait tout, sauf de temps à autre, la voix calme d'une femme qui parlait bas, la bouche tout contre le micro: «Attention aux pickpockets, mesdames, messieurs».

«La vendeuse du secteur numéro 3 est demandée dans le bureau de M. le Directeur. La vendeuse du secteur numéro 3 est demandée dans le bureau de M. le Directeur ...»

«Allô, allô. Nous vous recommandons nos bas nylon sans couture, extra-résistants, toutes les tailles et trois coloris différents, perle, chair, et bronze, en vente actuellement au rayon de la lingerie, rez-de-chaussée. Je répète ...»

Le chien hésita devant les premières marches de l'escalier qui menait au sous-sol; c'était un trou, ni noir ni blanc, inquiétant qui engorgeait la foule. Mais une petite fille, en passant, voulut lui tirer la queue et balbutia: «Ch ... chien ... le veux ... chien ...» et il dut descendre. Adam le suivit.

En bas, il y avait moins de monde. C'étaient les rayons de disques, de la papeterie, des marteaux et des clous, des espadrilles, etc. Il faisait très chaud. Dans le coffre du magasin enfoncé en dessous du niveau de la terre, on parlait plus haut, on riait de plus en plus, on vendait et on achetait à tour de bras. Le bruit des guitares diminua, et la bouche fraîche de tout à l'heure épela à nouveau, au ras du micro: «Les derniers modèles de notre collection d'été sont disponibles en solde au Stand de la Lingerie. Jupons fantaisie, cardigans, blouses anglaises, maillots de bain et sweaters légers, mesdames...»

(J. M. G. Le Clézio, *Le Procès-Verbal*, Gallimard, 1963, pp 81–85)

| | |
|---|---|
| circuler, *to move about* | le sac en papier, *paper bag* |
| le coloris, *shade of colour* | le solde, *surplus stock; remnant* |
| disponible, *available* | la vente de solde, *clearance sale* |
| une enseigne de néon, *neon sign* | en solde, *'to clear'* |
| un étalage, *display (of goods); display counter* | un prix de solde, *bargain price* |
| | le sous-sol, *basement* |
| des articles (*m.*) de fantaisie, *fancy goods* | au sous-sol, *in the basement* |
| le libre-service, *self-service store* | le supermarché, *supermarket* |
| le grand magasin, *department store* | la taille, *size* |
| la marchandise, *goods, wares* | le vendeur/la vendeuse, *assistant; salesman/saleswoman* |
| la pancarte, *placard, show-card* | |
| le rayon, 1. *shelf;* 2. *department of shop* | la vente, *selling, sale* |
| la réclame, *advertising, publicity; 'special offer'* | en vente, *on sale* |

## Comprehension

1 Comment se fait-il qu'Adam soit entré dans le Grand Magasin?
2 Qu'est-ce qu'il y avait pour orienter les clients vers les différents rayons?
3 Qu'est-ce qui poussait les gens à acheter?
4 Qui a-t-on demandé au haut-parleur?
5 Quel avertissement a-t-on diffusé?
6 Pourquoi le chien a-t-il dû descendre au sous-sol?
7 Quels rayons y avait-il au sous-sol?

## Structural Exercises

### 28A  *'Faire' + infinitive of an intransitive verb + noun*

| | |
|---|---|
| Une enseigne de néon fit miroiter sur le dos du chien des lettres inversées: «Prisunic». | A neon sign made inverted letters: 'Prisunic' shimmer on the dog's back. |
| Cette réponse a fait sourire la jeune fille. | This reply made the young girl smile. |
| Qui a fait traverser les enfants? | Who saw the children across the road? |
| Le directeur a fait venir la vendeuse. | The manager had the saleswoman sent for. |

213

**Exemple:** Les clients accourent. C'est à cause de la vente en solde?
**Réponse:** Oui, c'est la vente en solde qui fait accourir les clients.

**Exemple:** Les pancartes virent. C'est à cause des courants d'air?
**Réponse:** Oui, ce sont les courants d'air qui font virer les pancartes.

**Exemple:** La vendeuse a sursauté. C'est à cause de l'annonce?
**Réponse:** Oui, c'est l'annonce qui a fait sursauter la vendeuse.

1 Les passants circulent. C'est à cause de l'agent?
2 Le libre-service grouille. C'est à cause de la réclame?
3 Les passants courent. C'est à cause de la pluie?
4 Les voitures ralentissent. C'est à cause des travaux?
5 Le sol vibre. C'est à cause du métro?
6 Le client est tombé. C'est à cause du parquet glissant?
7 La paroi a éclaté. C'est à cause de la pression de la foule?
8 Le chien a aboyé. C'est à cause de la petite fille?

★    ★    ★

**28B** '*Où*' = '*dans/sur lequel, laquelle, etc.*'; '*d'où*' = '*duquel, de laquelle, etc.*'

| | |
|---|---|
| Je cherche une villa où passer mes vacances. | I'm looking for a villa to spend my holidays in. |
| Le cou, où plus rien ne semblait vivre, se tendit. | The neck, in which there no longer seemed to be any life, became tense. |
| Au prix où est le beurre, nous sommes forcés d'acheter de la margarine. | At the price which butter is at, we are forced to buy margarine. |
| On ne peut pas le transporter dans l'état où il est. | He cannot be transported in the state he is in. |

**Exemple:** J'ai déposé les marchandises sur ce comptoir-là.
**Réponse:** Ah, c'est là le comptoir où vous les avez déposées.

**Exemple:** Il est né dans cette région-là.
**Réponse:** Ah, c'est là la région où il est né.

**Exemple:** Le chien est sorti de cette boutique-là.
**Réponse:** Ah, c'est là la boutique d'où il est sorti.

1 Les marchandises sont en solde dans ce rayon-là.
2 Je m'approvisionne d'ordinaire dans ce libre-service-là.
3 On a écrit: «Réclames» sur cette pancarte-là.
4 Elle venait de poser un disque sur ce pick-up-là.

5 L'enfant était assis sur cette marche-là.
6 On nous a fait entrer dans ce bureau-là.
7 Nous venons de sortir de ce rayon-là.
8 Il a sorti les marchandises de cette valise-là.

*　　*　　*

### 28C 'Ce qui' intercalated in a sentence: additional information is given

| | |
|---|---|
| Le pays était coupé de murs, ce qui rendait la fuite difficile. | The countryside was broken up by walls, which made escape difficult. |
| Cette maison comportait même un étage, ce qui dans notre pays est exceptionnel. | This house even included an upper storey, which is exceptional in our area. |
| Grâce au gisement de Parentis, la France produit 3 millions de tonnes de pétrole brut, ce qui couvre à peu près 5% de ses besoins. | Thanks to the Parentis (oil) field, France produces 3 million tons of crude oil, which covers about 5% of her needs. |

**Exemple:** La tête passait très haut au milieu de ces pancartes et cela les faisait virer.
**Réponse:** La tête passait très haut au milieu de ces pancartes, ce qui les faisait virer.

**Exemple:** La musique s'est enfin arrêtée et cela leur a plu.
**Réponse:** La musique s'est enfin arrêtée, ce qui leur a plu.

**Exemple:** De gros nuages s'approchent de l'ouest et cela me fait penser qu'il va pleuvoir.
**Réponse:** De gros nuages s'approchent de l'ouest, ce qui me fait penser qu'il va pleuvoir.

1 Une enseigne de néon s'est allumée et cela a fait miroiter des lettres inversées sur le parquet.
2 La vendeuse s'est trompée de coloris et cela m'a fâché.
3 Les bas étaient de toutes les tailles et cela facilitait les choses.
4 Les grands magasins offrent de temps en temps des articles en solde et cela attire les clients.
5 Le vendeur ne s'intéressait pas à ce qu'il faisait et cela rendait notre tâche plus difficile.
6 J'ai laissé tomber les paquets et cela a fait rire les vendeuses.
7 Le sous-sol sentait mauvais et cela a déplu à mon ami.
8 Au micro une voix a dit soudain: «Attention aux pickpockets» et cela nous a fait sursauter.

*　　*　　*

| | |
|---|---|
| La conquête de l'espace a coûté cher. | The conquest of space was dearly bought. |
| Cette soupe sent bon. | That soup smells good. |
| Ils se sont arrêtés court. | They stopped dead. |
| Elle a refusé net. | She refused categorically. |
| Les petits marchands ont tenu bon. | Small shopkeepers have stood firm. |
| Les femmes voient plus clair que les hommes. | Women are more clear-sighted than men. |
| Ils ont toujours raisonné juste. | They have always reasoned soundly. |
| Cette histoire de quelques adolescents sort tout droit de mon enfance. | This story of a few young people comes straight from my childhood. |
| Ils y sont allés fort. | They went hard at it. |

Say the opposite:

**Exemple:** La vendeuse parlait haut.
**Réponse:** La vendeuse parlait bas.

**Exemple:** Au micro, quelqu'un chantait juste.
**Réponse:** Au micro, quelqu'un chantait faux.

**Exemple:** Le métro sent bon.
**Réponse:** Le métro sent mauvais.

1 Ce sous-sol sent mauvais.
2 Toutes ces marchandises se vendent bon marché.
3 Dans ce rayon, on parlait plus haut.
4 A la lumière de l'enseigne de néon, je voyais indistinctement.
5 Les avions modèles volaient bas.
6 La vendeuse s'est dirigée en zigzaguant vers l'étalage.
7 J'ai acheté toutes ces marchandises très cher.
8 La tête passait très bas entre ces pancartes.

★   ★   ★

28E *Omission of the article in an enumeration*

| | |
|---|---|
| Coutumes, mentalités, traditions, tout a été englouti dans le béton des villes modernes. | Customs, ways of thinking, traditions, everything has been swallowed up in the concrete of modern cities. |

| Un ouvrier qualifié peut, après dix ans de vie professionnelle, acquérir voiture, télévision et réfrigérateur. | A skilled worker, after ten years of working life, can acquire a car, a television and a refrigerator. |
|---|---|
| Les mesures à envisager sont forcément sévères: impôts nouveaux, blocage des prix et des salaires, acceptation de chômage. | The measures to be considered are of necessity stringent: new taxes, the freezing of prices and wages, the acceptance of unemployment. |
| Les parents ont une redoutable responsabilité envers l'enfant qui attend d'eux: tendresse, sécurité, fermeté, lucidité. | Parents have a frightening responsibility to the child, who expects from them affection, security, firmness, lucidity. |

**Exemple:** Énumérez trois sortes de vêtements de dames.
**Réponse:** Jupes, cardigans, blouses.

**Exemple:** Énumérez trois sortes de transports publics.
**Réponse:** Trains, autobus, bateaux.

**Exemple:** Énumérez trois sortes de voies publiques.
**Réponse:** Routes, rues, boulevards.

1 Énumérez trois rayons d'un grand magasin.
2 Énumérez trois instruments de musique.
3 Énumérez trois sortes de chaussures.
4 Énumérez trois vêtements d'hommes.
5 Énumérez trois sortes de boutiques.
6 Énumérez trois espèces d'animaux.
7 Énumérez trois sortes d'établissements de vente.
8 Énumérez trois sortes d'articles en vente dans une quincaillerie.

## Verb Study

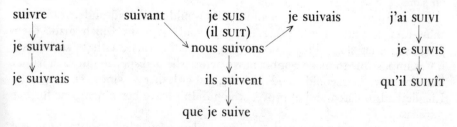

suivre      suivant      je SUIS      je suivais      j'ai SUIVI
                          (il SUIT)
je suivrai              nous suivons              je SUIVIS
je suivrais             ils suivent              qu'il SUIVÎT
                          que je suive

Conjugated like suivre: poursuivre.

1 We didn't follow them.
2 How long have you been following this course?

3 You won't drive too fast, will you, when I'm following you?
4 They would prosecute (= *poursuivre en justice*) him if they could.
5 I want you to carry on with this work.
6 Will you please follow me?
7 Although he had followed closely (= *de près*), he had understood nothing.
8 They must follow more closely.
9 I hadn't carried on with this reading.
10 If we prosecuted them that would be expensive (= 'that would cost dear').
11 Quick, let's leave before he follows us.
12 We haven't been following this course very long.
13 I am following you closely.
14 We would have followed you if we had been able to.
15 Before prosecuting him you will need witnesses.
16 They may have followed us.
17 I am surprised that he should still be following them.
18 I shall have to follow you.
19 They were prosecuting someone or other.
20 You had just followed me.

## Essay Subjects

1 Avantages et inconvénients des supermarchés.
2 Écrivez une suite à l'histoire d'Adam et du chien dans le grand magasin.

## Translation

On coming out of the Underground station, Lucille and her small daughter Sophie made their way straight to the department store which Sophie was visiting for the first time. She gazed delightedly at everything: neon signs, counters, lifts, moving staircases, displays. But what particularly attracted her attention was the show-cards on which were written the names of the articles on sale.

She had just learned to read and so she would stop dead underneath each show-card to show her mother that she could read it, which made their progress rather slow. There was no way of making this exciting game cease: it was impossible to make Sophie move before she had spelled out each name: ironmongery, household goods, scents, haberdashery, wines, fancy goods. Lucille had to listen and approve, which didn't leave her much time for her purchases.

Finally they came to a many-coloured plaque on which Sophie read the magic word: 'Toys'. *That* was the department from which Lucille began to think they would never escape. It took the promise of an ice-cream to make Sophie come out!

## 29 *Une bicoque difficile à trouver*

La carte situait Virelay quelque deux ou trois kilomètres au delà de certaine ville industrielle, peuplée surtout de Nord-Africains. On traversait d'abord un faubourg résidentiel, à population européenne; puis on longeait un grand ensemble. Suivaient des terrains vagues qui, trente ans plus tôt, avaient été des jardins maraîchers. Cela commençait à sentir la campagne. Ah! non, il y avait encore un autre grand ensemble. Celui-là, on l'avait collé astucieusement contre la voie ferrée. Il pouvait ainsi savourer sans en rien perdre toute la fumée des locomotives; plus tard, quand la ligne aurait été électrifiée, il lui resterait du moins la joie des vibrations à chaque passage du train.

C'est un peu plus loin qu'on trouvait enfin le panneau qui marquait l'entrée sur le territoire de la commune de Virelay. La route nationale prenait ici le nom d'Avenue-Général-de-Gaulle. Restait à découvrir le chemin des Courolles. Fenns, qui connaissait son ami Guège, le voyait mal gîtant près d'une route nationale.

Effectivement, les ménagères, les commerçants avaient bien entendu parler du chemin des Courolles, mais depuis dix ans qu'ils étaient dans le pays, non, vraiment non, ils ne situaient pas du tout. «Peut-être vers la droite, donnant dans la rue Victor-Hugo? Mais non, voyons, ça, c'est la rue de, la rue des, zut! j'ai oublié, en tout cas pas le chemin des ... Comment vous l'appelez? Des Courolles? Vous êtes sûr que c'est dans la commune? Parce que vous êtes à Virelay ici, pas à ... Ah! bon, alors peut-être vers la gauche, au bout de la rue Gambetta, juste derrière la rue des Petits-Pots? ... Hélas, non, monsieur, il n'y a pas de plan de la commune, le maire pense que ...»

En désespoir de cause, Fenns demanda chez l'épicier si, à défaut de la rue, l'homme du moins était connu. «M. Guège? L'homme aux bêtes? S'il est connu, monsieur? Mais comme le loup blanc! On ne connaît que lui! Alors, c'est ça le chemin des Courolles? Bon! Alors, c'est un peu compliqué, vous prenez dans la rue de la Gare, la troisième, non, la quatrième, enfin après la rue Aristide-Briand, ça s'appelle la rue Adolphe-Touquet, non, pas Douqué, Touquet, comme le Touquet, alors là, à gauche, cent, cent cinquante mètres ...»

Après s'être convenablement trompé, Fenns parvint quand même à l'entrée de ce qui était, d'après une pancarte fort rongée, le chemin des Courolles. Impossible d'y entrer avec la voiture; c'était trop étroit. Il s'engagea donc à pied entre deux haies sauvages. Le sol était de glaise et de pierres, renforcé de mâchefer. Quand il pleuvait, on devait patauger dans la boue jusqu'aux narines; l'été, bien sûr, il n'y avait que la poussière. Très vite, après une vingtaine de mètres, le chemin plongeait dans une dépression profonde; on imaginait mal la suite. L'entrée des maisons ne se signalait que par d'étroits portillons donnant sur des jardins; on avait l'impression d'avoir affaire à des issues dérobées, l'entrée principale se trouvant d'un autre côté, sur une route sans doute carrossable.

Devant le troisième portillon, Fenns s'arrêta. Mais ce n'était que le 3 bis. Il repartit, hésita devant une étroite barrière de planches à claire-voie, vermoulues et rongées. Pas de numéro, un terrain sauvage derrière. Ce devait être une porte condamnée. Il repartit ... Le portillon suivant portait le numéro 7. Fenns revint donc sur ses pas: le 5, porte du petit père Guège, c'était bien la barrière vermoulue. Fenns jeta un coup d'œil par-dessus. Il aperçut un fouillis d'herbes folles, entre des cerisiers sauvages, et au delà, à une quarantaine de mètres, une bicoque tassée contre la terre; d'ici il en distinguait le toit et un coin de pignon. Un sentier, dallé de pierres plates, partait de la barrière dans cette direction. N'eût été ce chemin, on eût pu croire la propriété abandonnée.

(Roger Ikor, *La Ceinture de Ciel*, Albin Michel, 1964, pp 143–145)

| | |
|---|---|
| la barrière, *gate* | patauger, *to flounder, to paddle* |
| la bicoque, *shanty, little house* | le pays, *region, district, area, locality* |
| (une route) carrossable, (*road*) *suitable for motor vehicles* | le pignon, *gable* |
| | avoir pignon sur rue, *to have a house of one's own* |
| la porte condamnée, *blocked up/nailed up door* | la route nationale, *main road* |
| la dalle, *flagstone; paving stone* | le sentier, *footpath, track* |
| la glaise, *clay, loam* | situer, *to locate, to place* |
| une issue, *exit, outlet* | le terrain vague, *waste ground* |
| un chemin sans issue, *dead end* | se tromper de chemin, *to go the wrong way* |
| le mâchefer, *clinker, slag* | la voie ferrée, *railway track* |
| le maraîcher, *market-gardener* | (une barrière) à claire-voie, *lattice* (*gate*) |
| le jardin maraîcher, *market-garden* | |
| le panneau indicateur, *signboard* | |

## Comprehension

1 Qu'est-ce que Fenns a dû traverser avant d'arriver à Virelay?
2 Même quand la ligne aurait été électrifiée, quel inconvénient y aurait-il à habiter le grand ensemble?
3 Comment Fenns a-t-il su qu'il se trouvait enfin dans la commune de Virelay?
4 Pourquoi les ménagères et les commerçants ne pouvaient-ils pas le renseigner?
5 Comment s'est-il fait enfin mettre dans le bon chemin?
6 Quelles difficultés a-t-il eues toujours à surmonter?
7 Comment était le jardin de M. Guège?

## Structural Exercises

### 29A Stressing of the direct object, placed at the beginning of the clause and repeated as a pronoun

| | |
|---|---|
| Cette lettre, tu l'as envoyée, oui ou non? | Have you sent *that letter*, or haven't you? |
| Cette dame-là, je ne la connais pas. | I don't know *that lady*. |
| Et cette promesse, il l'accomplira. | And he will carry out *that promise*. |
| L'insatisfaction, le président du conseil la ressentait lui-même. | The prime minister himself felt *dissatisfaction*. |

**Exemple:** Et on avait collé ce grand ensemble contre la voie ferrée?
**Réponse:** Comme je vous l'ai dit, ce grand ensemble, on l'avait collé contre la voie ferrée.

**Exemple:** Et elle ne peut pas souffrir ce terrain vague?
**Réponse:** Comme je vous l'ai dit, ce terrain vague, elle ne peut pas le souffrir.

**Exemple:** Et vous avez ouvert cette barrière à claire-voie?
**Réponse:** Comme je vous l'ai dit, cette barrière à claire-voie, je l'ai ouverte.

1 Et vous ne situez pas du tout cette commune?
2 Et il est impossible de soulever cette dalle?
3 Et vous ne savez pas où vous allez mettre ce mâchefer?
4 Et on va enfin construire cette route carrossable?
5 Et vous avez suivi ce sentier jusqu'au bout?
6 Et les commerçants connaissaient bien la bicoque de M. Guège?
7 Et vous avez acheté ce jardin maraîcher?
8 Et on va donc mettre ce panneau indicateur à l'entrée de la commune?

★　　★　　★

### 29B Conditional perfect in a time clause

| | |
|---|---|
| Il a dit qu'il me recevrait dès qu'il aurait fini son courrier. | He said he would see me as soon as he had finished his correspondence. |
| Nous nous sommes mis d'accord pour aller le voir après qu'il serait rentré d'Allemagne. | We agreed to go and see him after he had come back from Germany. |
| Ils s'engageaient à libérer leurs otages aussitôt qu'ils seraient eux-mêmes arrivés à une destination qu'ils ne précisaient pas. | They gave an undertaking to free their hostages as soon as they themselves had arrived at an unspecified destination. |

| | |
|---|---|
| Quand la ligne aurait été électrifiée, il resterait du moins la joie des vibrations à chaque passage de train. | When the line had been electrified there would at least remain the joy of the vibrations as each train went by. |

**Exemple:** «Je vous apporterai de la salade quand vous aurez mangé tout cela.»

Quand a-t-il dit qu'il nous apporterait de la salade?

**Réponse:** Quand nous aurions mangé tout cela.

**Exemple:** «Vous devrez faire un sentier de mâchefer, dès que vous aurez acheté la bicoque.»

Quand a-t-il dit que nous devrions faire un sentier de mâchefer?

**Réponse:** Dès que nous aurions acheté la bicoque.

**Exemple:** «On ne se trompera plus une fois que j'aurai fixé une pancarte sur la barrière.»

Quand a-t-il dit qu'on ne se tromperait plus?

**Réponse:** Une fois qu'il aurait fixé une pancarte sur la barrière.

1 «L'accès sera plus facile quand la commune aura fait construire une route carrossable.»

Quand a-t-il dit que l'accès serait plus facile?

2 «Vous pataugerez dans la boue quand vous aurez mis pied sur le terrain vague.»

Quand a-t-il dit que nous pataugerions dans la boue?

3 «Vous devrez quitter la route nationale après qu'elle aura traversé la voie ferrée.»

Quand a-t-il dit que nous devrions quitter la route nationale?

4 «Vous traverserez un faubourg résidentiel quand l'autobus aura quitté le centre commercial.»

Quand a-t-il dit que nous traverserions un faubourg résidentiel?

5 «Vous ne pourrez plus passer par là, une fois que la porte aura été condamnée.»

Quand a-t-il dit que nous ne pourrions plus passer par là?

6 «Je réparerai la barrière quand j'aurai eu le temps de l'examiner.»

Quand a-t-il dit qu'il réparerait la barrière?

7 «Vous verrez mon frère quand il sera revenu du jardin maraîcher.»

Quand a-t-il dit que nous verrions son frère?

8 «Vous verrez la bicoque dès que vous vous serez engagé dans le chemin.»

Quand a-t-il dit que nous verrions la bicoque?

★   ★   ★

## 29C 'Entendre parler de ...', 'entendre dire que ...'

Aucun des commerçants n'avait entendu parler du chemin des Courolles.

None of the shopkeepers had heard of Courolles lane.

Je n'ai plus entendu parler de lui depuis longtemps.

I haven't heard of him for a long time.

Il avait entendu dire qu'il était dangereux de se promener tout seul dans les rues de Paris.

He had heard that it was dangerous to walk all alone in the streets of Paris.

Avez-vous entendu dire qu'on va construire la nouvelle autoroute là où était prévu un espace vert?

Have you heard that a motorway is going to be built where a green belt was planned?

**Exemple:** Vous connaissez le chemin des Courolles?
**Réponse:** J'ai entendu parler de ce chemin.

**Exemple:** Vous savez qu'on construit la nouvelle autoroute à Virelay?
**Réponse:** J'ai entendu dire qu'on y construit cette autoroute.

1 Savez-vous que la propriété du maraîcher est en vente?
2 Connaissez-vous la commune de Virelay?
3 Connaissez-vous la route nationale numéro 1?
4 Savez-vous qu'on va élargir la voie ferrée?
5 Connaissez-vous le chemin qui donne dans la rue Victor-Hugo?
6 Savez-vous que les terrains vagues étaient autrefois des jardins maraîchers?
7 Connaissez-vous M. Guège?
8 Savez-vous que la bicoque est dans un chemin sans issue?

★ ★ ★

## 29D Present participle with the value of a causal clause

Mais le monde changeant profondément, le journal s'est adapté.

But with the world changing fundamentally, the newspaper has adapted itself.

La situation étant très grave, il fallait un remède de choc.

Since the situation was very serious a shock remedy was required.

La politique économique française pour les cinq ans à venir dépendant des choix opérés, il faut considérer tous les sujets d'un coup.

With French economic policy for the next five years depending on the choices made, all the subjects must be considered simultaneously.

Philippe Cellier persévérant, les choses rentrèrent dans leur ordre naturel.

Because Philippe Cellier persevered things returned to their natural order.

223

**Exemple:** On avait l'impression d'avoir affaire à des issues dérobées, puisque l'entrée principale se trouvait d'un autre côté.
**Réponse:** On avait l'impression d'avoir affaire à des issues dérobées, l'entrée principale se trouvant d'un autre côté.

**Exemple:** Puisque la commune a refusé de faire construire une route carrossable, nous pataugerons toujours dans la boue.
**Réponse:** La commune ayant refusé de faire construire une route carrossable, nous pataugerons toujours dans la boue.

**Exemple:** Parce qu'il était collé contre la voie ferrée, le grand ensemble recevait toute la fumée des locomotives.
**Réponse:** Étant collé contre la voie ferrée, le grand ensemble recevait toute la fumée des locomotives.

1 Parce que Fenns a persévéré, un commerçant lui a enfin donné le renseignement voulu.
2 Parce que je ne connaissais pas bien le pays, je me suis trompé de chemin.
3 Parce qu'ils ne voyaient pas d'issue, ils sont revenus sur leurs pas.
4 Puisque le chemin était de glaise, on pataugeait dans la boue.
5 Puisqu'elle ne pouvait pas soulever la dalle, elle a cherché de l'aide.
6 Puisque j'avais vu le panneau, je savais dans quelle commune j'étais.
7 Parce que nous étions venus de loin, nous ne connaissions pas le pays.
8 Puisque je m'étais engagé dans ce chemin, j'ai décidé de continuer jusqu'au bout.

★   ★   ★

## 29E *Imperfect of 'devoir': 'ça devait arriver'*

| | |
|---|---|
| Il pensait qu'il devait être malade. | He thought that he must be ill. |
| Cela devait être. | That *had* to be. |
| Je ne devais plus les revoir. | I *was* never to see them again. |
| Les villageois disaient que ça devait arriver. | The villagers were saying that it *was bound to* happen. |

**Exemple:** Bien entendu, c'était la bicoque de M. Guège.
**Réponse:** Oui, je croyais que ce devait être la bicoque de M. Guège.

**Exemple:** Forcément, ils ont manqué le train.
**Réponse:** Oui, je croyais qu'ils devaient manquer le train.

**Exemple:** Forcément, j'ai pris la route nationale.
**Réponse:** Oui, je croyais que vous deviez prendre la route nationale.

1 Bien entendu, c'était un jardin maraîcher.
2 Bien entendu, la ligne de chemin de fer était électrifiée.
3 Forcément, j'ai trouvé le panneau.
4 Bien entendu, tout le monde connaissait M. Guège.
5 Forcément, il y avait un plan de la commune.
6 Bien entendu, j'y suis allé en voiture.
7 Bien entendu, l'entrée principale se trouvait de l'autre côté.
8 Forcément, nous nous sommes trompés de chemin.

## Verb Study

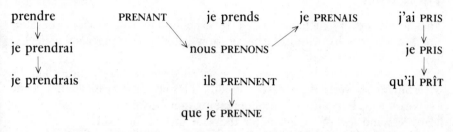

Conjugated like prendre: apprendre, comprendre, entreprendre, surprendre.

1 We will leave when you have had tea.
2 They will undertake the work if they can.
3 While learning German he was also studying Italian.
4 If I were not to understand would you explain it to me?
5 They had been learning English for a long time.
6 I am sorry you didn't understand.
7 Hadn't we undertaken to help him?
8 Does that surprise you?
9 He must have forked left (= *prendre à gauche*).
10 Although I am bearing right here, we shall come out at the same spot.
11 I shall have to take the night train.
12 I hope they will understand you.
13 It was too late for him to undertake this work.
14 We won't have surprised you.
15 I was about to bear left.
16 Suddenly they realized their mistake.
17 Don't you learn Russian?
18 Would you please undertake this work?
19 She will be able to book the tickets tomorrow.
20 How is it that he hasn't understood?

225

## Essay Subjects

1 «Une ville industrielle, peuplée surtout de Nord-Africains.» Quels sont les problèmes qui se présentent dans une telle communauté?

2 D'après les indications dans le texte, écrivez une conversation entre Fenns et son ami Guège, qui a pris sa retraite.

3 Comme Fenns, vous étiez à la recherche d'une adresse que personne dans les environs ne pouvait situer. Décrivez ce qui vous est arrivé.

## Translation

That accident everyone had foreseen. It was bound to happen sooner or later. Not a week goes by without a heavy lorry laden with dangerous materials having an accident in this built-up area.

We had heard that the road would be widened at the sharp bend, when the government had voted the necessary credits. This promise the mayor first made five years ago, but with the economic situation becoming more serious we heard less and less of the plans for the widening of the road.

A new primary school was built and they made the lane leading to the mayor's house suitable for motor vehicles. We then heard that the work (= les travaux) would begin as soon as the prefect of the department had approved the plan.

Some months later the prefect of the department informed the mayor that he would let him know the decision after the prefect of the region had examined the dossier. When we learned that the prefect of the region had transmitted the dossier to the Minister in Paris we realized that there was bound to be another long wait.

With the government resigning, we shall never hear of that plan again!

# 30 *La résidence «Brocéliande»*

«Brocéliande» ... Lorsqu'il parvint un samedi sur le terrain de cette future résidence, V. sut qu'il avait atteint le terme de ses explorations, touché le but: c'était là, son cœur l'en assurait à coups désordonnés, là qu'il fallait habiter, vivre enfin. En bordure d'une forêt, en vue de l'affluent d'un affluent de l'Oise, à une demi-lieue d'un hameau où l'on sonnait l'angélus, la Résidence Brocéliande n'était encore qu'un grand panneau-réclame portant ce nom en lettres vertes, donnant l'adresse d'un bureau de vente à Paris. V. s'y présenta le lendemain matin; il était le premier souscripteur.

— Côté champs ou côté forêt? demanda l'employée.

Elle jonglait négligemment avec ces mots magiques.

— Forêt, répondit-il d'une voix un peu tremblante. Mais comment se fait-il que vous n'ayez pas davantage de demandes?

Elle répondit bonnement: L'endroit est si mal desservi ...

«Pardi, pensa V., c'est grâce à cela qu'il est intact.» Mais il avait tout bien pesé: il préférait les trains trop rares, les wagons hors d'âge, encrassés de suie, la petite gare grelottant sous l'averse et le vieux vélo, vent debout, dans les chemins de ferme, s'il fallait payer ce prix, trois mois durant, pour, le reste de l'année, s'éveiller au chant des oiseaux et retrouver, chaque soir, l'odeur puissante des foins fauchés ou la fumée bleue des feux d'arrière-saison.

On mit deux ans et demi à construire Brocéliande mais enfin elle se trouva terminée, et V. quitta le néon, la radio et ce métro dont les convulsions souterraines remontaient jusqu'à ses propres entrailles — V. quitta la ville et fut heureux. Il feignait de se complaindre avec les voisins de l'éloignement et de la solitude: «Si ce n'est pas malheureux d'être aussi mal desservi» était leur refrain familier. Mais une grande jubilation l'habitait, au contraire, en descendant de l'autobus, à la pensée qu'il n'y en aurait plus d'autre cette nuit. Il la regardait s'éloigner vers quelque localité plus lointaine encore, avec sa cargaison de visages en papier, de fausse lumière et de mauvais air importés de Paris.

Lorsque enfin l'on ne pouvait plus le voir ni l'entendre, V. levait les yeux vers le ciel et respirait si profondément qu'on eût dit qu'il retenait son souffle depuis le matin. De Paris à Brocéliande, il fallait changer deux fois d'autobus et le dernier vous laissait sur une petite place où la Mairie et le café de la Mairie se regardaient avec autant d'indifférence que deux vieux chiens. Les retardataires de Brocéliande s'entassaient alors dans un taxi vétuste et qui entait la pluie en toute saison; mais V. détachait son vélo patient et traversait la campagne assoupie, encore tiède ou déjà transie. Une odeur animale montait es sillons ouverts; parfois, une bête détalait sous ses roues; on entendait au

227

loin une cloche, un mugissement; toutes les cheminées fumaient bleu et droit vers le ciel et V. souriait en pédalant. Brocéliande ...

Un matin de la troisième année, il fut réveillé par un tumulte inconnu de moteurs enroués, de craquements déchirants. Le cœur battant, V. courut à sa fenêtre. L'air sentait le cambouis chaud. Une patrouille de bulldozers dévastait allègrement la petite forêt. V. enfila n'importe quel vêtement, appela l'ascenseur, n'eut pas la patience de l'attendre, dévala huit étages, tambourina chez le gardien.

—Qui est là?

—Ces bulldozers ... tous ces arbres abattus ... qu'est-ce que ça signifie?

—Une bonne nouvelle, monsieur V. Depuis le temps qu'on l'attendait!

—Qu'on l'attendait?

—Le chemin de fer à notre porte: un train toutes les vingt minutes. Mais ... Mais qu'est-ce que vous avez?

(Gilbert Cesbron, *Une Sentinelle attend l'Aurore*,
Robert Laffont, 1965, pp 103, 104–105)

| | |
|---|---|
| un affluent, *tributary (of a river)* | intact, *unspoilt* |
| l'appartement-témoin, *'show flat'* | faire la navette, *to shuttle to and fro;* |
| le banlieusard, *suburban dweller, 'suburbanite'* | *to commute* |
| en bordure (d'une forêt), *on the fringe (of a forest)* | le panneau-réclame, *advertisement hoarding* |
| le chemin de ferme, *farm track* | de rares trains, *trains few and far between* |
| bien desservi/mal desservi, *well served/badly served (for transport)* | la résidence, *housing estate* |
| l'éloignement (*m.*), *remoteness* | le sillon, *furrow* |
| le hameau, *hamlet* | la suie, *soot* |
| | le terrain, *ground, piece of ground* |
| | en vue de, *in sight of* |

## Comprehension

1 Qu'est-ce que V. a su en arrivant pour la première fois sur le terrain de la résidence?

2 Quelle différence faisait-il entre «habiter» et «vivre»?

3 Pourquoi y avait-il si peu de souscripteurs pour la nouvelle résidence?

4 Quels moyens de transports V. empruntait-il pour faire la navette entre «Brocéliande» et Paris?

5 Qu'est-ce qu'il détestait surtout à Paris?

6 Par quoi V. a-t-il été réveillé un matin?

7 Pourquoi a-t-il été bouleversé en apprenant la nouvelle?

## Structural Exercises

### 30A *Use of the perfect and past historic of 'avoir', 'être', 'devoir', 'pouvoir', 'savoir'*

| | |
|---|---|
| Il a quitté (il quitta) la ville et il a été (il fut) heureux. | He left the city and he was happy (at last). |
| Lorsqu'il est parvenu (il parvint) sur le terrain, il a su (il sut) qu'il avait touché le but. | When he reached the building site he knew (suddenly) that he had reached his goal. |
| Soudain, j'ai eu (j'eus) peur. | Suddenly I felt afraid. |
| Enfin il a dû (il dut) renoncer à ce projet. | Finally he had to give up this plan. |

**Exemple:** Avant de quitter la ville, il n'était pas heureux.
**Réponse:** Mais quand il l'a quittée, il a été heureux, n'est-ce pas?

**Exemple:** Avant de parvenir sur le terrain, il ne savait pas qu'il avait touché le but.
**Réponse:** Mais quand il y est parvenu, il l'a su, n'est-ce pas?

**Exemple:** Avant de s'installer à «Brocéliande», il ne pouvait pas respirer.
**Réponse:** Mais quand il s'y est installé, il a pu respirer, n'est-ce pas?

1 Avant d'entendre les bulldozers, le chien n'avait pas peur.
2 Avant de vendre sa voiture, il ne devait pas prendre l'autobus.
3 Avant de voir le panneau-réclame, je ne savais pas le nom de la résidence.
4 Avant de prendre ce poste au bureau de vente, je ne devais pas faire la navette.
5 Avant de recevoir cette augmentation de salaire, vous ne pouviez pas acheter le pavillon.
6 Avant de sentir cette odeur de cambouis, elle n'avait pas mal au cœur.
7 Avant de voir l'appartement-témoin, il n'était pas certain qu'il voulait habiter là.
8 Avant de se présenter au bureau de vente, il ne savait pas le nom du constructeur.

★　　★　　★

### 30B *Agreement or non-agreement of the present participle*

| | |
|---|---|
| Il répondit d'une voix tremblante. | He answered in a trembling voice. |
| C'est une situation mouvante et confuse. | It's a changeable, confused situation. |
| Une rue passante. | A busy street. |

| | |
|---|---|
| Des ombres flottantes. | Fleeting shadows. |
| Une poupée fermant les yeux. | A doll closing its eyes. |
| Une femme parlant quatre langues. | A woman speaking four languages. |
| Ils apercevaient l'eau bouillonnant et luisant sous le soleil du matin. | They could glimpse the water seething and gleaming in the morning sun. |
| Les Américains, étant la puissance dominante, sont suspects dans chacune de leurs propositions et dans chacun de leurs actes. | The Americans, being the dominant power, are suspect in each of their proposals and in each of their acts. |

**Exemple:** Une voix qui tremblait.
**Réponse:** Une voix tremblante.

**Exemple:** Une petite gare qui grelottait sous l'averse.
**Réponse:** Une petite gare grelottant sous l'averse.

**Exemple:** C'est une campagne qui vit.
**Réponse:** C'est une campagne vivante.

**Exemple:** C'est une femme qui vit seule.
**Réponse:** C'est une femme vivant seule.

1 Il y avait une pancarte qui portait ce nom en lettres vertes.
2 Il a répondu d'une voix qui hésitait.
3 J'ai entendu passer une bicyclette qui cahotait dans un chemin de ferme.
4 Il a été envahi par une jubilation qui grandissait.
5 C'est une femme qui fait la navette entre la banlieue et Paris.
6 C'était une petite gare qui tremblait au passage de chaque train.
7 Il cheminait péniblement sous la pluie qui battait.
8 Écoutez la pluie qui bat contre les carreaux.

★   ★   ★

### 30C 'Changer de ...'

| | |
|---|---|
| Je vais changer de complet. | I'm going to change my suit. |
| Elle avait changé de coiffure. | She had changed her hair-style. |
| Avez-vous changé d'avis? | Have you changed your mind? |
| C'est ici qu'il nous faut changer de train. | It's here that we have to change trains. |
| La rue a changé de nom. | The street has changed its name. |

**Exemple:** Vous n'habitez plus le même appartement?
**Réponse:** Non, j'ai changé d'appartement.

**Exemple:** L'autobus ne suit plus la même route?
**Réponse:** Non, il a changé de route.

**Exemple:** Le pays n'avait plus le même gouvernement?
**Réponse:** Non, il avait changé de gouvernement.

1 Vous n'êtes plus du même avis?
2 Il ne parle plus du même ton?
3 Elle n'a plus la même coiffure?
4 L'affluent ne suit plus la même direction?
5 Le hameau n'avait plus le même aspect?
6 Il ne portait plus le même complet?
7 Vous n'étiez plus dans le même autobus?
8 Les banlieusards n'étaient plus dans le même train?

* ★ ★

## 30D 'Depuis' + imperfect, to indicate an action still taking place

On eût dit qu'il retenait son souffle depuis le matin.

You would have said that he had been holding his breath since the morning.

Depuis le temps qu'on l'attendait!

We'd been waiting for it long enough!

Le déjeuner était prêt depuis dix minutes.

Lunch had been ready for ten minutes.

J'essayais d'avoir la communication téléphonique depuis des heures.

I'd been trying for hours to put through the phone call.

**Exemple:** Pendant deux ans les locataires n'avaient pas cessé de se plaindre.
**Réponse:** Ils se plaignaient donc depuis deux ans.

**Exemple:** Pendant une heure l'autocar avait roulé sans s'arrêter.
**Réponse:** Il roulait donc depuis une heure.

**Exemple:** Je n'avais pas cessé de voyager pendant trois mois.
**Réponse:** Vous voyagiez donc depuis trois mois.

1 Pendant trois heures les bulldozers n'avaient pas cessé de dévaster la forêt.
2 Pendant un an elle n'avait pas cessé de travailler au bureau de vente.
3 Pendant un mois nous n'avions pas cessé de recevoir des demandes.
Pendant vingt minutes le train avait roulé sans s'arrêter.
Pendant une quinzaine il n'avait pas cessé de pleuvoir.
Pendant une heure je m'étais promené à vélo sans m'arrêter.
Pendant deux ans il n'avait pas cessé de faire la navette.

8 Pendant trois ans il avait vécu à «Brocéliande».

★  ★  ★

30E *'N'importe quel/qui/quoi/où/comment/quand/lequel'*

| | |
|---|---|
| N'importe qui pourrait entrer. | Anybody might come in. |
| Il ferait n'importe quoi pour vous impressionner. | He would do anything to impress you. |
| Il enfila n'importe quel vêtement. | He slipped on the first garment that came to hand. |
| On risque de continuer à construire n'importe quoi, n'importe où, n'importe comment. | We are in danger of continuing to build anything, anywhere, anyhow. |
| Les industriels du textile, ça formait un certain cercle de gens qui ne recevait pas n'importe qui. | The textile magnates made up a certain circle of people who did not mix with just anybody. |

**Exemple:** Quel vêtement devrais-je enfiler?
**Réponse:** Oh, enfilez n'importe lequel.

**Exemple:** Que pourriez-vous dire?
**Réponse:** Oh, n'importe quoi.

**Exemple:** Qui me dira l'autobus qu'il faut prendre?
**Réponse:** Oh, n'importe qui.

1 Qu'est-ce que le panneau-réclame promettait?
2 Qui aurait été attiré par cette résidence en bordure d'une forêt?
3 Quel train voulez-vous que je prenne?
4 Comment va-t-il trouver l'argent pour acheter l'appartement?
5 Où faut-il descendre de l'autobus dans le hameau?
6 Que feriez-vous pour garder cet endroit intact?
7 A qui pourrais-je demander le chemin?
8 A quelle heure dois-je venir?

## Verb Study

savoir    SACHANT    je sais    je savais    j'ai SU

je SAURAI    nous savons    je SU

je SAURAIS    ils savent    qu'il SÛ

que je SACHE

232

1 Suddenly I knew that I had come the wrong way.
2 If they knew this they would say so.
3 How does it come about that he knows these facts?
4 Without knowing the facts it is impossible to decide.
5 She would like to know when you are coming.
6 Would you know the date of his arrival?
7 We have known it for a year.
8 I said that I would tell him when I knew the time of the train.
9 Know this!
10 We did everything so that he should not know the truth.
11 I wonder if she will know how to do it.
12 They hadn't known which way to take.
13 I ought to know how to do it.
14 If they know why don't they say so?
15 We had had to know the facts.
16 It is necessary that you know these things.
17 You will have to know how to swim.
18 I don't know what he is doing.
19 Could we have known that he would do that?
20 How did it come about that he knew?

## Essay Subjects

1 Écrivez la suite de l'histoire de V.
2 Splendeurs et misères de la vie en banlieue.

## Translation

When the bus had been going for about half an hour Alain saw that the road was changing direction and knew then that he was approaching his destination. He had been told that he must be ready to get off after the bus had gone beyond the hospital. The main road here was lined on both sides with single-storeyed houses; smoke was rising from all the chimneys, outlining its spirals against the dazzling expanse of blue sky.

He had heard that it was visiting day at the hospital, and when he realized that the passengers remaining in the bus were carrying parcels he was certain that that was their destination. The hospital he knew well, once having spent a month there, and he remembered that after a few days he would have given anything to get out. Opposite, there was an inn, with tables and benches painted green and advertisements in gaudy (= *voyant*) colours.

It was getting hotter and hotter, the bus smelt of petrol and Alain began to think that it would be pleasant to walk in the open air when he got off the bus.

"Is it the next stop for Brocéliande?" he asked the conductor, who had been looking at him curiously for some minutes.

"Brocéliande?" replied the conductor. "I don't know it."

"Yes, you must have heard of it," said the driver. "It's a new housing estate somewhere on the right. There are advertisement hoardings everywhere announcing 'Brocéliande, your dream house'. Ask the way from anyone in the village here."

Alain was surprised to find that nobody was waiting for him at the bus stop. Could Pierre have changed his mind?

# 31 *A la recherche de la détente*

Je proposai à Inès un repos de quelques jours à la campagne. Nous prîmes pension dans l'hôtel d'un petit village des environs de Paris. Notre chambre donnait sur les prés et les champs. Quelques bouquets d'arbres annonçaient, au loin, une rivière. L'horizon se fondait dans des coteaux bleus.

Dès l'aube du lendemain, je fus réveillé par des grondements. Je courus à la fenêtre. Deux tracteurs, côte à côte, travaillaient dans les champs. Les jours suivants, je fus réveillé par des machines à désherber, à sarcler, à briser les mottes. Par des semeuses d'insecticides, des épandeuses d'engrais, des moissonneuses-batteuses. Toute la journée, quand nous nous promenions, ce vacarme nous accompagnait.

La campagne n'était plus l'Arcadie de Virgile. On n'y voyait plus les bœufs traîner paisiblement une charrue ou se rendre à l'abreuvoir en mâchonnant rêveusement des brindilles. La campagne était devenue une usine. Des mécaniciens en bleu de travail chevauchaient des tracteurs et defonçaient la terre, comme ils auraient fait, à la chaîne, leurs huit heures chez Renault. Pour accroître le rendement, ils travaillaient parfois la nuit, à la lueur des phares. Au lieu de fixer le joug sur la tête de ses bœufs avec un entrelacement harmonieux de courroies comme au temps d'Homère, le paysan réparait des carburateurs.

L'air n'était plus pur. On ne sentait plus le parfum des foins. Des engrais chimiques répandaient leur pestilence. Je songeais aux ravages que déchaîneraient dans notre organisme les produits de cette chimie. Le pain, les légumes nocifs. Cette ordure, génératrice de cancer.

Je m'étais promené tout un jour avec Inès. Nous ne pouvions pénétrer ni dans les prés ni dans les champs. Partout des clôtures, des fils de fer barbelés: Attention, courant électrique! Les bêtes que l'on élevait pour le lait ou pour la viande n'étaient plus gardées, comme autrefois, par des chiens. On les enfermait, entre des fils électriques, dans des camps de concentration.

Pour me consoler, au retour, je voulus manger du poulet. Dans mon enfance, je n'en mangeais que le dimanche, ou les jours de fête: Premier de l'An, Pâques, Première Communion. Rôti ou bouilli, le poulet était le plat d'honneur national. On le nourrissait du blé le plus pur. Dans sa peau dorée, il représentait, comme l'or de la Banque de France, la stabilité du patrimoine. On nous servit dehors, sur une petite terrasse. Dès la première bouchée, je pâlis. Sous mes dents j'écrasais une chair molle, livide. Une bouillie gluante. De la chair de cadavre. Peu à peu, me revinrent à l'esprit des souvenirs grappillés dans les journaux. Ce «poulet» était un poulet chimique. On ne l'avait pas nourri de maïs ou de blé, mais de tourteaux, qui accéléraient sa croissance et le faisaient grossir. Ce n'était qu'un sac de poisons.

Je levai les yeux au ciel. J'espérais les y baigner dans la grâce de l'Île-de-

France. Au même moment, une escadrille d'avions à réaction déchira l'air. Ils expectoraient des traînées de fumées. Ils salissaient le ciel sous leurs crachats. Alors je fus pris d'une dérision amère. J'étais venu me reposer à la campagne, y respirer un air pur, y manger des nourritures saines, y refaire mon subconscient détruit par Paris. Et je mangeais une poche de venin, sous un ciel pourri par des bolides!

(Paul Guth, Saint-Naïf, Albin Michel, 1959, pp 37–40)

---

un abreuvoir, *watering-place; drinking-trough*
agricole (*m. & f.*), *agricultural*
le (fil de fer) barbelé, *barbed wire*
la batteuse, *threshing-machine*
battre (le blé), *to thresh (corn)*
un bouquet d'arbres, *clump of trees*
la brindille, *sprig, twig*
la charrue, *plough*
la clôture, *fence, enclosure*
le coteau, *hillside*
la courroie, *strap*
défoncer la terre, *to break up the ground*
désherber, *to weed*
l'élevage industriel, *factory farming*
élever (des bêtes), *to rear, to raise (stock)*
un engrais, *manure, fertilizer*
épandre, *to spread, to scatter*
le foin, *hay*

les mauvaises herbes, *weeds*
labourer, *to plough*
le laboureur, *ploughman*
le maïs, *maize*
la moisson, *harvest*
la moissonneuse-batteuse, *combine harvester*
la motoculture, *mechanized farming*
la motte, *clod, lump of earth; pat (of butter)*
l'ordure (*f.*), *dirt, filth*
paître, *to graze, to browse*
le pré, *meadow*
le rendement, *produce, yield, production*
sarcler, *to weed; to hoe*
semer, *to sow*
le tourteau, *oil-cake (for cattle)*
le tracteur, *tractor*

---

## Comprehension

1 Sur quoi donnait la chambre?
2 Pourquoi y avait-il du vacarme toute la journée?
3 A qui est-ce que les paysans ressemblaient?
4 Qu'est-ce qu'ils faisaient pour accroître le rendement?
5 A quoi est-ce que Paul pensait en voyant les machines épandre les engrais chimiques?
6 Pourquoi ne pouvait-on pas pénétrer dans les prés?
7 Comment a-t-il su que le poulet qu'on a servi avait été nourri de produits chimiques?
8 Pourquoi a-t-il été pris d'une dérision amère?

## Structural Exercises

31A '*Dès (l'aube), dès (mon retour)*', etc.

Dès l'aube, j'ai été réveillé par des grondements de tracteurs.　As soon as dawn broke I was wakened by rumblings of tractors.

| | |
|---|---|
| Dès la première bouchée, j'ai pâli. | As soon as I had eaten the first mouthful I turned pale. |
| Je passerai vous voir dès mon retour. | I'll come round to see you as soon as I return (immediately on my return). |
| Dès ce jour, il décida de partir. | That very day he decided to leave. |
| Presque tous les enfants vivent aujourd'hui dès leur naissance avec la télévision. | Nearly all children today live with television from the moment they are born. |

**Exemple:** Vous vous êtes réveillé dès que l'aube a paru?
**Réponse:** Oui, c'est ça, je me suis réveillé dès l'aube.

**Exemple:** Vous avez commencé le travail dès que vous êtes retourné?
**Réponse:** Oui, c'est ça, je l'ai commencé dès mon retour.

**Exemple:** Est-ce que le nouveau système entrera en vigueur dès que les classes rentreront?
**Réponse:** Oui, c'est ça, il entrera en vigueur dès la rentrée des classes.

1 Est-ce que le fermier a commencé à rentrer la moisson dès qu'ils sont arrivés?
2 Avez-vous trouvé les vaches dans le pré dès que vous êtes retourné?
3 A-t-il remarqué le tas d'ordures dès qu'il est entré?
4 Avez-vous senti le parfum de foin dès que vous êtes arrivé?
5 Ont-ils commencé à semer dès que vous êtes parti?
6 Viendrez-vous me voir dès que je serai retourné là-bas?
7 Est-ce que les méthodes agricoles ont commencé à changer dès qu'on a inventé le tourteau?
8 Est-ce que les produits agricoles ont perdu leur saveur dès qu'on a introduit l'élevage industriel?

★　　★　　★

## 31B *Perfect passive*

| | |
|---|---|
| Le lendemain, nous avons été (nous fûmes) réveillés par le cri des coqs. | The next day we were wakened by the crowing of the cocks. |
| Alors j'ai été (je fus) pris d'une dérision amère. | Then I was seized by a fit of bitter mockery. |
| Mlle Peyrolles a été (fut) envoyée dans un couvent. | Mlle Peyrolles was sent to a convent. |

**Exemple:** Qu'est-ce qui vous a réveillé? Des tracteurs?
**Réponse:** Oui, c'est ça, j'ai été réveillé par des tracteurs.

**Exemple:** Qu'est-ce qui a déchiré l'air? Des avions à réaction?
**Réponse:** Oui, c'est ça, l'air a été déchiré par des avions à réaction.

**Exemple:** Qu'est-ce qui les a dégoûtés? L'élevage industriel?
**Réponse:** Oui, c'est ça, ils ont été dégoûtés par l'élevage industriel.

1  Qu'est-ce qui vous a arrêté? Des barbelés?
2  Qu'est-ce qui a renversé la petite fille? Un camion?
3  Qu'est-ce qui a accru le rendement? Ces méthodes intensives?
4  Qu'est-ce qui vous a dégoûtés, vous autres? Ce poulet chimique?
5  Qui a élevé ces bêtes? Le fermier?
6  Qui a désherbé les champs? Les prisonniers?
7  Qu'est-ce qui a épandu les engrais? Des machines?
8  Qu'est-ce qui les a réveillés? Le grondement d'un tracteur?

★   ★   ★

31C *Verbs of perception followed by the infinitive; order of words*

| | |
|---|---|
| On voyait travailler les bœufs. | We could see the oxen working. |
| On voyait les bœufs traîner une charrue. | We could see the oxen dragging a plough. |
| J'ai entendu siffler le facteur. | I heard the postman whistling. |
| J'ai entendu le facteur siffler un air connu. | I heard the postman whistling a well-known tune. |
| Nous avons regardé passer des avions. | We watched planes going by. |
| Nous avons regardé des avions cracher des trainées de fumée. | We watched planes belching forth trails of smoke. |

**Exemple:** Deux tracteurs travaillaient, n'est-ce pas?
**Réponse:** Oui, j'ai vu travailler deux tracteurs.

**Exemple:** Une moissonneuse-batteuse battait le blé, n'est-ce pas?
**Réponse:** Oui, j'ai vu une moissonneuse-batteuse battre le blé.

**Exemple:** Les oiseaux chantaient, n'est-ce pas?
**Réponse:** Oui, j'ai entendu chanter les oiseaux.

**Exemple:** Les avions à réaction déchiraient l'air, n'est-ce pas?
**Réponse:** Oui, j'ai entendu les avions à réaction déchirer l'air.

1  Les bœufs buvaient, n'est-ce pas?
2  Les charrues défonçaient la terre, n'est-ce pas?
3  Les bœufs mâchonnaient des brindilles, n'est-ce pas?

4 Le paysan réparait des carburateurs, n'est-ce pas?
5 Inès dormait, n'est-ce pas?
6 Les vaches paissaient, n'est-ce pas?
7 Une machine brisait les mottes, n'est-ce pas?
8 Un tracteur grondait, n'est-ce pas?
9 Le chien aboyait, n'est-ce pas?
10 Des machines faisaient un vacarme, n'est-ce pas?
11 Le mécanicien sifflait, n'est-ce pas?
12 Le fermier appelait son chien, n'est-ce pas?

★   ★   ★

## 31D Inversion in relative clauses, introduced by 'que'

Il n'y eut pas en 1939 l'enthousiasme qu'avait soulevé la guerre de 1914.

There was not in 1939 the enthusiasm which the 1914 war had roused.

C'est un livre que peuvent comprendre tous les enfants.

It's a book which all children can understand.

L'événement a montré combien sont précaires les coalitions nouées entre des partis que rapproche la nécessité de gouverner.

The event has shown how precarious are coalitions established by parties drawn together by the necessity of governing.

Une brume légère donnait au bourg cet aspect sinistre que prennent les petites villes aux approches de l'hiver.

A slight mist gave the market town that sinister appearance which small towns take on as winter approaches.

**Exemple:** Je songeais aux ravages. Les produits chimiques déchaînent ces ravages.
**Réponse:** Je songeais aux ravages que déchaînent les produits chimiques.

**Exemple:** Le fermier nous a montré les tourteaux. Les poulets mangent ces tourteaux.
**Réponse:** Le fermier nous a montré les tourteaux que mangent les poulets.

**Exemple:** Les vaches paissaient dans un champ. Des fils de fer électriques entouraient ce champ.
**Réponse:** Les vaches paissaient dans un champ qu'entouraient des fils de fer électriques.

1 Je crains les pestilences. Les engrais chimiques répandent ces pestilences.
2 Je regardais la terre. Une charrue tirée par un tracteur défonçait cette terre.

3 Partout il y avait des tracteurs. Des mécaniciens en bleu de travail chevauchaient ces tracteurs.

4 Il a levé les yeux vers le ciel. Des avions à réaction salissaient ce ciel.

5 Nous sommes arrivés sur la terrasse. Un énorme pin dominait cette terrasse.

6 Il y avait une rivière. Quelques bouquets d'arbres annonçaient cette rivière.

7 Nous avons pénétré dans le vallon. Un petit ruisseau abreuvait ce vallon.

8 On sentait l'odeur de l'insecticide. Une machine épandait cet insecticide.

★　★　★

31E '*Aller/devoir/falloir/pouvoir/savoir/valoir mieux/vouloir*' + *pronouns* + *infinitive*

| | |
|---|---|
| Voulez-vous aller le chercher à cette heure-ci? | Do you want to go for it at this hour? |
| Il fallait s'y attendre. | It was to be expected. |
| Je ne pouvais pas lui en parler. | I couldn't speak to him about it. |
| Il vaut mieux les y laisser. | It is better to leave them there. |
| Nous devions nous y arrêter pendant une demi-heure. | We were supposed to stop there for half an hour. |

**Exemple:** Il veut passer les vacances en Italie?
**Réponse:** Oui, il veut les y passer.

**Exemple:** Vous pourriez vous reposer à la campagne?
**Réponse:** Oui, je pourrais m'y reposer.

**Exemple:** Vous autres, vous allez vous consoler à l'auberge?
**Réponse:** Oui, nous allons nous y consoler.

1 Demain matin, vous allez vous réveiller dans votre propre chambre?
2 Elle veut passer ces quelques jours aux environs de Paris?
3 Est-ce que vos invités voudraient se promener au bord de la rivière?
4 Vous et vos amis, deviez-vous vous rendre à la fête du village?
5 Fallait-il porter ces légumes au marché?
6 Est-ce qu'une autoroute allait se construire dans cette vallée?
7 Voudriez-vous vous enfermer dans un bureau par cette belle journée ensoleillée? Oh, non ...
8 Aurait-on pu s'attendre à manger un poulet chimique? Oh, non ...

## Verb Study

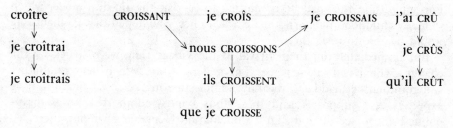

croître     CROISSANT     je CROÎS     je CROISSAIS     j'ai CRÛ

je croîtrai     nous CROISSONS     je CRÛS

je croîtrais     ils CROISSENT     qu'il CRÛT

que je CROISSE

Conjugated like croître: accroître (N.B. j'accrois, j'ai accru), s'accroître, décroître (N.B. past participle décru).

1 I would have increased production if I had been able to.
2 The moon was about to wane.
3 He said he would increase production when he had bought these machines.
4 The river must have risen in spate.
5 The wheat didn't grow.
6 The noise had just increased in volume.
7 Would he have grown in your esteem?
8 They would have liked to increase production.
9 The minister was demanding that production should be increased.
10 If only I had grown in wisdom!
11 The children were growing up.
12 Are the days growing shorter?
13 Instead of increasing, production decreased.
14 You might grow in his esteem.
15 I hope that the river will not rise in spate.
16 With a growing excitement I approached the town.
17 These are countries where the vine grows.
18 The farmer has greatly increased the extent of his lands.
19 The fever is decreasing.
20 The days were growing longer.

## Essay Subjects

1 « La campagne était devenue une usine. » Que pensez-vous de l'élevage industriel et de la motoculture?
2 La pollution: problème numéro 1 pour l'humanité. Quelles solutions y voyez-vous?

# Translation

For some time Inès had been wanting to re-visit the Île-de-France, which so many childhood memories made dear to her. She hoped that Paul and she would be able to relax there.

But immediately on their arrival in the village they were struck by the changes which had taken place. The general store, which her grandfather and grandmother had kept, was now a mini-supermarket. "We ought to have expected it, I suppose," said Inès, "but I must admit that I was disappointed not to see the old sign: 'Alimentation Générale' swinging there."

On their very first walk they discovered that the countryside was as if dead; you no longer heard dogs barking or the ploughman speaking to his horses. Indeed the plough, which used formerly to be pulled by horses or patient oxen, was now drawn by a tractor; in one field they saw a farm worker repairing a carburettor.

Everywhere they saw chemical manures spreading their pestilence. The cows and sheep were enclosed in fields surrounded by electrified fences. "There are some farmers who would do anything to increase production," said Paul bitterly. "Or rather, to increase their profits," added Inès.

# 32 *Évolution de la population paysanne en Bresse*

Dans l'arrondissement de Bourg-en-Bresse, l'étendue moyenne de la propriété rurale est légèrement inférieure à dix hectares; c'est donc pour la France même, une région de très petite propriété. L'esprit communal est peu développé; la commune, le «chef-lieu», ne groupe autour de l'église et de la mairie qu'un petit nombre d'habitations: l'auberge, l'épicerie, les demeures des artisans: menuisier, forgeron, réparateur de cycles, garagiste, entrepreneur de battage. La plupart des cultivateurs, propriétaires ou fermiers, vivent dans des bâtiments construits au centre du petit domaine qu'ils exploitent; il en résulte une dispersion extrême des habitations: de chaque ferme une autre ferme est visible, mais elle est rarement distante de moins de quelques centaines de mètres.

Il n'y a pas cinquante ans, chacun de ces domaines avait son four à pain, filait sa laine, ne vendait, n'achetait ou n'échangeait presque aucun produit, vivait enfin dans une autarcie presque complète. Chaque chef de famille était une sorte de roi patriarcal. Cette autonomie économique avait été favorable au développement des fortes personnalités. Les conséquences en sont encore sensibles.

Entre les deux guerres, la multiplication des services d'autocars, le ramassage à domicile des produits de la ferme, la création de coopératives laitières, l'acquisition d'autos par les propriétaires les plus aisés, bouleversèrent complètement l'économie de la région. Comme dans beaucoup de pays arriérés, les étapes intermédiaires furent sautées; la concentration des activités permise par la facilité des communications ne se fit pas au profit des communes, mais des gros bourgs qui tendirent à devenir des villes, dont les communes auraient été des banlieues.

Le paysan, qui naguère s'habillait de la laine de ses moutons, acheta aux États-Unis et en Roumanie le maïs, aux Indes néerlandaises les tourteaux, avec lesquels il engraissa des volailles sélectionnées qu'il expédia sur le marché de Londres. Parallèlement, il se prolétarisa, car ce ne fut pas lui qui profita de la hausse des produits agricoles, mais le marchand de volailles qui disposait de capitaux pour monter des installations frigorifiques, le coquetier qui créa des services automobiles rapides entre la Bresse et les grandes villes, les meuniers qui spéculèrent sur les grains, etc. Le roi patriarcal devint ouvrier.

Chez les Favre, le père, géant antique aux longues moustaches rousses, le buste protégé par le traditionnel tablier fait d'une peau de veau en cuir brut, et le fils aîné en bleu de mécanicien, affairé au réglage de ses moteurs, vif et intelligent comme un ouvrier ajusteur, régnaient côte à côte. La mère portait en toutes saisons la coiffe bressane, mais la fille aînée portait l'hiver des chapeaux de feutre et des tailleurs de beau lainage; elle allait l'été en robe légère et tête nue comme les Parisiennes en vacances.

(Roger Vailland, *Drôle de Jeu*, Buchet-Chastel, 1945, pp 160–162)

---

(un pays) arriéré, *backward, under-developed* (*country*)
un arrondissement, *main sub-division of a 'département'*
le bourg, *small market-town*
le chef-lieu, *chief town of the area*
la coiffe, *headdress*
la coopérative, *cooperative marketing organization*
la coque, *shell* (*of egg*)
le coquetier, 1. *egg-cup;* 2. *wholesale egg merchant*
le cultivateur, *farmer, grower*
le domaine, *estate, property*
  le domaine de l'État, *public property*
engraisser, 1. *to fatten;* 2. *to manure* (*land*)
un entrepreneur de battage, *threshing contractor*
expédier (sur le marché de Londres), *to despatch* (*to the London market*)

un petit exploitant, *small farmer*
exploiter (un domaine), *to cultivate, to farm* (*an estate*)
filer (la laine), *to spin* (*wool*)
le forgeron, *blacksmith*
le garagiste, *garage proprietor*
le grain, *grain*
un hectare, *hectare* (= 2.47 *acres*)
le mécanicien, *mechanic*
le meunier, *miller*
moudre, *to grind*
le moulin, *mill*
le produit de la ferme, *farm produce*
la propriété, *property, holding*
le ramassage, *collecting*
  le ramassage scolaire, *school bus service*
la récolte, *crop*
la volaille, *poultry*

---

## Comprehension

1 Pourquoi, en Bresse, l'esprit communal est-il peu développé?
2 Il y a cinquante ans, comment était la mode de vie des paysans de la région?
3 Quels facteurs sont venus bouleverser l'économie de la région?
4 Quelles en ont été les conséquences pour les paysans?
5 Qui a profité de la hausse des prix?
6 Quel contraste y avait-il entre Favre père et fils?
7 Qu'est-ce qui montre que la fille aînée était aussi évoluée que son frère?

## Structural Exercises

32A '*Distant de/long de/large de/haut de/profond de/épais de ...*'

La ferme était distante de quelques centaines de mètres.

The farm was a few hundred metres away.

La Loire est longue de mille huit kilomètres.

The Loire is 1008 kilometres long.

| | |
|---|---|
| A cet endroit, le lac est large de cent cinquante mètres. | At this spot the lake is 150 metres wide. |
| Le barrage de Génissiat est haut de cent trois mètres, épais de cinquante-sept mètres à la base et de neuf mètres au sommet. | The Génissiat dam is 103 metres high, 57 metres thick at the base and 9 metres at the top. |

**Exemple:** La ferme est à deux cents mètres de distance.
**Réponse:** Oui, elle est distante de deux cents mètres.

**Exemple:** La Loire a 1008 kilomètres de longueur.
**Réponse:** Oui, elle est longue de 1008 kilomètres.

**Exemple:** Le barrage a 103 mètres de hauteur.
**Réponse:** Oui, il est haut de 103 mètres.

1 Le moulin est à 500 mètres de distance.
2 La montagne de Roquebrune a 371 mètres de hauteur.
3 Le Tarn a 375 kilomètres de longueur.
4 Les gorges du Tarn ont 500 mètres de profondeur.
5 Sa coiffe a au moins un mètre de hauteur.
6 Les gorges du Verdon ont 21 kilomètres de longueur.
7 Elles ont de 6 à 100 mètres de largeur au fond.
8 Ce mur a deux pieds d'épaisseur.

✶   ✶   ✶

## 32B 'Plus de', 'moins de', followed by a numeral

| | |
|---|---|
| Le chef-lieu est distant de moins de vingt kilomètres. | The chief town of the area is less than 20 kilometres away. |
| Vous y serez en moins d'une demi-heure. | You'll be there in less than half an hour. |
| Ce film est interdit aux moins de seize ans. | This film is 'Adults only'. |
| Il a plus de cinquante ans. | He is more than fifty. |
| Il a parlé pendant plus d'une heure. | He talked for more than an hour. |

**Exemple:** Il a peut-être quarante ans.
**Réponse:** Oh non, plus que cela. Il a plus de quarante ans.

**Exemple:** Vous avez expédié trente télégrammes?
**Réponse:** Oh non, plus que cela. Plus de trente.

1 Le bourg groupe autour de l'église vingt magasins.

2 Ce pays arriéré compte cent mille illettrés.
3 La commune compte quarante gros cultivateurs.
4 Il exploite une très grande propriété, cent hectares peut-être.

**Exemple:** Elle a peut-être douze poules.
**Réponse:** Oh non, moins que cela. Moins de douze.

**Exemple:** A la fête du village nous avons vu une dizaine de coiffes régionales.
**Réponse:** Oh non, moins que cela. Moins d'une dizaine.

5 Cet arrondissement a vingt gros bourgs.
6 Le chef-lieu compte douze mille habitants.
7 En Bresse, chaque cultivateur possède dix hectares de terre.
8 L'entrepreneur de battage a peut-être quinze moissonneuses-batteuses.

★   ★   ★

## 32C 'Ne ... aucun'; 'aucun ... ne'

Aucun pays n'est vraiment «ingouvernable» quand le choix est devenu: un gouvernement ou la mort.

No country is really 'ungovernable' when the choice has become: a government or death.

Aucune pluie, même abondante, ne peut compenser le défaut en eau, avant la fin de l'été.

No rain, no matter how heavy, can make up for the water shortage before the end of the summer.

De toutes vos raisons, aucune n'est bonne.

Of all your reasons not one is a good one.

Il n'y a aucun remède.

There is no remedy.

Elle ne perdait aucune occasion de l'humilier.

She never lost any opportunity of humiliating him.

—Lui connaissez-vous des ennemis?

"Do you know if he has any enemies?"

—Aucun.

"None."

**Exemple:** Le cultivateur échangeait tous les produits?
**Réponse:** Oh non, il n'échangeait aucun produit.

**Exemple:** Toutes les propriétés avaient plus de dix hectares?
**Réponse:** Oh non, aucune propriété n'avait plus de dix hectares.

1 Tous les meuniers sont pauvres?
2 On y élève toutes les volailles?
3 Tous les chefs-lieux sont proches?

4 De nos jours, toute la laine se file à la maison?
5 Toutes les communes avaient une coopérative?
6 Toutes les paysannes portaient la coiffe régionale?
7 Tous les mécaniciens veulent travailler pour le garagiste?
8 Vous avez visité tous les pays arriérés?

*　　*　　*

## 32D *Stressing of the pronoun subject*

| | |
|---|---|
| C'est moi qui ai dit cela. | *I* said that. |
| C'est nous qui sommes les rebelles maintenant. | *We* are the rebels now. |
| Ce ne fut pas lui qui profita de la hausse des prix. | *He* wasn't the one who benefited from the price-rise. |
| Ce n'est pas à eux que tu devrais t'adresser. | *They* are not the ones you should apply to. |

**Exemple:** Mon frère et moi exploitons le domaine.
**Réponse:** Ah, c'est vous qui l'exploitez.

**Exemple:** Vous êtes le premier.
**Réponse:** Ah, c'est moi qui suis le premier.

**Exemple:** Vous autres, vous avez été malades.
**Réponse:** Oui, c'est nous qui avons été malades.

1 Je suis propriétaire de ce domaine.
2 Ma femme et moi avons tenu l'auberge autrefois.
3 Nous autres, nous avons organisé la coopérative laitière.
4 Je m'occupe du ramassage des produits de la ferme.
5 Moi, j'ai filé la laine.
6 Vous et votre ami avez gagné le prix.
7 M. Favre et vous allez expédier les télégrammes.
8 Vous et votre groupe allez visiter la coopérative.

*　　*　　*

## 32E 'Profiter de/disposer de'

| | |
|---|---|
| Vous profitez de ma faiblesse. | You are taking advantage of my weakness. |
| Certaines personnes politiques ont profité du mécontentement pour échauffer encore l'affaire. | Some politicians have exploited the discontent in order to escalate the affair. |

| | |
|---|---|
| Les professeurs disposent d'un studio moderne d'enregistrement. | The teachers have the use of a modern recording studio. |
| Beaucoup d'enfants ne disposent pas d'une pièce où ils puissent travailler seuls. | Many children do not have the use of a room where they can work alone. |
| Pour ses 250 vols quotidiens, Air-France dispose de dix Mercure, de cinq Caravelle XII, de seize Caravelle III et de neuf Fokker 27. | For its 250 daily flights Air-France has available ten Mercures, five Caravelle XIIs, sixteen Caravelle IIIs and nine Fokker 27s. |

**Exemple:** Est-ce que la hausse des prix a favorisé le marchand de volailles?
**Réponse:** Oui, en effet, il a profité de la hausse des prix.

**Exemple:** Est-ce que l'occasion a favorisé les membres de la coopérative?
**Réponse:** Oui, en effet, ils ont profité de l'occasion.

1 Est-ce que les services aériens ont favorisé les cultivateurs de la Bresse?
2 Est-ce que le beau temps favorisera les fermiers pour couper le blé?
3 Est-ce que les services de la coopérative laitière favorisent les paysans de la région?
4 Est-ce que la motoculture a favorisé les grands exploitants?

**Exemple:** Pour la moisson, il faut que M. Favre ait des moissonneuses-batteuses, n'est-ce pas?
**Réponse:** Mais il dispose de moissonneuses-batteuses.

**Exemple:** Pour monter l'affaire, il fallait que l'exploitant eût des capitaux, n'est-ce pas?
**Réponse:** Mais il disposait de capitaux.

5 Pour aller au chef-lieu, il faudra qu'elle ait une voiture, n'est-ce pas?
6 Pour le ramassage à domicile, il faudra que nous ayons des camions, n'est-ce pas?
7 Il fallait que le coquetier eût des installations frigorifiques, n'est-ce pas?
8 Pour construire cette station-service, il fallait que le garagiste eût des capitaux, n'est-ce pas?

## Verb Study

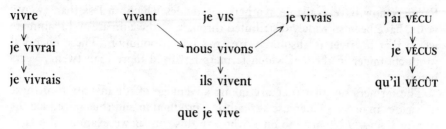

vivre      vivant      je VIS      je vivais      j'ai VÉCU

je vivrai      nous vivons      je VÉCUS

je vivrais      ils vivent      qu'il VÉCÛT

que je vive

Conjugated like vivre: survivre.

1 Racine lived in the seventeenth century.
2 I wonder whether she will live until ninety.
3 It was astonishing that he survived.
4 The events which we have lived through are astonishing.
5 After living in Paris he found country life monotonous.
6 We have had to live on (= *de*) little.
7 If I had had the choice I would have lived in the country.
8 Although she had lived in India, she couldn't stand heat.
9 With the money he has at his disposal he ought to live well.
10 After she had lived a year in Italy her brother came (*past historic*) to see her.
11 Those who live are those who struggle.
12 He had outlived (= *survivre à*) all his family.
13 Was Voltaire still living in 1789?
14 He only lives for sport.
15 This tradition will have lived for a hundred years.
16 They were living from hand to mouth (= *au jour le jour*).
17 I don't think they have lived in Bordeaux.
18 Remember that we are living in the twentieth century.
19 We might have lived in another century.
20 Do you want everybody to live dangerously?

## Essay Subjects

1 Que savez-vous de l'exode des campagnes vers les villes? Faut-il, à votre avis, chercher à l'arrêter, ou du moins à le ralentir?
2 Une journée dans la vie de la famille Favre.
3 Un ouvrier agricole demande à l'instituteur de sa commune à quoi l'enseignement donné à l'école pourra servir à ses enfants, qui sont destinés à travailler, comme leur père, de leurs bras. Faites la réponse de l'instituteur.

# Translation

Farmers now have available synthetic pesticides which, in less than twenty years, have been so widely distributed throughout the animate and inanimate world that no river is absolutely free from such pollution. These chemical products linger in the soil which farmers fertilized more than twenty years before.

The farmers say that they are taking advantage of the invention of these pesticides in order to increase agricultural production and thus to reduce the cost of living. *They* are the ones who say this, but if we examine the facts we shall be forced to conclude that our real problem is that of over-production. In America the taxpayer has paid more than one billion dollars a year to store the surplus food, and more than once farmers were paid *not* to produce.

All this is not to say that there is no problem and no need to control the insects. I am saying rather that *we*, the public, must choose the methods to be used. The problem was created by the introduction of intensive farming which does not take advantage of the principles by which nature works. Nature limits the amount of food which each species has available. It is obvious that an insect which lives on wheat will increase its population much more on a farm devoted to wheat than on one where wheat is intermingled with other crops on which the insect cannot feed.

Other examples can be cited. The streets of many towns in the United States used to be lined with elm trees, perhaps sixty feet high. Today, disease attacks the elms, carried by an insect which would have had no chance of spreading from tree to tree if elms were only one of many species planted.

(With acknowledgments to Rachel Carson,
*Silent Spring*, Penguin Books, 1965)

# 33 CH ... GB ... USA ... TT3X ... F ...

Sur cette route de France qui trace sa route sinueuse à travers les vignes, les pâturages et les blés, je me suis arrêté un instant pour voir et écouter le monde sur quatre roues. Rien ne manque ici, ni la douceur des collines, ni les lointains bleutés, ni le château fort à poivrières, ni, blotti dans le creux du vallon, le petit village qui fond ses toits de chaume et de tuiles pâles dans les rousseurs de la terre, ni même l'annonce d'une proche hostellerie vantant *son* coq au vin, *ses* terrasses fleuries, *sa* piscine, rien ne manque vraiment à ce paysage pour être fixé par la photographie dans la «Revue du Touring» ou devenir affiche de propagande touristique dans une gare de Pennsylvanie.

Tandis que les voitures se succèdent sur la route, je repasse ma géographie en identifiant le monde par son étiquette minéralogique. Je m'amuse à compter les 75, les CH aux écussons cantonaux, les rouges TT3X, les BR orangés et les gens bariolés de l'Oklahoma. Petit jeu qui me rappelle ceux de mon enfance, quand je fermais les yeux pour deviner au velouté de son ronronnement, au crissement particulier de ses pneus ou à la solennité de son avertisseur, la venue d'une Rolls, comme si le fait d'en avoir décelé la marque me permettait de me l'approprier en rêve.

La ronde est sans fin; l'univers roule, la France bouge. Des 06, délaissant le soleil, montent chercher la brise océane et croisent des 59 qui se hâtent vers le sud. Une opulente et mystérieuse IR passe avec des silhouettes de Mésopotamie qui vont apporter leur foie à Vichy et compléter la ville d'eaux d'une note exotique. Je vois des D, noir sur fond blanc, les grosses Mercedes des temps prospères. Une grande S véhicule, entre deux ratés, trois jeunesses blondes qui vont faire provision d'ultra-violets avant de remonter vers la nuit du grand nord. Un ménage noir se prélasse dans sa chromerie ambulante (N.Y. The Empire State), sûrement ravi d'aller coucher sans histoire ce soir dans le même palace que les Blancs.

Un silence, qui semble permettre à la nature et aux oiseaux de reprendre leurs droits ... Puis une sorte de scarabée colossal, rouge et or, gravit la côte. ODYSSEY TOURS, LANCASHIRE disent vingt-deux lettres d'or sur le flanc du monstre, et l'on devine le dépliant qui a promis au commerçant de Manchester-le-Coton un lovely trip en quinze jours avec de most pleasant surroundings, des regional dishes, et quatre fois soirée libre ... Du haut de leurs moelleux pullmans, cinquante sujets de Sa Majesté semblent déguster le paysage et manger un morceau de Côte-d'Or avant le déjeuner. Tournant le dos à la route, un guide, micro aux lèvres, explique l'histoire de la Bourgogne à sa classe de touristes et je parierais qu'il y a au fond du car le joyeux drille, le chahuteur, qui a toujours le mot pour rire même lorsqu'on parle de Charles le Téméraire.

Au moment où une famille française installe au bord même de la route une table métallique et paraît vouloir pique-niquer sur la Nationale alors qu'il y a tant de place alentour — sans doute est-ce pour ne pas perdre de vue sa BB 75 chérie — surgit une petite torpédo noire surbaissée, si basse même que ses occupants ont l'air assis sur la route, GB encore, de la note la plus pure, avec la casquette quadrillée, la veste de tweed et l'inséparable waterproof fixé aux courroies du porte-bagages. Très Vingt-Quatre Heures du Mans, prenant l'air de plein fouet derrière le pare-brise abaissé, voici enfin un conducteur qui a l'air de piloter sa voiture en cette époque où les gens ont plutôt tendance à se laisser rouler. Il dépasse le pique-nique français, ralentit, fait marche arrière et va demander un renseignement aux amateurs du bord de route. Une explication assez laborieuse puis ceux de la BB 75, après avoir regardé la petite LWO 618 démarrer, mordent dans le poulet froid.

(Pierre Daninos, *Vacances à tous prix*, Hachette, 1958, pp 165–169)

| | |
|---|---|
| un avertisseur, *horn, hooter* | la Nationale, *main road, highway* |
| la bougie, 1. *candle;* 2. *sparking-plug* | le numéro d'immatriculation, *registra-* |
| la carrosserie, *coachwork* | *tion number* |
| le conducteur, *driver* | la panne, *breakdown* |
| la côte, *slope (of hill), gradient* | le pare-brise, *windscreen* |
| la courroie, *strap* | le phare, 1. *lighthouse;* 2. *headlight* |
| le crissement, *grating noise, squeak* | piloter (une voiture), *to drive (a car)* |
| crisser, *to grate, to give a rasping sound* | faire le plein d'essence, *to fill up with* |
| démarrer, *to move off, to start up* | *petrol* |
| (intrans.) | le porte-bagages, *luggage-carrier* |
| dépasser, *to overtake* | se prélasser, *to loll* |
| une étiquette, *label* | un raté, *backfire* |
| une étiquette minéralogique, *number* | avoir des ratés, *to backfire* |
| *plate* | ronronner, *to purr* |
| faire marche arrière, *to reverse* | rouler, *to roll along, to run (of car)* |
| la marque, *make (of car)* | la torpédo, *open touring car* |

## Comprehension

1 Quels éléments feraient du paysage une parfaite affiche de propagande touristique?
2 Qu'est-ce que Pierre Daninos s'amusait à faire au bord de la route?
3 Enfant, à quoi reconnaissait-il la venue d'une Rolls?
4 Qu'est-ce que les Iraniens allaient faire à Vichy?
5 Pourquoi des 06 (département des Alpes-Maritimes) montaient-ils vers le nord?
6 Quel contraste y avait-il entre les touristes allemands et les britanniques?
7 Quel incident a interrompu le pique-nique de la famille française?

## Structural Exercises

### 33A 'S'amuser à faire quelque chose'

| | |
|---|---|
| Je m'amuse à regarder passer le monde sur quatre roues. | I amuse myself watching the motorized world go by. |
| Les enfants s'amusaient à le mettre en colère. | The children used to delight in making him angry. |
| Nous nous sommes amusés à compter les voitures étrangères. | We amused ourselves by counting the foreign cars. |

**Exemple:** Je compte les 75.
**Réponse:** Ah, vous vous amusez à les compter.

**Exemple:** J'ai suivi le chemin sinueux.
**Réponse:** Ah, vous vous êtes amusé à le suivre.

**Exemple:** Elle regardait les affiches de propagande touristique.
**Réponse:** Ah, elle s'amusait à les regarder.

1 J'identifie les voitures à leurs étiquettes minéralogiques.
2 Les garçons regardent passer les voitures.
3 Nous déchiffrons les étiquettes minéralogiques.
4 Elle faisait marche arrière à toute vitesse.
5 Nous photographions l'hostellerie.
6 Je me prélassais sur la banquette arrière.
7 Le joyeux drille a chahuté le guide.
8 Les enfants ont installé la table métallique.

\*    \*    \*

### 33B 'Être étonné/enchanté/ravi/surpris de faire quelque chose'; 'regretter de faire quelque chose'

| | |
|---|---|
| Je suis enchanté de faire votre connaissance. | I am delighted to make your acquaintance. |
| Ils seront ravis de vous revoir. | They will be delighted to see you again. |
| J'ai été étonné de le voir arriver si vite. | I was astonished to see him arrive so quickly. |
| Nous avons été surpris d'entendre ce crissement de pneus. | We were surprised to hear this crunching of tyres. |
| Je ne regrette pas d'avoir fait cette expérience. | I am not sorry to have made that experiment. |

**Exemple:** Coucher dans un palace, cela a ravi les touristes.
**Réponse:** Ah, ils ont été ravis de coucher dans un palace.

**Exemple:** Visiter le château fort, cela m'a enchanté.
**Réponse:** Ah, vous avez été enchanté de visiter le château fort.

1 Rouler si vite, cela a ravi ma sœur.
2 Déboucher sur la Nationale, cela m'a étonné.
3 Entendre le crissement des pneus, cela a surpris mes parents.
4 Faire la connaissance de ce coureur automobiliste, cela m'a enchanté.

**Exemple:** Vous avez acheté une torpédo?
**Réponse:** Oui, et je regrette de l'avoir achetée.

**Exemple:** Le guide a mentionné Charles le Téméraire?
**Réponse:** Oui, et il regrette de l'avoir mentionné.

5 Il a oublié la courroie?
6 Vous avez doublé la voiture policière?
7 Les touristes ont dégusté les plats régionaux?
8 Votre frère et vous, vous êtes descendus à cette hostellerie?

★   ★   ★

## 33C 'Paraître faire quelque chose'

| | |
|---|---|
| Une famille française paraît vouloir pique-niquer sur la Nationale. | A French family appears to intend to picnic on the highway. |
| On s'excuse ici de paraître rappeler des vérités premières. | We apologize here for appearing to recall elementary truths. |
| Elle ne paraissait pas remarquer leur présence. | She appeared not to notice their presence. |

**Exemple:** Une famille veut pique-niquer sur la Nationale?
**Réponse:** Oui, elle paraît vouloir y pique-niquer.

**Exemple:** Vos amis connaissent ces Américains?
**Réponse:** Oui, ils paraissent les connaître.

**Exemple:** Le conducteur aimait faire marcher l'avertisseur?
**Réponse:** Oui, il paraissait aimer le faire marcher.

1 Cette marque de voiture se vend bien en Europe.
2 Les voitures ralentissent.
3 Cette voiture suédoise a des ratés.

4 Ce pare-brise s'embue très vite.
5 Les occupants de la torpédo basse étaient assis sur la route.
6 La bougie avait besoin d'être nettoyée.
7 La carrosserie était du dernier modèle.
8 Le grand car ronronnait.

★ ★ ★

## 33D *Names of countries and their inhabitants*

### 1 *Names of inhabitants*

a) Comment s'appellent les habitants 1. de la France; 2. de l'Angleterre; 3. de la Pologne; 4. du Japon; 5. du Portugal; 6. de l'Écosse; 7. de l'Irlande; 8. de la Finlande; 9. de la Hollande; 10. du Congo?

b) Comment s'appellent les habitants 11. de la Chine; 12. de la Suède; 13. du Danemark; 14. du pays de Galles; 15. de la Hongrie; 16. du Luxembourg?

c) Comment s'appellent les habitants 17. de la Norvège; 18. de l'Égypte; 19. de l'Algérie; 20. de la Tunisie; 21. de l'Alsace; 22. de l'Argentine; 23. de l'Australie; 24. de l'Autriche; 25. du Brésil; 26. du Canada; 27. du Vietnam; 28. de l'Inde; 29. de l'Italie; 30. du Chili?

d) Comment s'appellent les habitants 31. de l'Amérique; 32. du Maroc; 33. du Mexique?

e) Comment s'appellent les habitants 34. de la Belgique; 35. de la Bretagne; 36. de la Corse; 37. de la Normandie; 38. de la Russie; 39. de la Suisse (féminin?); 40. de la Tchéco-Slovaquie; 41. de la Turquie; 42. de l'Espagne; 43. de la Grèce?

### 2 *Names of countries*

Quel pays habitent 1. les Polonais; 2. les Japonais; 3. les Portugais; 4. les Écossais; 5. les Hollandais; 6. les Chinois; 7. les Suédois; 8. les Danois; 9. les Gallois; 10. les Luxembourgeois; 11. les Norvégiens; 12. les Algériens; 13. les Autrichiens; 14. les Canadiens; 15. les Vietnamiens; 16. les Italiens; 17. les Mexicains; 18. les Belges; 19. les Corses; 20. les Espagnols; 21. les Grecs; 22. les Russes; 23. les Suisses; 24. les Tchéco-Slovaques; 25. les Turcs?

★ ★ ★

## 33E *Prepositions with names of countries*

1) Avez-vous séjourné en Suisse?    Did you stay in Switzerland?
   Ils n'ont jamais été en Russie.    They have never been to Russia.
   J'ai passé mes vacances en Bretagne.    I spent my holidays in Brittany.

| | |
|---|---|
| Cet été elle va au Portugal. | This summer she is going to Portugal. |
| Il y a eu une émeute au Japon. | There was a riot in Japan. |
| Ce chanteur vient de faire une tournée aux États-Unis. | This singer has just been touring in the United States. |

2) 

| | |
|---|---|
| Il est revenu d'Allemagne. | He is back from Germany. |
| Cette voiture vient de Belgique. | That car comes from Belgium. |
| Nous sommes rentrés de Provence la semaine dernière. | We came home from Provence last week. |
| Il est rentré du Canada. | He is home from Canada. |
| Cette nouvelle nous provient du Brésil. | This news comes to us from Brazil. |
| Cet avion arrive des États-Unis. | This plane has come from the United States. |

1  'En Angleterre' — 'au Brésil'

a) **Exemple:** Vous partez pour la France?
   **Réponse:** Oui, je vais en France.

   **Exemple:** Vous partez pour le Danemark?
   **Réponse:** Oui, je vais au Danemark.

   1  Vous partez pour l'Allemagne?
   2  Est-ce qu'il part pour le Canada?
   3  Est-ce qu'ils partent pour la Belgique?
   4  Vous partez pour le pays de Galles?
   5  Vos amis partent pour les États-Unis?
   6  Votre sœur part pour le Portugal?
   7  Vous partez pour l'Autriche?
   8  Il part pour l'Australie?

b) **Exemple:** Connaissez-vous Ajaccio?
   **Réponse:** Non, je n'ai jamais été en Corse.

   **Exemple:** Connaît-il Cardiff?
   **Réponse:** Non, il n'a jamais été au pays de Galles.

   9   Connaissez-vous Édimbourg?
   10  Connaît-elle New York?
   11  Votre père, connaît-il Madrid?
   12  Vos amis, connaissent-ils Moscou?
   13  Connaissez-vous Montréal?
   14  Votre frère et vous, connaissez-vous Amsterdam?
   15  Connaissez-vous Tokyo?

256

16 Votre sœur, connaît-elle Rome?

2 *'D'Angleterre'* — *'du Brésil'*
a) **Exemple:** Cet avion arrive de Paris.
**Réponse:** Ah, il arrive de France.

**Exemple:** Cet avion arrive de Montréal.
**Réponse:** Ah, il arrive du Canada.

Cet avion arrive 1. de Genève; 2. de Madrid; 3. de New York; 4. d'Alger; 5. de Sydney; 6. de Delhi; 7. de Tokyo; 8. du Caire; 9. de Berlin; 10. de Lisbonne.

b) Les voitures étrangères portent à l'arrière sur une plaque ovale des lettres distinctives, variant avec le pays d'origine:

| | | | |
|---|---|---|---|
| A | Autriche | MA | Maroc |
| AND | Andorra | MC | Monaco |
| AUS | Australie | MEX | Mexique |
| B | Belgique | N | Norvège |
| BR | Brésil | NL | Hollande |
| CDN | Canada | P | Portugal |
| CH | Suisse | PE | Pérou |
| CS | Tchéco-Slovaquie | PL | Pologne |
| D | Allemagne | RA | Argentine |
| DK | Danemark | RCH | Chili |
| DZ | Algérie | RL | Liban |
| E | Espagne | S | Suède |
| FL | Liechtenstein | SF | Finlande |
| GB | Gde-Bretagne | SU | U.R.S.S. |
| GR | Grèce | TN | Tunisie |
| H | Hongrie | TR | Turquie |
| I | Italie | U | Uruguay |
| IL | Israël | USA | États-Unis |
| IR | Iran | YU | Yougoslavie |
| IRL | Irlande | ZA | Afrique du Sud |
| L | Luxembourg | | |

| | |
|---|---|
| CD | Corps diplomatique (sur fond vert) |
| IT | Importation temporaire (sur fond vert) |
| TT | Transit temporaire (blanc sur fond rouge) |

D'où vient donc une voiture portant les lettres suivantes?
A; 2. E; 3. S; 4. MEX; 5. AUS; 6. GB; 7. N; 8. SU; 9. B; 10. GR;

11. NL; 12. TN; 13. BR; 14. P; 15. CDN; 16. I; 17. PE; 18. CH; 19. USA; 20. IRL; 21. DK; 22. L; 23. DZ; 24. MA; 25. D.

## Verb Study

aller  allant  je VAIS  j'allais  je suis allé
il VA
j'IRAI  nous allons  j'allai
j'IRAIS  ils VONT  qu'il allât

que j'AILLE
(que nous allions)

Conjugated like aller: s'en aller.

1 We have been going to France for years.
2 She didn't go away.
3 Let me know when you go away.
4 We would go to Italy if it were possible.
5 I want you to go away.
6 Will you please go and see him?
7 Although he had gone to Paris, I was able to contact him by phone.
8 They must go away now.
9 He hadn't yet gone to Japan.
10 If we went away early we would let you know.
11 Go to see her before she goes away.
12 How long have you been going to school?
13 They are going to Spain.
14 I would have gone away earlier if I had known.
15 Before going to Russia we thought we would come to see you.
16 She may have gone to Canada.
17 We are pleased that they have gone away.
18 He will have to go to Holland.
19 They used to go to Portugal every year.
20 We had just gone away.

## Essay Subjects

1 Le tourisme, fléau ou bienfait?
2 L'idée de l'Anglais que se font les Français et l'idée du Français que se font les Anglais.
3 L'automobile constitue un phénomène de civilisation. Quels problèmes ce phénomène pose-t-il?
4 En quoi réside l'humour de Daninos?

# Translation

Pierre had stopped at the top of the slope and was amusing himself by watching the motorized world go by. The whole universe appeared to be on the move: cars which had come from Great Britain, Germany, Holland, Belgium were rushing towards the south. The British would perhaps stop in Provence, but the Germans, Dutch and Belgians would go further, to Italy or to Spain, in search of the sun.

He was surprised to see that almost as many cars with the number plate o6 (Alpes-Maritimes) were making their way to the north, and wondered if these travellers were seeking cool ocean breezes in Brittany; who knows, perhaps they would go on to England or Scotland?

That brought back to his mind a stay he had made in Wales; for a fortnight it had rained nearly every day without stopping. He remembered how delighted he had been to see the sun shine again. He had amused himself observing the English sitting in their cars, with the windows closed, for a whole afternoon, after which they would solemnly remark: "The mountain air does you good, you know." The strange thing was that they appeared to believe what they said.

But now, what were these letters on the rear of a huge American car: CDN? Of course, it must come from Canada. "I wonder what our Canadian cousins think of France," Pierre said to himself. "If they had stopped I could have asked them that question."

## 34 *La première promenade en auto*

Patrice avait décidé d'accompagner sa femme dans cette première promenade en auto. Elle le remercia d'un sourire, tandis qu'il s'asseyait près d'elle, les épaules raides, le visage pâle mais vaillant. Friquette, la chienne, inconsciente du danger, sauta sur la banquette arrière. Élisabeth dressa le menton et appuya timidement sur l'accélérateur. Les roues patinèrent sur le gravier. La Ford vrombit, lâcha un peu de vapeur bleue et roula lentement vers la sortie.

— Ah! mon Dieu! gémit Eulalie, la vieille domestique. Pourvu qu'il ne leur arrive rien!

Élisabeth contourna le pâté de maisons, passa en troisième et prit de la vitesse.

— Où vas-tu? balbutia Patrice.

— Vers la forêt.

— Il faudra que tu traverses la rue de la République!

— Et alors?

— C'est là qu'il y a le plus de circulation!

— On verra bien, dit-elle, en freinant derrière un gros camion.

Patrice avait instinctivement poussé son pied dans le vide, comme pour freiner en même temps qu'elle. Le camion disparut dans une rue transversale.

— Il ne peut pas avertir quand il tourne! grogna Élisabeth. Vraiment, on rencontre de ces chauffards sur la route!

— Oui, il faut être très prudent, dit Patrice.

Elle avait calé son moteur et, l'ayant remis en marche, démarra dans un soubresaut. Patrice s'appuya des deux mains au pare-brise.

— Je m'excuse, dit-elle. Le siège n'est pas à la bonne distance pour moi. Je contrôle mal les pédales.

— Attention! chuchota-t-il, en rentrant la tête dans les épaules. Elle venait de frôler un cycliste et fonçait, impavide, en direction du carrefour.

Au moment de déboucher dans la rue de la République, elle ralentit avec une louable sagesse et sortit même le bras par la portière, comme on le lui avait enseigné. Des voitures rapides lui coupaient le chemin en grondant de colère.

— Nous ne passerons jamais! soupira Patrice. Tu ne préfères pas faire demi tour et revenir à la maison?

— Non, dit-elle. Je veux aller dans la forêt!

— Dire qu'il n'y a même pas un agent à ce croisement!

— On n'a pas besoin d'agent!

L'œil fixe, les mâchoires serrées, elle continua de rouler doucement vers le carrefour. Le capot de la Ford s'engagea dans la rue de la République. Une auto noire fit une embardée pour l'éviter.

— La brute! grommela Élisabeth. Un peu plus et il m'accrochait! Avec ça, il était dans son tort! J'avais la priorité!

— Peut-être, souffla Patrice. Mais, Élisabeth, c'est le passage de la route nationale.

— Alors, sous prétexte que c'est le passage de la route nationale, je n'aurais pas le droit, moi, de traverser?

Poussée par l'indignation, elle s'avança encore. Une Buick décapotable stoppa devant elle. Le conducteur était congestionné, violet de fureur. Une créature blonde, assise à côté de lui, ricana: Évidemment! C'est une femme qui est au volant!

Des coups de klaxon retentirent dans la meute des voitures immobilisées.

— Vas-y! Vas-y! Tu embouteilles tout! dit Patrice.

Pour se remettre en première, elle empoigna le levier de vitesses avec tant d'énergie qu'un grincement de désespoir répondit à son geste. La Ford ne broncha pas et les aboiements des klaxons redoublèrent. Élisabeth était seule contre la haine de tous les usagers de la route. Des gouttes de sueur perlaient à son front. Elle recommença la manœuvre, et, cette fois, sa voiture consentit à bouger. Bravant le flot de bolides qui défilaient en sens inverse, elle aborda le paradis des rues calmes. Patrice s'épongeait le front.

— Le tout est de ne pas perdre la tête, dit-elle. Ce sont les gens trop nerveux qui provoquent les accidents. Tu as eu peur?

— Non, dit-il, avec plus d'amour que de sincérité.

(Henri Troyat, *Tendre et violente Élisabeth*, Plon, 1957, pp 266–268)

l'accélérateur (*m.*), *accelerator*
accrocher (une voiture), *to collide with (a car)*
appuyer sur (l'accélérateur), *to depress (the accelerator)*
la banquette avant, *front seat*
la banquette arrière, *back seat*
la boîte de vitesses, *gear-box*
caler (le moteur), *to stall (the engine)*
le capot, *cover; bonnet (of car)*
la ceinture de sécurité, *seat-belt*
contourner (le pâté de maisons), *to go round (the block of houses)*
décapotable, *convertible*
faire demi-tour, *to turn round and go back*
déraper, *to skid*
faire une embardée, *to swerve*
un embouteillage, *congestion; traffic jam*
embouteiller, *to block up*

un essuie-glace, *windscreen wiper*
freiner, *to put on the brakes*
lâcher (le frein), *to release (the brake)*
le levier de vitesses, *gear lever*
mettre en marche, *to start up*
le pare-choc, *bumper*
la pédale d'embrayage, *clutch*
le frein à pédale, *foot brake*
le sens, *direction*
  en sens inverse, *in the opposite direction*
le siège, *(individual) seat*
la station-service, *petrol station*
stopper, *to come to a halt (of vehicle)*
passer en troisième, *to get into third gear*
changer de vitesse, *to change gear*
en première vitesse, *in first gear*
vrombir, *to throb, to hum*

# Comprehension

1 Pourquoi la vieille domestique a-t-elle gémi de peur?
2 A quel moment est-ce que Patrice a instinctivement poussé son pied dans le vide?
3 Pourquoi a-t-il été projeté en avant?
4 Comment Élisabeth s'est-elle excusée?
5 Qu'est-ce qui rendait difficile la traversée de la rue de la République?
6 Qu'est-ce que l'auto noire a dû faire pour éviter la Ford?
7 De quelle façon les autres automobilistes ont-ils manifesté leur colère?
8 Selon Élisabeth, quel était l'essentiel dans une situation pareille?

## Structural Exercises

34A *'Cesser/décider/essayer/éviter/finir/oublier/proposer/refuser de faire quelque chose'*

a) *Cesser, s'arrêter, finir*

| | |
|---|---|
| Il a cessé de pleuvoir. | It has stopped raining. |
| Vous êtes-vous arrêté de fumer? | Have you stopped smoking? |
| Avez-vous fini de vous plaindre? | Have you finished complaining? |

b) *Accepter, convenir, refuser*

| | |
|---|---|
| Il a accepté de venir faire une conférence. | He agreed to come and give a lecture. |
| Ils sont convenus de partir ensemble. | They have agreed to leave together. |
| Ces députés de droite refusent de s'attaquer au moindre privilège. | These right-wing M.Ps refuse to attack the slightest privilege. |

c) *Décider, résoudre*

| | |
|---|---|
| Nous avons décidé de nous retrouver à huit heures. | We have decided to meet at eight. |
| J'ai résolu de visiter cette île. | I have resolved to visit that island. |

d) *Essayer, éviter*

| | |
|---|---|
| Je vais essayer de vous montrer tout. | I'm going to try to show you everything. |
| Comme ça, nous éviterons de devoir faire la queue au guichet. | In that way we shall avoid having to queue at the ticket-office. |

e) *Oublier, se souvenir*

| | |
|---|---|
| Il a oublié de nous prévenir. | He forgot to warn us. |
| Il se souvenait d'avoir posé le paquet à cette place. | He remembered having put the parcel in that place. |

## f) *Offrir, proposer*

| | |
|---|---|
| Les lâches ont offert de se rendre. | The cowards offered to surrender. |
| J'ai proposé d'aller au marché. | I suggested going to the market. |

**Exemple:** Qu'est-ce que Patrice a décidé de faire?
**Réponse:** Il a décidé d'accompagner sa femme dans sa première promenade en auto.

**Exemple:** En faisant une embardée, qu'est-ce que l'auto noire a évité de faire?
**Réponse:** Elle a évité d'accrocher la voiture d'Élisabeth.

**Exemple:** Qu'est-ce que les voitures immobilisées par l'embouteillage ne cessaient de faire?
**Réponse:** Elles ne cessaient de klaxonner.

1 Où Élisabeth a-t-elle décidé d'aller?
2 Quand la Ford s'est arrêtée derrière un camion, qu'est-ce que Patrice a essayé de faire, instinctivement?
3 En tournant, qu'est-ce que le conducteur de camion a oublié de faire?
4 A ce moment-là, qu'est-ce que le moteur de la Ford a cessé de faire?
5 Qu'est-ce que Patrice avait oublié de faire, pour ce qui est du siège?
6 Qu'est-ce que les voitures rapides dans la rue de la République ne cessaient de faire?
7 A ce moment-là, qu'est-ce que Patrice a proposé de faire?
8 Qu'est-ce qu'Élisabeth a refusé de faire?

\*     \*     \*

## 34B '*Accuser/empêcher/prier/remercier quelqu'un de faire quelque chose*'

| | |
|---|---|
| Certains accusent les méthodes de culture intensive de rendre les campagnes plus vulnérables aux variations climatiques. | Some people accuse intensive farming methods of making the country districts more vulnerable to climatic variations. |
| Il fait des bêtises exprès, pour empêcher les autres de travailler. | He does stupid things on purpose. to prevent the others from working. |
| Il a reçu une lettre du curé qui le priait, en termes pressants, de passer chez lui. | He received a letter from the parish priest begging him, urgently, to call round. |
| Je les ai remerciés de m'avoir aidé. | I thanked them for helping me. |

**Exemple:** Est-ce qu'Élisabeth a remercié son mari de l'accompagner?
**Réponse:** Oui, elle l'en a remercié.

**Exemple:** Vous a-t-il empêchés, vous autres, de vous asseoir sur la banquette arrière?
**Réponse:** Oui, il nous en a empêchés.

**Exemple:** Le douanier a accusé les touristes d'avoir introduit une montre en fraude?
**Réponse:** Oui, il les en a accusés.

1 Avez-vous empêché Hélène de mettre le moteur en marche?
2 A-t-il prié le mécanicien de se mettre au volant?
3 Est-ce que l'agent a accusé vos amis d'avoir provoqué un embouteillage?
4 Vous a-t-elle remercié d'avoir ouvert la portière?
5 A-t-il accusé votre ami d'avoir tourné sans avertir?
6 Avez-vous remercié les mécaniciens d'avoir réparé le pare-choc?
7 C'est le désir d'arriver à temps qui a empêché votre ami de ralentir?
8 Ne pouviez-vous pas vous empêcher de pousser votre pied dans le vide, comme pour freiner? Non ...

\* \* \*

### 34C *Subjunctive after 'pourvu que'*

| | |
|---|---|
| Pourvu que nous puissions grimper à bord, ça ira. | Provided we can climb aboard, all will be well. |
| Pourvu qu'il ne leur soit rien arrivé! | I only hope nothing has happened to them! |
| Pourvu qu'il ne fasse pas de gaffes! | I only hope he doesn't put his foot in it! |

**Exemple:** Votre promenade en auto sera bien agréable, s'il fait beau.
**Réponse:** Oui, pourvu qu'il fasse beau.

**Exemple:** Tout ira bien, si je ne freine pas trop brutalement.
**Réponse:** Oui, pourvu que vous ne freiniez pas trop brutalement.

**Exemple:** Ça ira, s'il peut passer en troisième.
**Réponse:** Oui, pourvu qu'il puisse passer en troisième.

1 Ça pourra aller si le pare-brise n'est pas brisé.
2 Il s'en sortira s'il n'a pas accroché l'autre voiture.
3 Ça ira, s'il ne fait pas vrombir le moteur.
4 Ça ira, s'il se met sur la banquette arrière.
5 Nous nous en sortirons, s'il peut remettre le moteur en marche.
6 Tout ira bien, s'il ralentit au carrefour.

7 J'espère pouvoir lui vendre la voiture, s'il ne veut pas regarder sous le capot.
8 Ça pourra aller, si la boîte de vitesses tient bon.

★　　★　　★

## 34D *Present subjunctive after 'il faudra que'*

| | |
|---|---|
| Il faudra que vous y pensiez. | You will have to think about it. |
| Il faudra que je la voie tout de suite. | I shall have to see her immediately. |
| Il faudra qu'il y ait davantage de piscines. | There will have to be more swimming pools. |

**Exemple:** Nous devrons traverser la rue de la République.
**Réponse:** Oui, il faudra que nous la traversions.

**Exemple:** Je devrai ralentir.
**Réponse:** Oui, il faudra que vous ralentissiez.

**Exemple:** Vous devrez aller dans la forêt.
**Réponse:** Oui, il faudra que j'y aille.

1 Vous devrez mettre le siège à la bonne distance.
2 Elle devra pouvoir contrôler les pédales.
3 Il devra faire réparer l'essuie-glace.
4 Nous devrons nous arrêter à la première station-service.
5 Vous devrez savoir freiner à temps.
6 Elle devra apprendre à conduire.
7 Vous devrez faire demi-tour.
8 Je devrai appuyer sur la pédale d'embrayage.

★　　★　　★

## 34E *'Le' relating back to a previous statement*

| | |
|---|---|
| Elle a sorti la main par la portière, comme on le lui avait enseigné. | She put her hand out of the car window, as she had been taught. |
| — Vous avez dit au chauffeur de taxi de venir nous chercher à sept heures? | "You told the taxi-driver to come for us at seven?" |
| — Oui, je le lui ai dit. | "Yes, I told him." |
| Comme vous le disiez. | As you were saying. |
| Nous aurons de plus en plus de cas difficiles, je le redoute. | We shall have more and more difficult cases, I fear. |

265

**Exemple:** Lui avait-on enseigné d'avertir en ralentissant?
**Réponse:** Oui, on le lui avait enseigné.

**Exemple:** Vous a-t-on dit qu'il valait mieux faire demi-tour ici?
**Réponse:** Oui, on me l'a dit.

**Exemple:** Ils vous ont demandé d'aller les chercher à dix heures?
**Réponse:** Oui, ils me l'ont demandé.

1 Vous a-t-on dit de contourner le pâté de maisons?
2 Vous ai-je demandé d'aller en sens inverse?
3 Est-ce que le père a permis à son fils de donner des coups de klaxon?
4 Avez-vous ordonné au chauffeur de faire demi-tour?
5 Avez-vous défendu aux enfants de se pencher à la portière?
6 Vous a-t-il promis de redresser le pare-choc?
7 Vous ont-ils conseillé de ne pas trop appuyer sur le frein à pédales?
8 Vous a-t-on enseigné le Code de la Route?

## Verb Study

dire → je dirai → je dirais

DISANT    je dis → je DISAIS    j'ai DIT

nous DISONS
vous DITES
ils DISENT

que je DISE

je DIS

qu'il dît

Conjugated like dire: contredire (vous contredisez), interdire (vous interdisez), médire de quelqu'un (vous médisez), prédire (vous prédisez).

1 You predicted it.
2 I wonder whether they will say what they think.
3 Although you tell the truth, I doubt whether he will believe you.
4 Don't contradict me!
5 After forbidding it you have allowed them to do it.
6 He has had to contradict himself.
7 I wouldn't have slandered you.
8 Before she said anything I realized what had happened.
9 You ought to tell the truth.
10 We left (*past historic*) after he had said these things.
11 He would forbid it if he could.
12 We had predicted it.
13 Provided you tell the truth, you have nothing to fear.
14 Was I slandering him?

15 Won't you have said everything?
16 I could say a lot if I wanted to.
17 I don't think that they have told the truth.
18 Say nothing!
19 We might have predicted what would happen.
20 What do you want me to say?

## Essay Subjects

1 Un moniteur d'auto-école raconte quelques-unes de ses expériences.
2 Comment réduire le taux des accidents de la route?
3 Gagner du temps — pourquoi?

## Translation

It had stopped raining and Daniel decided to go out in the car, although the roads were still slippery. Monique agreed to go with her younger brother. This time she would try to avoid showing the fear which she felt every time Daniel took the steering-wheel.

Sometimes he would forget to take off the brake when starting off and would drive for kilometres before a smell of burning reminded him. Once, she remembered having had to seize the hand-brake when he depressed the accelerator instead of the brake-pedal on approaching the traffic lights; she had managed to prevent the car from colliding with the one which was in front of them. Daniel had thanked her warmly for that; he was truly grateful. "I really shall have to be more careful," he had said, calmly.

"I only hope he pays more attention today," thought Monique, fastening the seat-belt. Daniel was starting up, perhaps not exactly as he had been taught, because the car was making a series of bounds, like a kangaroo. "I suggest going to the forest," he said, stopping before turning into the main road.

"Oh dear," thought Monique, "if we go that way we shall have to cross the rue Delacour. Well, he might manage it, provided there is not too much traffic."

When they finally reached the forest drops of perspiration were standing out in beads on her brow. "The main thing is not to lose your head," said Daniel.

## 35 *Train omnibus et train de marchandises*

Ensuite, Gilbert songea que la gare la plus proche dans la vallée était celle de Chermé. Elle était desservie par des omnibus qui rejoignaient la grande ligne à Troyes d'où il pourrait trouver un train pour la Bourgogne.

Pour se rendre à la gare de Chermé, il coupa à travers champs. Il prit assez peu de précautions. Lorsqu'il entra dans la salle de la petite gare, il comprit que c'était l'endroit où il avait le plus de chances d'être dénoncé et arrêté, et il en fut satisfait. Il éprouva une joie à défier toutes les menaces.

L'intérieur de la petite gare, qui comptait une salle d'attente exiguë et une salle des pas perdus hors de proportion, demeurait aussi déserte et silencieuse que la place plantée d'arbres où toute maison était absente, car le village de Chermé s'élève un peu à l'écart, au pied des collines. Un employé se tenait derrière les vitrages et venait d'allumer sa lampe. Sans doute le train passerait-il bientôt. Gilbert se souvint qu'il l'entendait chaque soir gronder au loin dans la vallée. Il s'assit sur une banquette. Dix minutes plus tard, un vieil homme entra, portant une lourde valise. Presque aussitôt l'employé releva la vitre qui coulissa avec un bruit de tonnerre et se bloqua sur un claquement sec. Gilbert s'avança.

— Aller, Troyes, deuxième, dit-il.

L'employé le dévisagea et prit un air entendu, puis il délivra le billet, rendit la monnaie. Quand il eut servi aussi le vieillard, il rabattit la vitre et courut vers le téléphone. Gilbert fut persuadé qu'on l'avait reconnu. Mais cinq minutes plus tard l'omnibus entrait en gare. Gilbert passa sur le quai et monta dans le premier compartiment. Un sifflet. Le train partit. Pas de gendarmes.

Le compartiment était occupé seulement par un homme en bleu de travail et une jeune femme qui tenait un sac sur ses genoux. Jusqu'à Troyes aucun voyageur ne monta. Lorsqu'on s'approcha de la grande gare, Gilbert se mit à la portière. Il se trouvait dans le dernier wagon et il put considérer dans une courbe l'inutile immensité de l'omnibus. Bientôt il aperçut le long du quai un employé avec son chariot, puis un couple de gendarmes et un peu plus loin un autre couple de gendarmes.

Ainsi, il était attendu. Il pensa d'abord descendre tranquillement, aller demander un renseignement aux gendarmes de façon qu'ils fussent déroutés et se sauver à toutes jambes aussitôt. Mais il s'effaça pour laisser passer l'homme en bleu et la jeune femme, après quoi il se dirigea vers l'autre portière et sauta sur le ballast à contre-voie. Il se trouva ainsi entre l'omnibus et un train de marchandises. Il escalada le wagon de marchandises et retomba tout au fond. Le wagon était vide.

Gilbert s'assit et s'installa le dos contre la paroi. Au-dessus de lui, c'était l'étrange nuit des grandes gares où les lampadaires forment un voile terrestr sous la splendeur des étoiles qu'ils ne peuvent néanmoins intercepter. Gilbert médita longuement. Il craignait que le train de marchandises ne restât en gare toute la nuit ou que le wagon ne fût remisé sur une voie déserte. Dix minutes passèrent. Sans que rien l'eût fait prévoir, le train démarra.

Au bout de trois ou quatre heures, ce fut le triage de Joigny. Le wagon où se trouvait Gilbert fut garé et il en sauta aussitôt pour courir vers la tête du train où il se hissa sur un wagon plat chargé de ferrailles parmi lesquelles il trouva un abri peu confortable mais sûr. Au lever du jour, après quelques tamponnements, il repartait vers le sud.

(André Dhôtel, *Le Neveu de Parencloud*, Bernard Grasset, 1960, pp 113–116)

| | |
|---|---|
| l'attente (*f.*), *wait, waiting* | monter dans un train, *to get on a train* |
| la salle d'attente, *waiting room* | un omnibus, *slow (stopping) train* |
| le chariot (à bagages), (*luggage*) *trolley* | la salle des pas perdus, *concourse area,* |
| le cheminot, *railwayman* | *entrance hall* |
| la courbe, *curve* | passer sur le quai, *to go onto the platform* |
| délivrer un billet, *to issue a ticket* | la rame, *made-up train* |
| descendre d'un train, *to get off a train* | remiser, *to put in the garage, in the shed,* |
| la voie de garage, *siding* | *in a siding* |
| entrer en gare, *to come into the station* | tamponner, *to bump into (another* |
| le train est en gare, *the train is in* | *vehicle)* |
| garer, *to shunt* | la gare de triage, *marshalling yards* |
| la grande ligne, *main line* | trier, *to sort (letters)* |
| la marchandise, *goods, wares* | la voie, *track* |
| le train de marchandises, *goods train* | descendre à contre-voie, *to get out on* |
| le mécanicien, *train driver* | *the wrong side of the train* |

## Comprehension

1 Comment Gilbert s'est-il rendu à la gare de Chermé?
2 Comment savait-il que le train passerait bientôt?
3 Qu'est-ce que l'employé a fait après avoir délivré les billets?
4 Qui étaient les compagnons de voyage de Gilbert?
5 A l'arrivée à Troyes, quel projet n'a-t-il pas mis à exécution?
6 Comment a-t-il échappé aux gendarmes?
7 Une fois installé dans le wagon de marchandises, que craignait-il?
8 Pourquoi a-t-il changé de wagon à Joigny?

## Structural Exercises

35A *Past anterior (literary style)*

Quand il eut servi le vieillard, il    When he had served the old man he
    rabattit la vitre.                      slammed down the window.

| | |
|---|---|
| Après que Jacques fut reparti, je m'agenouillai. | After Jacques had left again I knelt down. |
| Dès que nous nous fûmes assis, le concert commença. | As soon as we had sat down the concert began. |

**Exemple:** Après que le train avait disparu, il est resté là à regarder la voie.
**Réponse:** Après que le train eut disparu, il resta là à regarder la voie.

**Exemple:** Dès que j'avais protesté, il s'est tu.
**Réponse:** Dès que j'eus protesté, il se tut.

**Exemple:** Quand tous les voyageurs étaient montés, le chef de gare a donné le signal du départ.
**Réponse:** Quand tous les voyageurs furent montés, le chef de gare donna le signal du départ.

1 Après que j'avais demandé ce renseignement, mon ami est allé au guichet.
2 Dès qu'il avait regardé l'horaire, je le lui ai pris.
3 Après que nous avions quitté la grande ligne, l'omnibus est allé de plus en plus lentement.
4 Quand le train avait ralenti, Gilbert est descendu à contre-voie.
5 Quand le porteur était revenu avec son petit chariot, nous y avons mis les bagages.
6 Quand tous les voyageurs étaient descendus du train, nous sommes revenus à la salle des pas perdus.
7 Quand tous les autres voyageurs s'étaient levés, il s'est effacé pour les laisser passer.
8 Dès qu'elle s'était assise, le train a démarré.

★　　★　　★

## 35B 'S'approcher de'

| | |
|---|---|
| Il s'approcha du tableau et le regarda attentivement. | He went up to the picture and looked at it attentively. |
| Flaubert n'écrivait guère que pour s'approcher le plus près de la perfection. | Flaubert hardly ever wrote except to get as close as possible to perfection. |
| La petite fille s'est approchée de lui sans méfiance. | The little girl came up to him trustingly. |
| — Je crois que nous nous approchons de Paris. | "I think we're getting near to Paris." |
| — Oui, nous nous en approchons. | "Yes, we're getting near." |

**Exemple:** Le train est entré en gare?
**Réponse:** Non, pas encore, mais il s'approche de la gare.

**Exemple:** Les gendarmes ont passé sur le quai?
**Réponse:** Non, pas encore, mais ils s'approchent du quai.

1 Nous sommes sur la grande ligne?
2 L'autobus est sur le pont?
3 L'employé est derrière le guichet?
4 Le cheminot est monté dans le compartiment?

**Exemple:** Vous avez parlé au contrôleur?
**Réponse:** Non, je me suis approché de lui mais je ne lui ai pas parlé.

**Exemple:** Vous avez parlé aux deux gendarmes?
**Réponse:** Non, je me suis approché d'eux mais je ne leur ai pas parlé.

5 Ils ont parlé au chef de gare?
6 Vous avez parlé à cette voyageuse?
7 Vous et votre ami, vous avez parlé aux deux cheminots?
8 Le cheminot vous a parlé?

★   ★   ★

## 35C 'Penser faire quelque chose'

| | |
|---|---|
| Que pensez-vous faire aujourd'hui? | What are you thinking of doing today? |
| Il pense pouvoir partir demain. | He thinks he will be able to leave tomorrow. |
| J'ai pensé mourir de rire. | I thought I should die of laughing. |
| Jérôme pensait revenir sur ses pas quand il découvrit un sentier. | Jérôme was thinking of retracing his steps when he discovered a path. |

**Exemple:** Il a pensé d'abord qu'il descendrait tranquillement.
**Réponse:** Il a pensé d'abord descendre tranquillement.

**Exemple:** Ils ont pensé qu'ils couperaient à travers champs.
**Réponse:** Ils ont pensé couper à travers champs.

**Exemple:** Nous avons pensé que nous verrions passer le train de marchandises.
**Réponse:** Nous avons pensé voir passer le train de marchandises.

Elle pense qu'elle prendra l'omnibus du matin.

2 Nous avons pensé que nous chercherions des places dans les voitures de tête.
3 Vous avez pensé que vous passeriez aussitôt sur le quai?
4 J'ai pensé que j'ai reconnu l'employé qui avait délivré le billet.
5 Il a pensé qu'il entendait le train entrer en gare.
6 J'ai pensé que je m'installerais dans la salle d'attente.
7 Ils ont pensé qu'ils descendraient du train à la gare la plus proche.
8 Quand j'ai pensé que je voyais s'approcher les mêmes gendarmes, je me suis sauvé à toutes jambes.

⋆    ⋆    ⋆

### 35D 'De façon que/de manière que/de sorte que', followed by the subjunctive expressing aim or intention

| | |
|---|---|
| Parlez de façon qu'on vous comprenne. | Speak in such a way that you are understood. |
| Il faut désigner rapidement du personnel nouveau qui fera de sorte que notre télévision soit l'une des meilleures du monde. | We must quickly appoint new staff who will work in such a way that our television will be one of the best in the world. |
| On a mis une barrière de manière que les piétons ne puissent plus passer. | A barrier has been put up so that pedestrians can no longer get by. |

**Exemple:** Il pense demander un renseignement aux gendarmes. De cette façon, ceux-ci seront déroutés.
**Réponse:** Ah, je vois. De façon qu'ils soient déroutés.

**Exemple:** Nous leur avons conseillé de passer au bureau de renseignements. De cette façon, ils sauront les heures des trains.
**Réponse:** Ah, je vois. De façon qu'ils sachent les heures des trains.

**Exemple:** Il a mis ses bagages sur la banquette. De cette façon, personne ne prendra sa place.
**Réponse:** Ah, je vois. De façon que personne ne prenne sa place.

1 Mettez-vous sous ce lampadaire. De cette façon on pourra vous voir.
2 Le mécanicien gare doucement la rame. De cette manière, les wagons ne seront pas tamponnés.
3 Allons nous asseoir dans la salle d'attente. De cette façon, il ne viendra pas nous déranger.
4 Je vais vous demander de rester dans la salle des pas perdus. De cette manière, vous aurez l'œil sur les allées et venues.

5 Nous prendrons le rapide du matin. De cette façon, elle finira son voyage avant la tombée de la nuit.

6 Laissez la porte entr'ouverte. De cette manière, j'entendrai la sonnerie du téléphone.

7 Rabattez votre chapeau sur les yeux. De la sorte, personne ne vous reconnaîtra.

8 Les employés de la poste travaillent pendant le trajet. De cette façon, tout le courrier sera trié avant l'arrivée.

★   ★   ★

## 35E  *'Avoir peur/craindre' + 'ne' + subjunctive*

| | |
|---|---|
| Je crains que ce que j'ai à dire ne soit très confidentiel. | I fear that what I have to say is very confidential. |
| J'ai peur qu'elle ne se soit foulé la cheville. | I'm afraid that she has sprained her ankle. |
| Avec votre vélomoteur, j'ai toujours peur que vous ne vous cassiez la figure. | With your motor-scooter I'm always afraid that you'll break your neck. |
| Nous craignons que les choses ne soient un peu plus compliquées. | We fear that things are a little more complicated. |
| Il craignait que le train de marchandises ne restât en gare toute la nuit. | He feared that the goods train would stay in the station all night. |
| On craignait que le président ne dût appliquer une majoration de 6% sur les impôts. | It was feared that the president would have to apply a 6% increase on taxes. |

**Exemple:** J'espère que le gendarme ne viendra pas ici.
**Réponse:** Vous craignez qu'il ne vienne ici?

**Exemple:** J'espère que le train n'est pas déjà en gare.
**Réponse:** Vous craignez qu'il ne soit déjà en gare?

**Exemple:** J'espère que maman n'a pas manqué le train.
**Réponse:** Vous craignez qu'elle ne l'ait manqué?

1 J'espère qu'il ne descendra pas avant l'arrêt du train.
2 J'espère que la correspondance n'est pas partie.
3 J'espère que le contrôleur ne se souviendra pas de moi.
4 J'espère qu'il ne nous a pas reconnus.

**Exemple:** J'espérais que le chariot ne tomberait pas sur la voie.
**Réponse:** Vous aviez peur qu'il ne tombât sur la voie?

5 J'espérais que l'employé ne courrait pas vers le téléphone.
6 J'espérais que le cheminot ne me verrait pas.
7 J'espérais qu'il ne serait pas dérouté.
8 J'espérais que le gendarme ne s'asseyerait pas à côté de moi.

## Verb Study

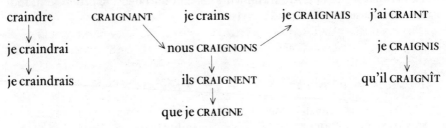

Conjugated like craindre: contraindre (quelqu'un à faire quelque chose), plaindre, se plaindre.

1 She didn't fear the journey by plane.
2 We have been complaining for years.
3 Will you compel them to leave?
4 They would compel you to do it if they could.
5 I don't want you to pity me.
6 Will you please stop complaining!
7 I was afraid that the train had already left.
8 He must compel them to work.
9 I had never complained.
10 If we compelled them to stay here what would happen?
11 They complained about everything.
12 He was afraid lest she should pity them.
13 They fear that the plane has crashed (= s'écraser au sol).
14 I would have complained if there had been a delay.
15 Speak to the ticket collector before complaining to the company.
16 She may have pitied them.
17 We are afraid that the departure will be delayed.
18 He will have to compel them to do it.
19 They were afraid that he had missed the connection.
20 You had just complained of the heat.

## Essay Subjects

1 La suite du voyage de Gilbert.
2 Le chemin de fer est-il dépassé comme moyen de transport?
3 La modernisation des chemins de fer.

# Translation

When the lorry was approaching the crossroads Jérôme asked the driver to let him get out. He thanked him for having given him a lift (= *conduire un bout de chemin*) and then, after the lorry had disappeared, he set off for the station. He thought that he would make his way across country, because he was afraid that someone would recognize him and report him to the police if he tried to reach the station by the road.

Provided that there were no gendarmes inside the station, he would catch the slow train which joined the main line at Dijon, so that from there he could travel either to Paris or Marseille. As he was approaching the station he heard the train rumbling up the valley. He quickened his pace and, after giving a quick glance around, went into the entrance hall to buy his ticket.

"Dijon, single, second," he said.

As soon as the clerk had issued the ticket Jérôme realized that he had recognized him. At first he thought of going slowly out of the station again, but when he turned round he saw two men standing side by side at the entrance in such a way that it was impossible to get through the door. The two men came up to him.

"Good evening, M. Cordier," said one of them. "We have been waiting for you for some time."

"I fear that you are mistaken," Jérôme replied calmly.

## 36 *Départ du rapide de Rome*

Si vous êtes entré dans ce compartiment, c'est que le coin couloir face à la machine est libre, cette place même que vous auriez fait louer par votre secrétaire comme à l'habitude, s'il avait été encore temps de retenir. Un homme assis en face de cette place où vous allez vous installer, vous dévisage, agacé par votre immobilité debout, ses pieds gênés par vos pieds; il voudrait vous demander de vous asseoir, mais les mots n'atteignent même pas ses lèvres timides et il se détourne vers le carreau, écartant de son index le rideau bleu baissé dans lequel est tissé le sigle S.N.C.F.

Assis, vous étendez vos jambes de part et d'autre de celles de cet homme qui a pris un air soulagé, vous déboutonnez votre épais manteau poilu, puis, saisissant avec violence la poignée chromée, vous vous efforcez de fermer la porte coulissante qui, après quelques soubresauts, refuse d'avancer plus loin. A travers la vitre, vous apercevez un autre train immobile qui, lui, ne partira vraisemblablement qu'une fois le vôtre aura quitté la gare.

Vos paupières, vous avez du mal à les tenir ouvertes, votre tête à la redresser; vous voudriez vous enfoncer dans l'encoignure, y creuser avec votre épaule un trou confortable, mais votre dos se tord en vain, puis il est pris par la secousse et le remuement.

L'espace extérieur s'agrandit brusquement; c'est une locomotive minuscule qui s'approche et qui disparaît sur un sol zébré d'aiguillages; votre regard n'a pu la suivre qu'un instant comme le dos lépreux de ces grands immeubles, ces poutrelles de fer qui se croisent, ce grand pont sur lequel s'engage un camion de laitier, ces signaux, ces caténaires, leurs poteaux et leurs bifurcations, ce café dont le rideau de fer se relève, cette première gare de banlieue avec son peuple en attente d'un autre train, ces petites villas de meulière dans leurs enclos avec leurs antennes de télévision.

La hauteur des maisons diminue, le désordre de leur disposition s'accentue, les accrocs dans le tissu urbain se multiplient, les buissons au bord de la route, les arbres qui se dépouillent de leurs feuilles, les premières plaques de boue, les premiers morceaux de campagne.

Un peu plus loin, la masse des bois de moins en moins interrompue de villages ou de maisons, tourne sur elle-même, s'entrouvre en une allée, se replie comme se masquant derrière un de ses membres. C'est une véritable forêt que le train longe, non traverse, puisqu'au delà de ce carreau où s'appuie toujours votre tempe, c'est le même spectacle de futaie qui va s'épaississant.

La voie ferrée y creuse une tranchée qui se resserre de sorte que vous ne voyez plus du tout le ciel, que le sol même se relève en de hauts remblais de terre nue ou de maçonnerie sur laquelle un instant, juste le temps de les reconnaître, se peignent en rouge sur un rectangle blanc les grandes lettres que vous avez lues maintes fois, que vous guettez à chaque passage, parce qu'elles vous indiquent soit que l'arrivée est prochaine soit que le voyage est vraiment commencé: FONTAINEBLEAU-AVON.

Ce train dans lequel vous êtes, pour chercher de plus amples renseignements sur lui, vous vous mettez à consulter l'indicateur Chaix pour la région sud-est. Ce train qui est parti comme il part tous les jours à huit heures dix de Paris–Lyon, qui comporte un wagon-restaurant comme l'indique cette petite fourchette et ce petit couteau entrecroisés, s'arrêtera vingt-trois minutes à Chambéry pour assurer une correspondance et au passage de la frontière pour les formalités (cette petite maison après le mot Modane, c'est le hiéroglyphe qui signifie douane), atteindra Roma–Termini enfin demain matin à cinq heures quarante-cinq, bien avant l'aube.

(Michel Butor, *La Modification*, Éditions de Minuit, 1957, pp 10–15 and 27–28)

| | |
|---|---|
| un aiguillage, 1. *points;* 2. *switching of the points* | l'exactitude (*f.*), *punctuality* |
| | le haut-parleur, *loudspeaker* |
| une amende, *fine, forfeit* | un indicateur, *timetable, guide* |
| un autorail, *rail-car* | la marche, *running (of train)* |
| la bifurcation, *fork, branching, junction* | dos à la marche, *back to the engine* |
| la caténaire, *overhead line (of electric railway)* | sens de la marche, *facing the engine* |
| | le panier-repas, *luncheon basket* |
| le chef de gare, *station master* | la passerelle, *footbridge* |
| circuler, *to run* | le poteau, *post, pole* |
| «train ne circulant pas tous les jours», *'train not running daily'* | la poutrelle, *small beam or girder* |
| | le remblai, *embankment* |
| la consigne, *left luggage office* | le réseau ferroviaire, *railway network* |
| la porte coulissante, *sliding door* | retenir une place, *to reserve a seat* |
| le déblai, *cutting* | le sigle, *initials, abbreviation, acronym* |
| s'ébranler, *to move off, to start* | S.N.C.F. = *Société nationale des Chemins de fer français* |
| enregistrer des bagages, *to register luggage* | le supplément, *excess fare* |

## Comprehension

1 Pourquoi le voyageur n'avait-il pas loué sa place habituelle?
2 Qu'est-ce que son compagnon de voyage n'avait pas le courage de lui demander?
3 Qu'est-ce que le narrateur aurait voulu faire?
4 Quelles indications y a-t-il que le départ a eu lieu d'assez bonne heure le matin?
5 Comment l'approche de la campagne se faisait-elle sensible?
6 Pourquoi le voyageur guettait-il la pancarte «Fontainebleau-Avon»?
7 Combien de temps est-ce que le rapide mettrait à atteindre Rome?

## Structural Exercises

### 36A 'Faire faire quelque chose par quelqu'un'

| | |
|---|---|
| Vous auriez fait louer cette place par votre secrétaire s'il avait été encore temps de retenir. | You would have had this seat reserved by your secretary if there had still been time to book. |
| Je ferai bâtir ma maison par cet architecte. | I shall have my house built by this architect. |
| Il a fait faire deux exemplaires par la dactylo. | He had the typist make two copies. |

**Exemple:** J'ai dit à ma secrétaire de louer une place.
**Réponse:** Ah, vous avez fait louer une place par votre secrétaire.

**Exemple:** J'ai demandé à mon voison de m'expliquer le sigle «S.N.C.F.».
**Réponse:** Ah, vous avez fait expliquer le sigle par votre voisin.

**Exemple:** Il a demandé à la S.N.C.F. de rembourser le prix des billets.
**Réponse:** Ah, il a fait rembourser le prix des billets par la S.N.C.F.

1 J'ai dit à ma secrétaire d'acheter un indicateur.
2 Elle a dit au porteur de mettre ses bagages à la consigne.
3 Nous avons demandé à l'employé d'enregistrer nos bagages.
4 Ils ont demandé au chef de gare d'envoyer un télégramme à l'hôtel.
5 J'ai demandé à un cheminot d'ouvrir la portière.
6 Nous avons dit à l'agence de voyages de retenir nos places.
7 Il a dit au chef de gare d'ouvrir la consigne.
8 L'empereur a demandé à des ingénieurs français de construire cette voie ferrée.

★　　★　　★

### 36B *Future perfect in a time clause*

| | |
|---|---|
| Cet autre train partira une fois que le vôtre aura quitté la gare. | That other train will leave once yours has left the station. |
| Faites-moi savoir quand vous aurez fini le travail. | Let me know when you have finished the work. |
| Vous pourrez téléphoner quand il sera arrivé chez lui. | You will be able to phone when he has arrived home. |
| Quand elle aura fait des économies, elle pourra rentrer en Espagne. | When she has saved some money she will be able to go home to Spain. |

**Exemple:** Le rapide n'a pas encore quitté la gare.
**Réponse:** Faites-moi savoir quand il aura quitté la gare.

**Exemple:** Le train n'est pas encore arrivé.
**Réponse:** Faites-moi savoir quand il sera arrivé.

**Exemple:** Ils ne se sont pas encore assis.
**Réponse:** Faites-moi savoir quand ils se seront assis.

1 Nous n'avons pas encore dépassé la bifurcation.
2 Je n'ai pas encore consulté le tableau des départs.
3 Le contrôleur n'a pas encore poinçonné les billets.
4 Les voyageurs ne sont pas encore descendus.
5 Le train n'est pas encore entré en gare.
6 Ils ne sont pas encore allés au wagon-restaurant.
7 Le train n'est pas encore parti.
8 Je ne me suis pas encore installé.

★   ★   ★

## 36C 'Avoir du mal à faire quelque chose'

| | |
|---|---|
| C'est une pièce que certaines gens ont eu du mal à comprendre. | It's a play which some people have had difficulty in understanding. |
| S'il était littéraire, il aurait beaucoup plus de mal à trouver une situation. | If he were an arts student he would have much more difficulty in finding a post. |
| Ils auront du mal à joindre les deux bouts. | They will have difficulty in making ends meet. |
| Elle a eu du mal à se faire accepter par les hommes. | She has had difficulty in getting herself accepted by the men. |

**Exemple:** Vous pouvez tenir vos paupières ouvertes?
**Réponse:** J'ai du mal à les tenir ouvertes.

**Exemple:** Est-ce que le cheminot peut faire fonctionner l'aiguillage?
**Réponse:** Il a du mal à le faire fonctionner.

**Exemple:** Ont-ils pu se frayer un chemin jusqu'au tableau des départs?
**Réponse:** Ils ont eu du mal à s'y frayer un chemin.

1 Vous pouvez fermer la porte coulissante?
2 On peut à peine s'entendre parler pendant que le train traverse ce déblai, n'est-ce pas?

3 Peut-il s'empêcher de dormir?
4 Pouvez-vous déchiffrer cet indicateur?
5 A-t-elle pu retenir une place?
6 Avez-vous pu grimper sur le remblai?
7 Vous avez pu trouver une place sens de la marche?
8 Vous avez pu distinguer ce que disaient les haut-parleurs?

★   ★   ★

### 36D 'Aller' + present participle, marking the continuity of the action

| | |
|---|---|
| Le nombre des femmes salariées va augmentant. | The number of wage-earning women is getting greater. |
| Peu élevé au départ, le salaire va croissant jusqu'à la fin de la formation. | Low at first, the wage goes on increasing until the end of the training. |
| Les troubles, les conflits iraient s'étendant. | Disturbances, conflicts would become more and more widespread. |
| Pendant trente années, le mystère était allé s'épaississant. | For thirty years the mystery had grown deeper and deeper. |
| Il est sûr que le temps réservé au déjeuner va se rétrécissant, du moins dans les grandes villes. | It is certain that the time allowed for lunch is getting progressively less, at least in big cities. |

**Exemple:** La futaie s'épaissit toujours.
**Réponse:** Oui, elle va toujours s'épaississant.

**Exemple:** Les signaux se multiplient toujours.
**Réponse:** Oui, ils vont toujours se multipliant.

**Exemple:** L'électrification croît toujours.
**Réponse:** Oui, elle va toujours croissant.

1 Le bruit rythmé de la locomotive s'accentue.
2 Les poteaux télégraphiques se rapetissent à perte de vue.
3 Les poutrelles s'élargissent toujours.
4 Votre inquiétude s'agrandit toujours?
5 Les jours s'allongent toujours.
6 La voie ferrée se rétrécit dans le lointain.
7 L'exactitude des trains s'améliore toujours.
8 Le nombre des cheminots diminue toujours.

★   ★   ★

## 36E 'De sorte que', followed by the indicative, indicating a result or consequence

| | |
|---|---|
| Dans une guerre, la mort, le sang impressionnent l'opinion de sorte qu'un gouvernement peut demander beaucoup au pays. | In a war, death, bloodshed impress public opinion so that a government can ask much of the country. |
| Il pleuvait, de sorte que j'ai été obligé de rentrer. | It was raining so that I was obliged to go home. |
| La voie ferrée y creuse une tranchée de sorte que vous ne voyez plus le ciel. | The railway track hollows out a cutting there so that you no longer see the sky at all. |

**Exemple:** L'autorail avait du retard; par conséquent, j'ai manqué ma correspondance.
**Réponse:** Oui, je vois: de sorte que vous avez manqué votre correspondance.

**Exemple:** Ce train ne comporte pas de wagon-restaurant; par conséquent, vous ferez bien d'acheter un panier-repas.
**Réponse:** Oui, je vois: de sorte que je ferai bien d'acheter un panier-repas.

**Exemple:** Nous avons perdu du temps au passage de la frontière; par conséquent, nous sommes arrivés à Rome avec une heure de retard.
**Réponse:** Oui, je vois: de sorte que vous êtes arrivés à Rome avec une heure de retard.

1 Il a tiré le signal d'alarme sans raison; par conséquent, il a dû payer une amende.
2 C'était un grand express international; par conséquent, nous avons dû payer un supplément.
3 Le train s'est ébranlé avec une secousse; par conséquent, j'ai été projeté contre la porte coulissante.
4 Nous avions loué des places; par conséquent, nous n'avions pas besoin de nous dépêcher.
5 La foule de voyageurs a pris le train d'assaut; par conséquent, nous avons eu du mal à trouver deux places dos à la machine.
6 Une des caténaires avait été endommagée; par conséquent, les trains électriques ne pouvaient pas circuler.
7 Le haut-parleur déversait un flot de paroles déformées; par conséquent, j'avais du mal à saisir les renseignements.
8 Le train roulait dans un déblai; par conséquent, je ne pouvais rien voir.

## Verb Study

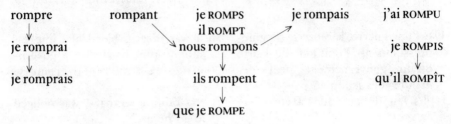

rompre      rompant      je ROMPS      je rompais      j'ai ROMPU

il ROMPT

je romprai      nous rompons      je ROMPIS

je romprais      ils rompent      qu'il ROMPÎT

que je ROMPE

Conjugated like rompre: se rompre, interrompre.

1. I broke the silence.
2. If they broke the bargain (= *le marché*) it would be serious.
3. Are you afraid that he will interrupt the speaker (= *l'orateur*)?
4. I would like to speak without your interrupting me.
5. I will let you speak without interrupting you.
6. We would have broken off the conversation if we had been able to.
7. We have just interrupted the electric current.
8. I said that I would not interrupt his work when I went to see him.
9. Let us break off the conversation.
10. We didn't speak to him, so that he should not interrupt his work.
11. I wonder if this pole will snap.
12. They had interrupted her, so that we didn't hear all that she wanted to say.
13. You ought not to break the bargain.
14. If he interrupts you take no notice.
15. We had had to break off the conversation.
16. He interrupted (*past historic*) me as soon as I had started speaking.
17. You will not be able to interrupt the speaker.
18. I am not breaking the bargain.
19. He could have broken his neck.
20. I was afraid he had broken his neck.

## Essay Subjects

1. La poésie des grands express internationaux.
2. Racontez un voyage en chemin de fer à la manière de Michel Butor.

## Translation

The night train leaving the Gare d'Austerlitz for Toulouse and the Spanish frontier was of immense length so that we would have to pass through fourteen coaches to reach the dining-car. "As soon as the train has moved off we will begin our long march," I said to Maurice.

All the passengers appeared to know each other and were talking volubly; as we progressed, the flood of words was increasing all the time and finally in the dining-car the din was so great that you had difficulty in hearing yourself speak. I had had two seats in the dining-car reserved by the travel agency, so that we soon found ourselves sitting at a table set for dinner; opposite us were two commercial travellers from Toulouse.

We had no difficulty in entering into conversation with them, particularly after we had had the waiter bring us some excellent wine. As the glasses were emptied and refilled, the Toulousains' accent was becoming more and more accentuated and we sometimes had difficulty in understanding them.

We reached Toulouse in the middle of the night, or rather early in the morning, and after the talkative Gascons had got out a strange silence descended. Before it was daylight we were approaching Perpignan and the train was becoming ever more empty. "When we have reached the frontier at Port-Bou we shall be nearly alone," said Maurice.

# 37  *Première traversée*

Juste Louvois entendait au-dessus de lui la respiration de son compagnon de cabine et, plus fortement, la respiration du navire sous la houle. Il reposait, mal à l'aise sans être malade, éveillé et cependant inerte, engourdi par le bercement égal de la mer. Son compagnon l'avait interrogé brièvement: «C'est la première fois que vous faites la traversée? Moi, c'est la dix-huitième.» Il lui avait annoncé quelques heures difficiles au matin du troisième jour, il lui avait peint les variétés de la première escale, l'avait mis au courant des usages du bord: «Nous prendrons nos repas à la même table. Si vous avez besoin de quoi que ce soit, ne vous gênez pas ...»

Il se réveilla quand son compagnon s'habillait. Par le hublot de la cabine, un air vif pénétrait en bouffées. Le navire roulait davantage. «Si vous vous sentez mal à l'aise, restez au lit. Ne vous forcez pas, lui dit son compagnon, nous allons être secoués toute la matinée.» Il parlait avec le ton de l'expérience et de la camaraderie indifférente. Quand il fut parti, Juste se leva, alla respirer la mer qui était beaucoup plus calme qu'il ne le pensait. Puis, s'étant habillé, il monta sur le pont et s'assit parmi les passagers.

Son compagnon vint le complimenter. «Vous êtes très vaillant, vous supportez la houle comme un vieux marin.» Ce compliment le flatta et fortifia sa confiance. Rien n'est plus facile que l'abandon au voyage. Les jours succèdent aux jours, les heures passent; la proue du navire fend les distances, vague après vague; la pensée peu à peu s'engourdit dans une mobilité monotone; les voyageurs regardent à travers les bastingages le déroulement de la mer, les lames crêtées d'écumes, les longues vagues qui déferlent, se brisant en embruns et renaissant sans cesse; leur esprit s'isole dans un présent sans contours jusqu'à ce que la première escale les rende à la réalité.

Le matin du quatrième jour, très tôt, il perçut un grand remuement dans le navire. Des hommes d'équipage marchaient dans les coursives, y transportaient des bagages qui heurtaient la paroi des couloirs. Des appels de sirène retentissaient, le bateau avançait plus lentement sans secousse. Juste s'était penché hors de son lit. Son compagnon, l'entendant remuer, lui dit le nom du port et précisait: «On ne pourra descendre à terre qu'à huit heures,» et se retourna pour continuer à dormir. Juste se leva et par le hublot il aperçut des digues, des bâtiments plats, des fourgons sous les grues, de hauts vapeurs à l'ancre. Le navire abordait précautionneusement. Il devint immobile sur les eaux clapotantes et souffla.

Du pont où il était monté, Juste regardait les indigènes qui se pressaient sur le quai, têtes levées vers le navire, prêts à le prendre d'assaut dès qu'on aurait ouvert la coupée. Il s'allongea dans un transatlantique, regardant le fronton

284

d'un magasin, bas et long, où s'inscrivait en lettres d'or, sur une façade blanche, le nom du propriétaire.

«Alors, ça vous plaît? ... belle lumière, hein? ... il ne fait pas encore trop chaud.» C'était la voix de son compagnon, debout près de lui. «On appareillera sans doute cet après-midi à cinq heures, il faut être rentré à quatre ... Vous avez le temps d'acheter de faux saphirs, de perdre votre argent au tripot, ou de prendre le thé en musique avec des chanteuses ... Mais à votre place, je me passerais de ces plaisirs. D'autant que vous les retrouverez, ils sont partout les mêmes.»

(Gérard Bauër, *Quelqu'un d'autre*, Albin Michel, 1963, pp 35–40)

| | |
|---|---|
| aborder, *to berth* | l'équipage (*m.*), *crew* |
| l'ancre (*f.*), *anchor* | une escale, *port of call* |
| appareiller, *to get under way, to get under* | faire escale à ..., *to put in at ...* |
| steam | la grue, *crane* |
| l'arrière (*m.*), *stern* | la houle, *swell, surge* |
| l'avant (*m.*), *bow* | le hublot, *port-hole* |
| le bastingage, *bulwarks* | la lame, *ridge of wave, roller* |
| à bord, *on board* | avoir le mal de mer, *to be sea-sick* |
| la cabine, *cabin* | le navire, *ship* |
| la cale, *hold* | le passager, *passenger (by sea or air)* |
| le clapotis, *lapping (of waves)* | la passerelle, 1. *gangway;* 2. *bridge (of* |
| la coupée, *gangway* | *ship)* |
| la coursive, *fore and aft gangway* | le pont, *deck* |
| débarquer, *to disembark, to land* | la proue, *prow* |
| déferler, *to break (into foam)* | rouler, *to roll* |
| la digue, *breakwater, jetty* | le roulis, *rolling* |
| l'écume (*f.*), *foam* | la sirène, *siren, hooter* |
| s'embarquer, *to embark* | le tangage, *pitching* |
| l'embrun (*m.*), *spray* | tanguer, *to pitch* |

## Comprehension

1 Pour quand le compagnon de cabine prévoyait-il des heures difficiles?
2 Comment se faisait-il qu'il sût tout concernant la traversée?
3 Qu'est-ce qu'il a conseillé à Juste, en cas de malaise?
4 De quoi l'a-t-il félicité?
5 Quel effet le voyage produisait-il sur la pensée?
6 Qu'est-ce qui a rendu les passagers à la réalité?
7 A l'escale, quels renseignements le compagnon de cabine a-t-il fournis à Juste?
8 Pourquoi déconseillait-il la visite du port?

## Structural Exercises

### 37A 'Quoi que ce soit'; 'quoi que', followed by the subjunctive

| | |
|---|---|
| J'ai voulu que vous soyez ici avant qu'on ne touche à quoi que ce soit. | I wanted you to be here before they touched anything at all. |
| Elle n'a pas le moindre désir d'acheter quoi que ce soit. | She hasn't the slightest desire to buy anything. |
| Il n'y a jamais eu de vol, ni disque, ni livre, ni quoi que ce soit. | There has never been a theft, neither a record nor a book, nor anything at all. |
| Quoi qu'il dise ou fasse, on ne lui fera plus confiance. | Whatever he says or does, people will no longer have confidence in him. |
| Quoi qu'on puisse en penser, c'est ce que je vais faire. | Whatever people may think of it, that's what I'm going to do. |

**Exemple:** Voulez-vous manger quelque chose?
**Réponse:** Merci, je n'ai pas envie de manger quoi que ce soit.

**Exemple:** Veut-il lire le journal?
**Réponse:** Merci, il n'a pas envie de lire quoi que ce soit.

1 Voulez-vous regarder la mer par le hublot?
2 Voulez-vous acheter quelque chose à la première escale?
3 Est-ce que les enfants veulent boire quelque chose?
4 Vous et vos amis, voulez-vous prendre du thé?

**Exemple:** Vous pourrez faire ce que vous voudrez, il fera toujours trop chaud dans cette cabine.
**Réponse:** Oui, quoi que je fasse, il fera trop chaud.

**Exemple:** Nous dirons ce que nous voudrons, on ne nous laissera débarquer qu'à huit heures.
**Réponse:** Oui, quoi que nous disions, on ne nous laissera débarquer qu'à huit heures.

5 Vous pourrez faire ce que vous voudrez, vous aurez le mal de mer.
6 Il pourra dire ce qu'il voudra, ce navire roule et tangue excessivement.
7 Ils pourront faire ce qu'ils voudront, on ne leur fera plus confiance.
8 Vous pourrez entendre quelque chose, vous n'en direz rien.

★　　★　　★

## 37B 'Ne' in a subordinate clause, after a comparison

| | |
|---|---|
| La situation est beaucoup plus grave qu'on ne le dit. | The situation is much more serious than people say. |
| Je dînai, beaucoup mieux que je ne m'y attendais, dans un café du quartier. | I dined, much better than I expected to, in a local café. |
| Cette modeste expérience nous a entraînés plus loin que nous ne le pensions. | This modest experiment took us further than we thought. |
| Paris semble, en ce début d'août, moins désert qu'il ne l'était l'été dernier. | Paris seems, at the beginning of this August, less deserted than it was last summer. |

**Exemple:** Il pensait que la mer serait moins calme.
**Réponse:** La mer était donc plus calme qu'il ne le pensait.

**Exemple:** Elle avait pensé qu'il y aurait moins de navires à l'ancre.
**Réponse:** Il y avait donc plus de navires à l'ancre qu'elle ne l'avait pensé.

**Exemple:** J'aurais voulu que la sirène fût moins bruyante.
**Réponse:** La sirène était donc plus bruyante que vous ne l'auriez voulu.

1 Je pensais que la houle serait moins forte.
2 Elle pensait que la cabine serait moins grande.
3 Je pensais que le vapeur irait moins vite.
4 Nous avions pensé que la traversée serait moins longue.
5 J'avais pensé que le transatlantique serait moins confortable.
6 Nous avions estimé que la digue serait moins haute.
7 J'aurais cru qu'il y avait moins de passagers à bord.
8 J'aurais voulu que la coupée fût moins étroite.

★   ★   ★

## 37C Subjunctive after 'jusqu'à ce que'

| | |
|---|---|
| Ces avions doivent être interdits de vol jusqu'à ce que la preuve soit faite qu'ils ne sont pas dangereux. | These planes must be grounded until proof is given that they are not dangerous. |
| Je verrai cet instant jusqu'à ce que je meure. | I shall see that moment until I die. |
| Restez ici jusqu'à ce que je revienne. | Stay here until I come back. |
| L'esprit des voyageurs s'isole dans un présent sans contours jusqu'à ce que la première escale les rende à la réalité. | The travellers' minds are insulated in a formless present until the first intermediary stop brings them back to reality. |

**Exemple:** Nous allons rester sur le quai; le navire partira tout à l'heure.
**Réponse:** C'est ça; restez-y jusqu'à ce que le navire parte.

**Exemple:** Je vais regarder la télévision; vous reviendrez bientôt.
**Réponse:** C'est ça; regardez-la jusqu'à ce que je revienne.

**Exemple:** Je vais me reposer; je me sentirai bientôt mieux.
**Réponse:** C'est ça; reposez-vous jusqu'à ce que vous vous sentiez mieux.

1 Je vais rester au lit; le bercement sera moins fort tout à l'heure.
2 Je vais garder l'argent; nous ferons bientôt escale à Alger.
3 Nous resterons sur le pont; tous les passagers se seront bientôt embarqués.
4 Je resterai assis; je me sentirai mieux tout à l'heure.
5 Je vais lire; vous viendrez me chercher tout à l'heure.
6 Je vais attendre ici; nous aborderons tout à l'heure.
7 Je vais m'asseoir sur ce transatlantique; nous débarquerons tout à l'heure.
8 Je vais me coucher; la houle sera bientôt moins forte.

★   ★   ★

## 37D 'Ne ... que' = 'not until'

| | |
|---|---|
| On ne pourra descendre à terre qu'à huit heures. | We won't be able to go ashore until eight o'clock. |
| Vous ne le verrez que demain. | You won't see him until tomorrow. |
| Je ne suis arrivé à l'embarcadère que lorsque tous les passagers étaient montés à bord. | I didn't get to the landing-stage until all the passengers had gone aboard. |
| Ne partez que lorsque je vous aurai remis les papiers. | Don't go until I have handed you the papers. |

**Exemple:** Je ne descendrai pas à terre avant huit heures.
**Réponse:** Non, vous ne descendrez à terre qu'à huit heures.

**Exemple:** Vous ne ferez pas la traversée avant septembre?
**Réponse:** Non, je ne ferai la traversée qu'en septembre.

1 Nous n'aborderons pas avant cinq heures.
2 Nous ne ferons pas escale avant Gibraltar.
3 Ce vapeur n'appareillera pas avant midi.
4 Les passagers ne monteront pas à bord avant minuit.

**Exemple:** Avez-vous eu le mal de mer avant que le navire ait commencé à rouler?
**Réponse:** Non, je ne l'ai eu que lorsqu'il a commencé à rouler.

**Exemple:** A-t-il entendu la sirène avant que le navire ait pris le large?
**Réponse:** Non, il ne l'a entendue que lorsqu'il a pris le large.

5 A-t-il vu le danger avant que la vague ait déferlé?
6 Ont-ils remarqué le clapotis avant que les machines se soient arrêtées?
7 Avez-vous vu la grue avant qu'elle se soit approchée du navire?
8 Avez-vous retrouvé votre compagnon de cabine avant qu'il soit monté sur le pont?

★    ★    ★

## 37E *Conditional perfect in a time clause*

| | |
|---|---|
| Il a dit que nous pourrions voir l'endroit précis dès que nous aurions pris le tournant prochain. | He said that we would be able to see the exact spot when we had gone round the next bend. |
| Elle a promis que nous nous reverrions après qu'elle serait revenue du Portugal. | She promised that we would see each other again when she had come back from Portugal. |
| Il m'assura que je me sentirais mieux quand je me serais promené un peu en plein air. | He assured me that I would feel better when I had walked a little in the open air. |

**Exemple:** « Les indigènes prendront le navire d'assaut dès qu'on aura ouvert la coupée. »
Quand a-t-il dit que les indigènes prendraient le navire d'assaut?
**Réponse:** Dès qu'on aurait ouvert la coupée.

**Exemple:** « Quand vous aurez fait la traversée autant de fois que moi, vous ne vous étonnerez plus de rien. »
Quand a-t-il dit que vous ne vous étonneriez plus de rien?
**Réponse:** Quand j'aurais fait la traversée autant de fois que lui.

**Exemple:** « Il viendra me parler dès que je me serai accoudé au bastingage. »
Quand avez-vous pensé qu'il viendrait vous parler?
**Réponse:** Quand je me serais accoudé au bastingage.

1 « Nous débarquerons dès que le navire aura abordé. »
Quand a-t-il dit que nous débarquerions?
2 « Je descendrai à ma cabine après que la grue aura déposé ma voiture dans la cale. »
Quand a-t-il dit qu'il descendrait à sa cabine?
3 « Mon compagnon de cabine se sentira mieux quand il se sera reposé. »
Quand avez-vous pensé qu'il se sentirait mieux?

4 «Les passagers se sentiront mieux quand ils se seront accoutumés à la houle.»
Quand est-ce que le capitaine a dit que les passagers se sentiraient mieux?
5 «Je monterai m'asseoir sur le pont dès que le bateau aura cessé de rouler et de tanguer.»
Quand a-t-il dit qu'il monterait s'asseoir sur le pont?
6 «Vous vous endormirez une fois que vous serez allongé dans un transat.»
Quand a-t-il dit que vous vous endormiriez?
7 «Des indigènes prendront le navire d'assaut dès qu'il sera entré dans le port.»
Quand a-t-il dit que des indigènes prendraient le navire d'assaut?
8 «Le navire appareillera dès que tous les passagers se seront embarqués.»
Quand le haut-parleur a-t-il annoncé que le navire appareillerait?

## Verb Study

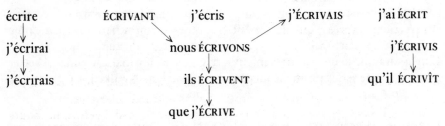

Conjugated like écrire: décrire, s'inscrire.

1 I would have written if I had been able to.
2 You were about to sign the cheque.
3 He said that he would leave when she had typed (= écrire à la machine) the letter.
4 They must have put down their names.
5 You didn't describe the man you saw.
6 We had just registered.
7 Would he have written it in that way?
8 Would you have liked to put down your name?
9 There was nobody who was writing.
10 If only I had written that letter!
11 It is better that we should write nothing.
12 Has she put down her name?
13 Until he wrote they didn't know what had happened.
14 We might register.
15 I hope that you will write me a line (= un mot).
16 Whatever he writes it won't convince me.
17 I ought to have typed that letter.

18 You will want to put down your name.
19 Months have gone by without his having written.
20 They weren't writing anything at all.

## Essay Subjects

1 « Il est bon de voyager quelquefois; cela étend les idées et rabat l'amour-propre. » (Sainte-Beuve)
« Voyager est, quoi qu'on en puisse dire, un des plus tristes plaisirs de la vie. » (Mme de Staël)
A laquelle de ces opinions souscrivez-vous?
2 Montrez l'influence que la mer a exercée sur la civilisation.
3 Au cours d'une croisière, vous avez malheureusement fait la connaissance d'un raseur, M. Saitout. Décrivez vos mésaventures.

## Translation

My travelling companion was really very helpful (= *serviable*). He advised me to stay in bed until the ship had finished rolling and pitching. The sea was certainly rougher than I had imagined it and I felt ill at ease without being sick. I wouldn't have wanted to eat anything at all, so I decided not to get up until the sea was calmer. I closed my eyes and fell asleep again.

When I awoke the swell was less strong than it had been some hours previously and the idea came to me that, whatever my cabin companion might say, I would feel better once the fresh sea air had wakened me up completely.

When I had staggered up on deck I found that the wind was stronger than I had expected, but breathing the fresh air did me good. I walked round the deck until the sick feeling had disappeared, and then I saw my companion sitting in a deck-chair.

"My compliments," he said. "You've got your sea legs (= *avoir le pied marin*). Come and sit down. We shan't be able to have lunch until one o'clock."

# 38 *Votre vol: conseils et renseignements*

La voix de l'hôtesse de l'air se fait entendre par les haut-parleurs: «Le commandant Desjardins et son équipage sont heureux de vous accueillir à bord. Notre première escale sera à Nice et notre temps de vol sera d'une heure cinquante minutes. Nous décollerons dans quelques instants; veuillez attacher vos ceintures pour le décollage.»

Voyager par avion à réaction fait partie de la vie moderne. Ce mode de transport est à la fois palpitant et attrayant, tout en étant aussi sûr et aussi confortable que si vous étiez chez vous. Si vous désirez incliner votre dossier, il vous suffit de presser le bouton que vous trouverez sous l'accoudoir de votre fauteuil: les sièges sont ajustables. Par raison de sécurité, il est demandé de redresser les sièges ajustables pendant le décollage et l'atterrissage et d'agrafer votre ceinture de sécurité.

Peut-être constaterez-vous des places vides alors que votre vol était annoncé complet. L'appareil ayant un poids maximum à respecter pour le décollage, des quantités supplémentaires de carburant ou de colis postaux peuvent contraindre la compagnie de navigation aérienne à limiter le remplissage de la cabine.

Par «heure de départ» s'entend le moment où l'appareil commence à rouler sur le sol avant le décollage. Pour ceci, cependant, le Commandant de Bord doit avoir la permission du Contrôle du Trafic Aérien, ce qui peut causer une brève période d'attente.

Dans les avions modernes, la pressurisation a, en pratique, fait disparaître le malaise d'oreilles dû au changement de pression d'air. Quelle que soit l'altitude de vol de l'appareil à bord duquel vous voyagez, la pression d'air est maintenue à celle d'une altitude où vous vous sentez à l'aise. Dans le cas où vous éprouveriez un malaise de ce genre, vous pouvez vous en débarrasser soit en avalant soit en vous pinçant le nez ou en vous mouchant.

Il n'est pas interdit de fumer à bord, sauf pendant le décollage ou l'atterrissage. Toutefois, afin de ne pas incommoder certaines personnes, le personnel de bord pourra vous demander de ne pas fumer le cigare ou la pipe. Dans la plupart des appareils vous trouverez un cendrier dans l'accoudoir de votre siège.

Pendant que nous survolons Versailles à 6000 mètres d'altitude, les hôtesses de l'air circulent, distribuant les plateaux de déjeuner: hors-d'œuvre variés, bœuf rôti froid «Côte d'Azur», fromage, tarte aux fruits, le tout arrosé d'un flacon d'eau minérale (le vin est en supplément) et d'une tasse de café. Des liqueurs, des cigarettes et des flacons de parfum sont en vente, à des prix inférieurs au tarif normal.

Les premières indications annonçant que vous atteignez votre destination peuvent être un changement de régime des moteurs, le bruit du train d'atterrissage qui s'abaisse et des volets qui sortent. Lors de l'atterrissage, vous pourrez constater de fréquents changements dans le bruit du moteur. Sous le contrôle du commandant, le régime des réacteurs est ajusté automatiquement pour corriger la vitesse d'approche et de l'atterrissage. Comme l'équipement automatique est très sensible, l'avion effectue son approche sur la piste avec une précision exceptionnelle qui entraîne de minimes changements de régime, remarquables au bruit des moteurs. Lorsque vous serez sur la piste, il est possible que vous entendiez vrombir les moteurs tout à coup, mais ne craignez rien, le Commandant de Bord se sert simplement de la poussée contraire comme force de freinage supplémentaire.

« Mesdames, mesdemoiselles, messieurs, dans quelques minutes nous allons atterrir à Nice. Pendant l'atterrissage, veuillez attacher vos ceintures et rester assis jusqu'à ce que l'appareil soit complètement immobilisé et que les moteurs soient arrêtés. Avant de quitter l'appareil, assurez-vous que vous avez emporté tous vos bagages à main et que vous n'avez rien laissé dans la cabine. »

(«Service à bord», Air-France)

---

| | |
|---|---|
| un accoudoir, *arm-rest* | le dossier, *back (of seat)* |
| agrafer, *to fasten, to hook up* | une escale, *intermediate landing* |
| prendre de l'altitude (*f.*), *to gain height* | l'hôtesse de l'air, *air-hostess* |
| un appareil, *aircraft* | un incident technique, *technical hitch* |
| atterrir, *to land* | le malaise d'oreilles, *discomfort in the* |
| l'atterrissage (*m.*), *landing* | *ears* |
|    un atterrissage forcé, *forced landing* | le moteur, *engine* |
| un avion à réaction, *jet plane* | le personnel de bord, *cabin crew* |
| les bagages à main, *hand luggage* | la piste, *runway* |
| le carburant, *fuel* |    la piste d'atterrissage, *landing runway* |
| le cendrier, *ash-tray* |    la piste d'envol, *take-off runway* |
| le colis postal, *postal packet* | la pressurisation, *pressurization* |
| le commandant (de bord), *captain (of* | le régime, *running (of engines)* |
|    *aircraft)* | le siège ajustable, *adjustable seat* |
| le décollage, *take-off* | le train d'atterrissage, *undercarriage* |
| décoller, *to take off* | le vol, *flight* |
| dégrafer, *to unfasten, to unhook* | le volet, *flap* |

## Comprehension

   Avant le décollage, qu'est-ce qu'il est demandé aux passagers de faire?

   Pourquoi peut-il y avoir une brève période d'attente quand l'appareil est déjà sur la piste de décollage?

   Quel est l'effet de la pressurisation de l'appareil?

   Pour incliner le dossier du siège, que suffit-il de faire?

5 Dans quel dessein les hôtesses de l'air circulent-elles?

6 A quoi peut-on reconnaître qu'on atteint sa destination?

7 Pourquoi le Commandant de Bord fait-il vrombir les moteurs après avoir atterri?

8 Jusqu'à quand faut-il rester assis?

## Structural Exercises

### 38A 'Il suffit de' + infinitive

| | |
|---|---|
| Pour gagner de l'argent avec les Bons d'Épargne, il suffit d'attendre. | To make money with Savings Bonds all you have to do is wait. |
| Il ne suffit pas, en effet, de désintoxiquer le drogué; le plus important est l'entrée dans une nouvelle vie. | Indeed, it is not enough to 'dry out' the drug addict; the most important thing is the entry upon a new life. |
| Il suffira de le lui dire. | It will be enough to tell him so. |
| Il ne leur a pas suffi d'exporter du coton, du cuivre. | It wasn't enough for them to export cotton and copper. |
| Il lui suffisait de vivre en paix. | It was enough for him to live in peace. |

**Exemple:** Vous n'avez qu'à presser le bouton.
**Réponse:** Compris. Il me suffit de presser le bouton.

**Exemple:** Ils n'auront qu'à voir l'atterrissage.
**Réponse:** Compris. Il leur suffira de voir l'atterrissage.

**Exemple:** Il n'aurait qu'à emporter avec lui des bagages à main.
**Réponse:** Compris. Il lui suffirait d'emporter des bagages à main.

1 Vous n'avez qu'à incliner le dossier du siège.

2 Pour dégrafer la ceinture de sécurité, vous n'avez qu'à lever la boucle.

3 Le pilote n'a qu'à abaisser le train d'atterrissage.

4 Vous n'aurez qu'à vous adresser à l'hôtesse de l'air.

5 Pour appeler l'hôtesse de l'air, vous n'aurez qu'à allumer.

6 Il n'aura qu'à écouter le régime du moteur.

7 Nous n'aurions qu'à vérifier le carburant.

8 Pour éviter le malaise d'oreilles, elle n'aurait qu'à avaler.

★　　★　　★

### 38B 'Contraindre quelqu'un à faire quelque chose'

| | |
|---|---|
| La quantité supplémentaire de carburant peut contraindre la com- | The extra amount of fuel may comp· the company to limit the number · |

pagnie à limiter le remplissage de la cabine.

seats to be filled.

L'État ne peut contraindre les éditeurs à faire imprimer leurs magazines en France.

The State cannot compel publishers to have their magazines printed in France.

Les circonstances l'ont contraint à agir contre son gré.

Circumstances have compelled him to act against his will.

Son père l'a contraint à chercher du travail.

His father compelled him to look for work.

**Exemple:** Qu'est-ce qui a contraint les passagers à agrafer leurs ceintures de sécurité? La turbulence de l'air?
**Réponse:** Oui, voilà justement ce qui les a contraints à les agrafer.

**Exemple:** Qu'est-ce qui a contraint les avions à décoller et à atterrir sur la même piste? La neige?
**Réponse:** Oui, voilà justement ce qui les a contraints à y décoller et atterrir.

**Exemple:** Qu'est-ce qui a contraint la compagnie à limiter le remplissage de la cabine? La quantité supplémentaire de carburant?
**Réponse:** Oui, voilà justement ce qui l'a contrainte à le limiter.

1 Qu'est-ce qui a contraint le commandant à dévier l'avion sur Bruxelles? Un incident technique?
2 Qu'est-ce qui vous a contraint à déjeuner à l'aéroport? Le retard?
3 Qu'est-ce qui a contraint la compagnie à supprimer ses vols? La grève?
4 Qu'est-ce qui a contraint l'avion à atterrir à Lyon? L'orage?
5 Qu'est-ce qui a contraint les avions à rester au sol? La détérioration du temps?
6 Qu'est-ce qui a contraint le pilote à faire demi-tour? Un incendie à bord?
7 Qu'est-ce qui a contraint le personnel de bord à porter les bagages des passagers? Une grève du personnel non-navigant?
8 Qu'est-ce qui a contraint la compagnie à supprimer cette escale? La situation politique?

★    ★    ★

38C 'Quel que soit ...'; 'quel que fût ...'

Quelle que soit votre destination, on s'occupe de vous.

Whatever your destination may be, you are looked after.

Quelles que soient vos aptitudes, l'orienteur les décèlera.

Whatever your abilities may be, the vocational adviser will identify them.

La recherche d'un absolu, quel qu'il soit (fascisme ou communisme, par exemple), ne peut mener qu'à la faillite.

The search for an absolute [truth], whatever it may be (fascism or communism, for example), can only lead to failure.

Ce protocole s'applique à toutes les sections, quel que soit le nombre de leurs participants, quel que soit le sport.

This procedure applies to all sections, whatever the number of their members may be, whatever the sport may be.

**Exemple:** A n'importe quelle altitude, la pression d'air est maintenue à celle d'une altitude où vous vous sentez à l'aise.
**Réponse:** Vraiment? Quelle que soit l'altitude?

**Exemple:** A n'importe quelle escale, vous trouverez un représentant de la compagnie.
**Réponse:** Vraiment? Quelle que soit l'escale?

**Exemple:** Sur n'importe quelle piste d'atterrissage, le pilote atterrissait toujours sans rebondir.
**Réponse:** Vraiment? Quelle que fût la piste d'atterrissage?

1 A n'importe quelle vitesse d'approche, le régime des réacteurs est ajusté automatiquement.
2 Dans n'importe quelle compagnie, les hôtesses de l'air sont toujours d'une beauté remarquable.
3 A n'importe quelle heure de départ, je vous accompagnerai à l'aéroport.
4 Avec n'importe quel carburant, il y a toujours un risque d'incendie.
5 Avec n'importe quelle pressurisation, il éprouvait toujours un malaise d'oreilles.
6 Par n'importe quel temps, ses ordres étaient de décoller.
7 Dans n'importe quel appareil, ils éprouvaient toujours une légère angoisse au décollage.
8 A n'importe quelle vitesse, cet avion faisait un bruit assourdissant.

★   ★   ★

38D  *'Il est interdit/recommandé/conseillé/déconseillé de faire quelque chose*

Il est interdit de fumer dans la salle.

Smoking is forbidden in the hall.

Il est recommandé à nos clients de ne pas laisser des objets de valeur dans les chambres.

Our guests are strongly advised not to leave valuables in the bedroom

Il est conseillé au candidat de ne pas hésiter à faire des promesses.

The candidate is advised not t hesitate to make promises.

Il est vivement déconseillé de prendre un virage en freinant.

Taking a corner while braking is most certainly not to be recommended.

**Exemple:** Peut-on fumer sur la piste d'envol?
**Réponse:** Non, il est interdit de fumer sur la piste d'envol.

**Exemple:** Peut-on mettre à bord de l'avion plus qu'un poids maximum?
**Réponse:** Non, il est interdit de mettre à bord plus qu'un poids maximum.

1 Peut-on mettre des objets lourds dans le filet?
2 Peut-on emporter en avion plus qu'un certain poids de bagages?
3 Peut-on fumer pendant le décollage et l'atterrissage?
4 Peut-on descendre de l'avion pendant l'escale?

**Exemple:** Faut-il garder votre ceinture attachée si vous restez assis?
**Réponse:** Oui, il est recommandé de la garder attachée.

**Exemple:** Faut-il faire assurer vos bagages?
**Réponse:** Oui, il est recommandé de les faire assurer.

5 Faut-il redresser les sièges pendant le décollage et l'atterrissage?
6 Faut-il vous boucher les oreilles quand décolle un avion à réaction?
7 Faut-il sucer un bonbon pendant le décollage?
8 Faut-il laisser les objets de valeur au bureau de l'hôtel?

★ ★ ★

38E *Subjunctive after 'il est possible que'*

Il est possible que vous entendiez vrombir les moteurs tout à coup.

It is possible that you will suddenly hear the engines whir.

Il est possible que votre vue ne soit pas parfaite.

It is possible that your sight is not perfect.

Il est possible qu'il y ait des difficultés.

It is possible that there may be difficulties.

Il est possible qu'il fasse froid.

It is possible that it will be cold.

**Exemple:** C'est peut-être une hôtesse de l'air qui passe?
**Réponse:** Oui, il est possible que ce soit une hôtesse de l'air.

**Exemple:** Il y aura peut-être des places vides?
**Réponse:** Oui, il est possible qu'il y ait des places vides.

**Exemple:** Il viendra peut-être à Orly?
**Réponse:** Oui, il est possible qu'il vienne à Orly.

1 Nous décollerons peut-être un peu avant l'heure?
2 C'est peut-être le commandant?
3 Nous survolerons peut-être Clermont-Ferrand?
4 On fera peut-être escale à Lyon?
5 Je verrai peut-être Concorde?
6 L'avion atterrira peut-être sur l'autre piste?
7 Un des moteurs s'est peut-être arrêté?
8 Il y a peut-être un incident technique?

## Verb Study

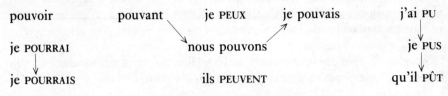

1 We will leave when you have been able to phone.
2 Will they be able to help you?
3 He could have avoided the accident.
4 If I couldn't come I would let you know.
5 Where can they be?
6 I am surprised that he should be able to go on holiday.
7 We hadn't been able to attend the meeting.
8 May I help you?
9 He must have been able to get out of the car.
10 I will come as soon as I can.
11 All the same, you might have made less noise.
12 I hoped that they would be able to come.
13 It is possible that he can help you.
14 We might not arrive in time.
15 I may have been mistaken.
16 Every day the children were able to play in the garden.
17 The door may have closed.
18 She could finish in time if she tried.
19 I don't think that they will be able to come.
20 It is possible that he could have survived?

## Essay Subjects

1 Baptême de l'air: le premier vol.
2 «Si l'on entreprenait, aujourd'hui, un referendum secret, parmi les popul

tions européennes, pour abolir l'aviation, je suis sûr que la grande majorité des hommes se prononcerait pour cette abolition, car les bienfaits personnels qu'ils tirent de cette invention sont bien peu de chose au prix de l'épouvante qu'elle leur inspire.» (G. Duhamel)

3 Les pirates de l'air.

## Translation

It will be perhaps enough to tell you that it was Friday, the thirteenth, but whatever your opinion about superstition may be, it is certainly true that everything which could go wrong (= *aller de travers*) did, indeed, go wrong.

It all started a few minutes after take-off. As usual, we had been asked to fasten our seat-belts and told that smoking was forbidden. We gained height and we were waiting for the air-hostess to make the usual announcement: "Ladies and gentlemen, you may smoke. You will find an ash-tray in the arm-rest of your seat. You are recommended not to unfasten your seat-belt if you remain seated as it is possible that there will be a little turbulence during the flight."

But no, it was a man's voice which was heard over the loud-speakers: "Captain Tourneur speaking. I'm afraid that there has been a slight technical hitch, which compels us to turn back and land. At take-off, my instruments indicated that one of the doors hasn't closed. In such cases it is enough to have the door and the instrument checked. It won't take long."

"Well," I thought, "it is possible that it is only an electrical defect, but whatever the explanation may be, one thing is certain: this delay is going to compel many passengers to change their plans."

# 39 *Nuit sur la plage*

Michel ne sait pas comment cela s'est fait. Mais maintenant il est très fatigué, ses jambes sont lourdes: il a marché jusqu'à la mer. Il ne le regrette pas. La mer en pleine nuit est fascinante, il ne la voit pas encore mais il en perçoit le bruit profond et régulier. Il est étonné de découvrir dans l'obscurité et dans le calme ce site qui d'ordinaire est livré à la vie et à la couleur, il revoit une plage grouillante de baigneurs, piquée de parasols et de tentes multicolores, de puissantes voitures roulant lentement sur la corniche, des promeneurs au soleil. Mais maintenant il n'y a personne, pas même un passant attardé.

Il quitte la route et se dirige vers la rampe de métal qui borde la corniche. Il voit enfin la mer. Ou plutôt il ne la voit pas tout de suite car, comme il s'y attendait, la ligne de partage de la mer et de la nuit, malgré la lune et les étoiles (mais plusieurs sont voilées, il y a de nouveau des mèches cotonneuses de nuages), n'est pas nette et ce qui s'offre tout d'abord à son regard n'est rien d'autre qu'un vaste golfe d'ombre trouée de mouvantes clartés blanches, sans doute des taches d'écume. Mais ses yeux s'habituent vite à ce paysage sombre et la surface de la mer lui est peu à peu révélée, découverte.

Il s'appuie à la rampe et même à travers sa gabardine sent le froid du métal. L'air est devenu vif maintenant et, comme il arrive souvent au bord de la mer, il est froissé de temps en temps par de courtes rafales. Michel songe un instant à fermer complètement le col de sa gabardine, puis par une impulsion étrange il fait le contraire: il l'ouvre, il dégrafe sa chemise, il enlève sa cravate qu'il roule en boule et enfouit dans sa poche. Il respire, il jouit pleinement de l'air nocturne et des forts effluves de la mer. Appuyé des deux bras à la rampe, il regarde les grands creux moirés de la surface de l'eau, il observe les crêtes grises que forme le léger ressac des vagues, impossibles à prévoir, effacées aussitôt apparues, il lui semble n'avoir jamais rien connu de si calme, de si reposant, il pense qu'il aimerait rester là des heures.

De temps en temps passent au ras de la mer des traces pâles, comme des feuilles vivement retournées par le vent. Michel se demande si ce sont des oiseaux, des mouettes peut-être, mais il ne sait absolument pas si cela est possible, si des oiseaux survolent réellement l'océan la nuit, il se peut que son œil soit le jouet d'une illusion. Pour mieux les suivre, il ramène son regard jusqu'à la rive et il aperçoit à ses pieds la plage enfoncée dans l'ombre qui précisément est le lieu de couleurs et de lumière dont il conserve le souvenir. Il juge à peine croyable qu'une plage si vaste, du moins en apparence lorsqu'elle est couverte de baigneurs, de corps noirs de soleil, d'ombrelles, paraisse rétrécie, si étroite dans la nuit: elle n'est plus qu'une mince bande de sable tassée contre le mur de pierre qui la surplombe et patiemment assaillie par le flot.

(Raymond Jean, *La Conférence*, Albin Michel, 1961, pp 243–245)

| | |
|---|---|
| l'algue (*f.*), *seaweed* | la mouette, *seagull* |
| la baie, *bay* | une ombrelle, *sunshade* |
| le baigneur, *bather* | le parasol, *parasol* |
| la bande (de sable), *strip (of sand)* | le promontoire, *headland* |
| la corniche, *coast road* | la rafale, *squall; gust of wind* |
| la côte, *coast* | la rampe, *hand-rail* |
| la crête, *crest* | au ras de (la mer), *on a level with (the sea)* |
| la dune, *sandhill* | le reflux, *ebb; ebb-tide* |
| une esplanade, *promenade* | le ressac, *surf* |
| la falaise, *cliff* | la rive, *shore; bank* |
| le flot, *wave, flood* | le sable mouvant, *quicksand* |
| le flux, *flow* | le site, *beauty spot* |
| le golfe, *gulf, bay* | surplomber, *to overhang* |
| la grève, *strand; sandy beach* | la tente, 1. *tent;* 2. *awning* |
| grouiller (de), *to swarm (with)* | dresser une tente, *to erect a tent* |
| la marée, *tide* | |

## Comprehension

1 Pourquoi Michel était-il très fatigué?
2 Qu'est-ce qu'il ne regrettait pas?
3 Qu'est-ce qui l'a étonné, à la vue de la plage?
4 En sentant l'air froid, qu'est-ce qu'il a pensé faire?
5 Pourquoi aurait-il aimé rester là des heures?
6 Qu'est-ce qu'il se demandait?

## Structural Exercises

39A *'S'attendre à'; 's'attendre à ce que', followed by the subjunctive*

| | |
|---|---|
| Je ne m'attends pas à des difficultés majeures. | I don't expect any major difficulties. |
| Je m'attendais à vous voir. | I was expecting to see you. |
| Comme il s'y attendait, la ligne de partage de la mer et de la nuit n'est pas nette. | As he expected, the dividing line between the sea and the darkness is not clear. |
| On s'attend à ce qu'il soit élu. | It is expected that he will be elected. |
| Elle s'attendait à ce qu'il vînt à Paris. | She was expecting him to come to Paris. |

xemple: Pensez-vous le voir demain?
éponse: Oui, je m'attends à le voir.

Exemple: Pensiez-vous nous voir ici?
Réponse: Oui, je m'attendais à vous voir.

1 Pensez-vous retrouver Pierre là-haut, sur les falaises?
2 Pensez-vous vous baigner tous les jours?
3 Pensiez-vous voir la plage grouillante de baigneurs?
4 Aviez-vous pensé croiser ces voitures sur la corniche?

Exemple: Croyez-vous qu'il me répondra?
Réponse: Oui, je m'attends à ce qu'il vous réponde.

Exemple: Aviez-vous pensé que la plage serait à l'ombre?
Réponse: Oui, je m'étais attendu à ce qu'elle fût à l'ombre.

5 Croyez-vous qu'elle viendra à la plage?
6 Croyez-vous qu'il y aura un monde fou sur la côte?
7 Est-ce que les habitants croient qu'on bâtira une esplanade ici?
8 Aviez-vous pensé qu'il ferait si chaud sur les dunes?

⋆　　⋆　　⋆

## 39B 'Jouir de quelque chose'

| | |
|---|---|
| Il respire, il jouit pleinement de l'air nocturne. | He breathes in, he enjoys the night air to the full. |
| Il va enfin jouir de ses richesses. | At last he is going to enjoy his wealth. |
| «Tout Français jouira des droits civils.» | "Every French citizen shall enjoy civil rights." |
| Il jouissait encore de toutes ses facultés. | He still had possession of all his faculties. |

Exemple: Je savoure l'air marin.
Réponse: Ah, vous jouissez de l'air marin.

Exemple: J'appréciais la beauté du site.
Réponse: Ah, vous jouissiez de la beauté du site.

Exemple: Les deux frères possédaient une santé parfaite.
Réponse: Ah, ils jouissaient d'une santé parfaite.

1 Les baigneurs savourent le pique-nique en plein air.
2 On goûte une solitude parfaite dans la baie.
3 De cette villa qui surplombe la mer, j'apprécie la vue étendue.
4 Le golfe profite d'un climat très doux.

5 J'appréciais la belle vue du haut du promontoire.
6 Les promeneurs prenaient plaisir aux forts effluves de la mer.
7 Il savourait l'ombre sous un parasol.
8 Malgré ses quatre-vingt-dix ans, le vieux marin possédait une santé excellente.

★   ★   ★

## 39C 'Impossible à prévoir'; 'facile à dire', etc.

| | |
|---|---|
| Les vagues sont impossibles à prévoir. | The waves are impossible to anticipate. |
| C'est un texte facile à expliquer. | This is an easy text to explain. |
| C'est trop difficile à faire. | It is too difficult to do. |
| Le maquis est difficile à percer. | The scrubland is difficult to break through. |

**Exemple:** Il est impossible de prévoir les rafales.
**Réponse:** Oui, en effet, elles sont impossibles à prévoir.

**Exemple:** Il est reposant de contempler la mer.
**Réponse:** Oui, en effet, elle est reposante à contempler.

**Exemple:** Il était difficile de dresser la tente.
**Réponse:** Oui, en effet, elle était difficile à dresser.

1 Il est difficile d'escalader cette falaise.
2 Il est agréable de voir la grève déserte.
3 Il est pénible de traverser ces dunes.
4 Il est impossible d'imaginer la beauté du site.
5 Il est beau de voir la mer moirée de soleil.
6 Il était agréable d'écouter le ressac.
7 Il était difficile de distinguer la crête.
8 Il sera dangereux de traverser cette bande de sable mouvant.

★   ★   ★

## 39D Subjunctive after 'il se peut que'

| | |
|---|---|
| Il se peut que ce projet réussisse. | It may be that this plan will succeed. |
| Il se peut qu'il revienne demain. | It may be that he will come back tomorrow. |
| Il se peut qu'il ne soit pas coupable. | It may be that he is not guilty. |
| « Se peut-il que j'aie enfin un ami ? » s'est-il demandé. | "Can it be that I have a friend at last?" he wondered. |

Exemple: Ce sont peut-être des mouettes.
Réponse: Oui, il se peut que ce soient des mouettes.

Exemple: Il nous a vus peut-être.
Réponse: Oui, il se peut qu'il nous ait vus.

Exemple: Vous vous êtes trompé peut-être.
Réponse: Oui, il se peut que je me sois trompé.

1 Ce site sera peut-être interdit au public.
2 Il ne jouit peut-être pas d'une très bonne santé.
3 Le site paraît peut-être moins beau en hiver.
4 C'est peut-être l'effet du flux et du reflux.
5 Vous sentirez peut-être le froid.
6 L'avion a peut-être volé au ras de la mer.
7 Ils ont peut-être stationné sur la corniche.
8 Il s'est peut-être appuyé à la rampe.

★　★　★

### 39E 'Trouver bon/étrange/incroyable que', followed by the subjunctive

Je trouve bon qu'il refasse ce travail.

I think it advisable that he should do this work again.

Les habitants trouvent inconcevable qu'il n'y ait pas encore de pharmacie et qu'ils soient obligés de descendre à Meulan pour aller chercher un tube d'aspirine.

The locals find it unthinkable that there should not yet be any chemist's shop and that they are obliged to go down to Meulan for a tube of aspirin.

Le Président a trouvé naturel qu'il eût des conversations personnelles avec les représentants du patronat et du syndicat.

The President found it natural that he should have personal conversations with the representatives of the employers' association and of the trades union.

Je trouve étrange que je sois informé de vos projets par lui.

I find it strange that I should be informed of your plans by him.

Exemple: Il reviendra demain. C'est bon.
Réponse: Vraiment? Vous trouvez bon qu'il revienne demain?

Exemple: L'esplanade finit là. C'est étrange.
Réponse: Vraiment? Vous trouvez étrange qu'elle finisse là?

Exemple: La mouette venait se percher sur son épaule. C'était admirable.
Réponse: Vraiment? Vous trouviez admirable qu'elle vînt s'y percher?

1 La côte est déserte. C'est étrange.
2 Il y a tant de voitures sur la corniche. C'est surprenant.
3 La bande de sable n'est pas encore couverte par la marée montante. C'est incroyable.
4 Cet effluve vient de la mer. C'est étonnant.
5 La marée descend si vite. C'est incroyable.
6 Les baigneurs nous ont vus? C'est impossible.
7 Il dressait la tente si près du bord de la falaise. C'était imprudent.
8 La crête de la vague était moirée. C'était étrange.


## Verb Study

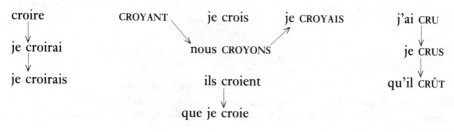

croire    CROYANT    je crois    je CROYAIS    j'ai CRU

je croirai    nous CROYONS    je CRUS

je croirais    ils croient    qu'il CRÛT

que je croie


1 I wouldn't have believed it.
2 If they believed that they would believe anything.
3 Do you believe that he will come?
4 Listen to him, without believing everything he says.
5 She would like to believe what you say.
6 You would never believe me, even if I told you the truth.
7 We have never believed it.
8 I said that I would believe them when they showed me the document.
9 Believe me!
10 Although he didn't believe what he was told, he acted as though he did.
11 I wonder if they will believe us.
12 They hadn't believed that it was possible.
13 Ought I to believe what they say?
14 If they believe that story I shall be surprised.
15 He pretended to believe them.
16 It is important that you should believe that.
17 You may believe it if you like.
18 I don't believe that he has left.
19 Could we have believed it?
20 I didn't believe that he could do it.

305

## Essay Subjects

1 Qu'est-ce qui constitue la fascination de la mer?
2 Imaginez pourquoi Michel se sentait si soulagé à contempler la mer.

## Translation

Raoul hadn't expected to feel so tired and found it very strange that his legs should be so heavy. "Can it be that I'm getting old?" he wondered. "This headland was more difficult to reach than I would have thought." Still he didn't regret having come so far for now he was able to enjoy the view over (= *sur*) the bay and the coastal roads.

He sat down, breathed deeply and then began to amuse himself by watching the seagulls which were fascinating to observe. One was using the gusts of wind to hover and soar and just as Raoul was expecting it to crash against the cliff, it would change direction at the very last moment. It seemed to be enjoying the stormy weather. Others were flying on a level with the sea, skimming the waves and diving suddenly to catch a fish.

Raoul soon found it impossible to keep his eyes open and he was about to fall asleep when he heard someone approaching him. He opened his eyes and saw someone who looked like M. Raseur. "Can it be that he has followed me as far as here?" he thought.

# 40 *Saint-Tropez en été*

A la différence des villégiatures princières de la Côte, Saint-Tropez, découverte des peintres de la Belle Époque et donc placée dès l'origine dans le climat des ateliers, n'avait jamais, malgré la persistence de sa vogue, été ni fait station de milliardaires. Ville d'artistes, succursale de Montparnasse, son style était resté bohème. Pierre était arrivé juste à temps pour connaître le plaisir qu'y trouvait le petit peuple des bricoleurs de bateaux, de toiles et de voiles.

Depuis deux ou trois saisons, pour son regret, cette population aimable se voyait submergée par le ras de marée des foules vacancières. Ainsi le golfe qui jusque-là avait appartenu aux combats des vents et des courants, aux marsouins et aux baleines égarées, vit une fois de plus ses rives transformées par le feu de l'été en un Long Island de week-end. La mer, qui avait durant des mois rongé les plages dans l'espoir de décourager les fourmilières humaines d'y reparaître, recula de nouveau sous un crissement éperdu de cigales et des cris de mouettes affamées.

Cependant que les trains-autos, les «mistrals», les «trains bleus», les convois dédoublés vidaient la capitale et déchargeaient gare par gare leur lest de baigneurs de soleil, de nageurs, de plongeurs, de skieurs nautiques et de chasseurs sous-marins, la chaîne sans fin des voitures, pare-choc contre pare-choc, descendait nuit et jour par la Nationale Sept, sans un regard pour les panneaux qui signalaient morts et blessés tous les dix mètres et dont l'avertissement restait vain, car les victimes sont toujours les autres jusqu'au moment où le tour vient.

Vague sur vague, les estivants gagnaient leurs gîtes: camp d'accueil pour remorques et caravanes, campings aux tentes bleues, jaunes ou vertes, villages de vacances à la vie réglée par pick-up et par cloches, villas où pullulaient voitures et familles. Échappée au travail à la chaîne, l'humanité, qui raisonnablement aurait dû fuir la promiscuité de Paris et des villes, des week-ends en banlieue, des bords de Marne et de Seine, s'agglutinait pourtant, s'étouffait, faisant queue pour l'eau, pour le pain et le reste, retrouvait les voisins de palier, et tendait d'une porte à l'autre ses lessives.

Dans Saint-Tropez, le quai venait d'être interdit aux voitures et les terrasses des cafés faisaient déjà le plein. Honorade Isnard ne connaissait plus que des nuits blanches. En quelques jours, la maison devint pour elle intenable. Si elle restait dans les pièces de l'Ouest, elle voyait certes entrer les yachts, débarquer les vedettes et les rois, mais elle devait subir la foire nocturne: les trompettes de jazz, les échappements libres et les cris des premières bagarres. Si elle se réfugiait dans celles de l'Est, elle y était relancée par l'odeur de cambuse qu'exhalaient les soupiraux.

— Je vais devoir la sortir de là, parce qu'elle va y laisser le peu de sommeil qui lui reste, confia Hippolyte Isnard à Pierre. Une grande baraque comme la nôtre, et dire qu'on ne peut même pas y dormir! Ils en finiront avec notre Saint-Tropez! J'aurais mieux fait de louer et de l'emmener pour l'été dans un cabanon au milieu des vignes!

(Joseph Peyré, *Le Plan du Soleil*, Flammarion, 1960, pp 122–126)

| | |
|---|---|
| le baigneur de soleil, *sunbather* | plonger, *to dive* |
| la baleine, *whale* | le plongeur autonome, *skin-diver* |
| le cabanon, *hut; small bungalow; week-end cottage.* | pulluler, *to be found in profusion; to swarm* |
| le camping, 1. *camping;* 2. *camping site* faire du camping, *to camp* | le ras de marée, *tidal wave* |
| la caravane, *caravan* | la remorque, *trailer* |
| la chasse sous-marine, *under-water fishing* | la remorque-camping, *touring caravan* |
| le chasseur sous-marin, *under-water fisherman* | le ski nautique, *water-skiing* faire du ski nautique, *to water-ski* |
| la cigale, *cicada* | le skieur nautique, *water-skier* |
| un estivant, *summer visitor* | la station balnéaire, *seaside resort* |
| la fourmi, *ant* | le syndicat d'initiative(s), *tourist bureau* |
| la fourmilière, *ant-hill* | le vacancier, *holiday-maker* |
| fourmiller, *to swarm* | la vedette, *film-star* |
| le littoral, *coastline, seaboard* | le village de vacances, *holiday camp* |
| le marsouin, *porpoise* | la villégiature, 1. *stay in the country or by the sea;* 2. *summer resort* |
| battre son plein, *to be in full swing* | en villégiature, *on holiday* |

## Comprehension

1 En quoi est-ce que Saint-Tropez se différenciait des autres villégiatures de la Côte?
2 Depuis deux ou trois ans, quel changement s'était produit?
3 Pourquoi fallait-il dédoubler les convois?
4 A quels sports nautiques est-ce que les estivants se livraient?
5 Où étaient-ils hébergés?
6 De quelle façon le village de vacances prolongeait-il la vie de tous les jours?
7 Qu'est-ce qui faisait passer des nuits blanches à Honorade Isnard?
8 Quel remède aurait-il pu y avoir à cela?

## Structural Exercises

40A *'Se voir' with passive meaning, followed a) by the past participle of verbs taking a direct object or b) by the infinitive of certain verbs taking an indirect object*

a) Elle s'est vu contrainte à renoncer. — She was compelled to give up.

Je me vis forcé de partir. — I was forced to leave.

Le parti s'est vu trop souvent accusé de complot. — The party has too often been accused of conspiracy.

Depuis deux ou trois saisons cette population se voyait submergée par le ras de marée des foules vacancières. — For two or three seasons this populace had been swamped by the tidal wave of holiday crowds.

b) Elle s'est vu *refuser* l'entrée du club. — She was refused admittance to the club.

Les syndicats redoutent de se voir *voler* leur victoire. — The trade unions dread being robbed of their victory.

Ceux-ci se sont vu *répondre* d'un éclat de rire. — The latter were answered by a burst of laughter.

Les clients se verront *remettre* une carte de crédit particulière. — Customers will be sent an individual credit card.

**Exemple:** Dès juillet, cette station balnéaire est envahie par une foule de vacanciers.
**Réponse:** Ah, elle se voit envahie par une foule de vacanciers.

**Exemple:** Le plongeur autonome a été obligé de remonter à la surface.
**Réponse:** Ah, il s'est vu obligé de remonter à la surface.

1 Nous sommes obligés d'abréger notre villégiature.
2 Il a été expulsé de son cabanon.
3 La vedette de cinéma a été assaillie par une foule d'estivants.
4 Chaque année, les rives du golfe étaient transformées en vastes campings.

**Exemple:** On m'a interdit de faire du camping dans cette commune.
**Réponse:** Ah, vous vous êtes vu interdire d'y faire du camping.

**Exemple:** On a garanti aux électriciens une augmentation de salaire.
**Réponse:** Ah, ils se sont vu garantir une augmentation de salaire.

5 On lui a accordé la permission de pêcher dans cette rivière.
6 On a interdit aux automobilistes l'accès au quai.

7 On a défendu aux campeurs l'accès à cette plage.
8 On a reproché aux estivants de faire trop de bruit.

*　　*　　*

## 40B 'Transformer quelque chose/quelqu'un en ...'

| | |
|---|---|
| L'incompétence des généraux a transformé une défaite en déroute. | The incompetence of the generals transformed a defeat into a rout. |
| Les alchimistes du moyen âge espéraient transformer le plomb en or. | Medieval alchemists hoped to transform lead into gold. |
| Il n'y avait plus un seul lieu public qui ne fût transformé en hôpital. | There was no longer a single public place which was not transformed into a hospital. |
| La mort de trois enfants a transformé cette mère de famille tranquille en militante de la paix. | The death of three children has transformed this quiet mother of a family into a militant for peace. |

**Exemple:** Le fermier a fait de son champ un camping.
**Réponse:** Ah, il l'a transformé en camping.

**Exemple:** Le bricoleur fera de la camionnette une caravane.
**Réponse:** Ah, il la transformera en caravane.

**Exemple:** Je vais faire du cabanon une villa.
**Réponse:** Ah, vous allez le transformer en villa.

1 Les foules vacancières font de ces rives une fourmilière.
2 Les conducteurs imprudents font de l'autoroute un champ de bataille.
3 Les peintres ont fait de ce port de pêche une villégiature.
4 Le travail à la chaîne a fait de l'ouvrier une machine.
5 Les constructeurs ont fait de la côte un mur de béton.
6 Les enfants ont fait de cette couverture une tente.
7 Le cafetier va faire du trottoir une terrasse.
8 Nous allons faire du grenier un atelier.

*　　*　　*

## 40C 'Jusqu'au moment où', followed by the indicative

| | |
|---|---|
| Les victimes sont toujours les autres jusqu'au moment où le tour vient. | The victims are always other people, until your turn comes. |
| Gardez cet argent jusqu'au moment où je vous le redemanderai. | Keep this money until I ask you for it back again. |

| J'ai compté des siècles jusqu'au moment où la grille de la villa s'est ouverte devant moi. | It seemed ages to me until the villa gate was opened for me. |
|---|---|
| Année après année, l'endettement se poursuivit jusqu'au moment où les fonds se trouvèrent à sec. | The running up of debts went on year after year until the funds ran dry. |

**Exemple:** La cigale chantera; mais enfin l'hiver viendra.
**Réponse:** La cigale chantera jusqu'au moment où l'hiver viendra.

**Exemple:** J'ai suivi des yeux le skieur nautique; mais enfin il a disparu derrière le promontoire.
**Réponse:** J'ai suivi des yeux le skieur nautique jusqu'au moment où il a disparu derrière le promontoire.

**Exemple:** Nous avons dû rester là; mais enfin le camion-atelier est venu remorquer notre caravane.
**Réponse:** Nous avons dû rester là jusqu'au moment où le camion-atelier est venu remorquer notre caravane.

1 La plage fourmillait de baigneurs; mais enfin la pluie est tombée à verse.
2 Les papiers sales resteront là; mais enfin la marée les emportera.
3 Le chasseur sous-marin est resté au fond de la mer; mais enfin son oxygène a été épuisé.
4 Elle continuera à faire du ski nautique; mais enfin il fera trop froid.
5 Le marsouin a continué à s'ébattre; mais enfin il a vu s'approcher des pêcheurs.
6 Je resterai en villégiature; mais enfin la saison battra son plein.
7 La cigale a chanté tout l'été; mais enfin le mauvais temps est venu.
8 Nous avons dû rester dans ce camping; mais enfin la caravane a été réparée.

★   ★   ★

## 40D 'Échapper à quelque chose/à quelqu'un'

| Elle s'était réfugiée au Maroc afin d'échapper à la police. | She had taken refuge in Morocco in order to escape from the police. |
|---|---|
| L'humanité avait échappé au travail à la chaîne. | Humanity had escaped from work on the production line. |
| Rien ne paraît devoir échapper à la destruction. | It looks as though nothing will escape destruction. |
| Rien ne lui échappe. | Nothing escapes him. |

**Exemple:** Les ouvriers voudraient fuir le travail à la chaîne.
**Réponse:** Mais peuvent-ils échapper au travail à la chaîne?

**Exemple:** Je voudrais fuir les voitures.
**Réponse:** Mais pouvez-vous échapper aux voitures?

1 La vedette voudrait fuir les vacanciers.
2 On voudrait fuir les embouteillages quand la saison bat son plein.
3 Nous voudrions fuir la foule des estivants.
4 Le marsouin voudrait fuir les pêcheurs.

**Exemple:** J'ai évité le danger.
**Réponse:** Ah, vous y avez échappé.

**Exemple:** Il a évité le service militaire.
**Réponse:** Ah, il y a échappé.

5 Avertis à temps, les riverains ont évité le ras de marée.
6 En faisant de la chasse sous-marine, j'ai évité l'agitation de la plage.
7 La remorque a été incendiée et c'est par miracle qu'il a évité la mort.
8 Nous avons évité les embouteillages en quittant la côte pour l'arrière-pays.

★　★　★

## 40E 'Faire mieux de' + infinitive

| | |
|---|---|
| Il ferait mieux de se taire. | He would do better to remain silent. |
| Vous feriez mieux de m'écouter. | You would be better advised to listen to me. |
| J'aurais mieux fait de louer un cabanon au milieu des vignes. | I would have done better to rent a cottage in the middle of the vineyards. |

**Exemple:** Mais louez donc une villa!
**Réponse:** Oui, je ferais peut-être mieux de louer une villa.

**Exemple:** Prenons l'avion!
**Réponse:** Oui, nous ferions peut-être mieux de prendre l'avion.

1 Mais prenez donc le train-auto!
2 Évitons les stations balnéaires trop connues!
3 Je prendrai donc le raccourci.
4 Baignons-nous donc le matin!

**Exemple:** Si seulement nous étions restés à la maison!
**Réponse:** Oui, vous auriez mieux fait d'y rester.

**Exemple:** Si seulement vous m'aviez écouté!
**Réponse:** Oui, j'aurais mieux fait de vous écouter.

5 Si seulement j'avais garé la caravane dans un champ!
6 Si seulement vous aviez vérifié le câble de remorque!
7 Si seulement il avait emmené sa femme dans un cabanon!
8 Si seulement on avait interdit le quai à toutes les voitures!

## Verb Study

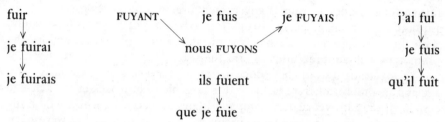

fuir      FUYANT      je fuis      je FUYAIS      j'ai fui

je fuirai      nous FUYONS      je fuis

je fuirais      ils fuient      qu'il fuît

que je fuie

Conjugated like fuir: s'enfuir.

1 I would have fled if I had been able to.
2 Were you about to flee?
3 He said that they would abscond when he had stolen the money.
4 They must have fled.
5 We fled at their approach.
6 They had just run away.
7 We wouldn't have fled.
8 Would you have liked to flee?
9 There was no-one who fled.
10 If I had run away they would have suspected me.
11 We would have done better to run away.
12 Time is flying.
13 Instead of running away stay here!
14 You might flee.
15 I hope that they won't run away.
16 Although they fled, they were recaptured.
17 I ought not to have run away.
18 You will want to run away.
19 I fear that he has fled.
20 They weren't running away.

## Essay Subjects

1 La défiguration de nos côtes sauvages est-elle inévitable?
2 Splendeurs et misères du camping.
3 «Les victimes sont toujours les autres jusqu'au moment où le tour vient.»

## Translation

From Dunkirk to Biarritz and from Perpignan to Menton, the coasts of France are being transformed into a wall of concrete by builders who have been granted permits to cut down forests, build coastal roads, to dry up creeks, to throw out jetties into the sea and to erect hideous blocks of flats.

The Prime Minister himself has been compelled to address a letter to all the prefects, ordering them to see to it that the untouched parts of the coastline shall escape destruction. A government organization, le Conservatoire du Littoral, has been given powers to buy 10,000 hectares of coast. Unfortunately, these directives are not immediately applicable, and until they are applied the promotors will continue to transform the seaboard into a concrete desert.

The government would have done better to intervene more vigorously years ago and in a more coherent fashion. It is possible to buy back or to exchange certain sites: in Provence, for example, l'Étang de Vaccarès, where wild birds take refuge, escaped the promotors in this way. But, in return, they were given promises of being able to operate elsewhere; until they start building the public will not know exactly where these developments will take place.

Whatever the efforts of the defenders of nature have been, the priority has always been to guarantee employment and to attract foreign currency (= *devises, f.*). The government would do better to resist the pressure from builders and local notables.

# Translation Passages

## Un appartement dans un quartier ouvrier de Paris

Ils habitaient là, au troisième étage d'une maison qui en comportait quatre, pas très hauts de plafond, dans des pièces de petites dimensions, aux peintures un peu flétries et auxquelles on parvenait par un escalier peint de cet affreux marron qui prête si bien aux graffiti qu'y laissent les gamins et les garçons bouchers. Un intérieur de petit fonctionnaire, presque d'ouvriers — maman ne travaillait-elle pas de ses mains? — où tout était à sa place, médiocre, naïf parfois, mais bien tenu et bien à eux.

L'entrée, carrée, vous accueillait par la glace en triangle de son porte-parapluies à rambarde de cuivre, dans laquelle, aussitôt, se reflétait votre visage. Une lanterne de verres de couleur y pendait, qui ne donnait qu'une lumière diffuse lorsque les portes qui s'ouvraient symétriquement — une au milieu, une à gauche, une à droite — étaient fermées.

Deux chambres. L'une, la plus belle — ils l'avaient voulu, c'était surtout papa qui l'avait voulu — pour Valérie, l'autre pour eux, avec l'armoire à glace, le lit, les deux chaises, la petite table et le fauteuil qu'ils avaient choisis ensemble, après avoir longuement hésité, vingt ans plus tôt, lorsqu'ils s'étaient mariés.

C'était dans la salle à manger que maman travaillait. Elle y recevait aussi ses clientes. Si celles-ci arrivaient aux heures des repas, on ne s'interrompait pas pour elles, Valérie continuait à servir papa et remettait au chaud, dans le four du réchaud à gaz, l'assiette de maman qui, pendant ce temps, quelque fragment de pomme rissolée encore dans la bouche et des épingles au coin des lèvres, retouchait à genoux la robe ou le manteau de l'essayage dans la chambre de Valérie où elle avait entraîné la dame.

(Paul Vialar, *Tournez, jolies gosses*, Flammarion, 1956, pp 6–7)

## Grands immeubles ou pavillons?

Actuellement, environ 21% du nombre global des logements en France sont du type «individuel». Cette proportion des maisons individuelles dans l'ensemble des logements en France est inférieure à celle des pays d'Europe occidentale et d'Amérique du Nord.

L'ampleur et l'urgence des besoins à satisfaire après la guerre a naturellement conduit à développer en priorité la construction de logements en immeubles collectifs. Ceci s'est traduit dans les faits par la construction d'un nombre de logements collectifs à peu près double de celui des logements individuels. L'habitat de type individuel, imposant une densité à l'hectare faible, a été négligé par les promoteurs. Le pavillon est en effet une forme particulièrement onéreuse du développement du tissu urbain: il étire les réseaux et les transports, et éloigne les habitants des centres sociaux et commerciaux.

Cependant, les Français semblent très attachés à l'habitat pavillonnaire. Cette préférence vient de ce que le pavillon présente plus d'élasticité. Outre des surfaces sensiblement plus étendues et un nombre de pièces plus élevé, la maison individuelle possède des espaces non affectés susceptibles d'être aménagés et transformés qui constituent l'un des principaux attraits de ce mode de logement.

D'autre part, les diverses enquêtes ont montré que la solution du pavillon est souvent envisagée en fonction des inconvénients reconnus aux immeubles collectifs. Le choix se fait donc plus en fonction du degré de confort des logements actuellement disponibles que par une préférence nette pour la maison individuelle. Si la qualité des immeubles s'améliorait, notamment en ce qui concerne la surface et l'insonorisation des logements, l'attirance pour la maison individuelle serait très amoindrie.

(Schéma directeur d'aménagement et d'urbanisme de la Région de Paris,
1966, tome II, pp 321–323)

## Une maison de campagne dans l'Ile-de-France

Au carrefour, on prenait à droite, et l'on entrait bientôt dans un hameau qui s'appelait Vauxcelles et comptait, tout au plus, une demi-douzaine de maisons basses accroupies des deux côtés de la route pavée. On les dépassait vite, tant on avait hâte d'être arrivé, et l'on pénétrait dans l'ombre d'un très haut mur patiné par le temps et les saisons. Un portail s'y ouvrait, tout près de la maison dont on ne voyait que deux fenêtres. C'était une large porte de chêne, peinte en vert sombre, elle était toujours fermée, sauf quand entrait ou sortait une voiture; à côté d'elle s'en trouvait une autre, à peine plus haute qu'un homme de bonne taille et qui, lorsqu'on la poussait, faisait tinter une cloche grave comme celle d'un couvent.

La bâtisse était longue, faite d'un rez-de-chaussée et d'un seul étage surmonté d'un toit d'ardoises mansardé. Elle ouvrait, de ce côté, sur une grande cour sablée bordée de l'autre côté par les communs. Le long de la façade, comme devant les écuries, il y avait un espace pavé; du côté de la maison on voyait, l'été, des orangers plantés droit dans des caisses mais dont les oranges minuscules ne mûrissaient jamais.

La distribution des pièces était simple. Près de la petite porte qui donnait sur la route se trouvait la cuisine, puis une entrée formant couloir et dans laquelle s'amorçait l'escalier de l'étage. A droite étaient les pièces de réception, en enfilade: salle à manger, billard et un salon, au bout, qui avait forme de rotonde. La bâtisse n'était pas très large et des deux côtés, à travers les hautes fenêtres disjointes par les gelées et les canicules et qui fermaient mal en dépit de leurs crémones de fer forgé, on apercevait le parc et, du côté opposé à l'entrée, assez loin de la maison pour qu'on le vît de toutes les fenêtres, un extraordinaire hêtre pourpre dont il fallait être dix, bras tendus, pour faire le tour.

(Paul Vialar, *Le Clos de Trois Maisons*, Arthème Fayard, p 117)

## Le «bricolage»

Mon père avait déjà rendu visite à un brocanteur et avait retenu quelques «meubles»: une commode, deux tables, et plusieurs fagots de morceaux de bois poli qui, selon le brocanteur, devaient permettre de reconstruire six chaises. Il y avait aussi un petit canapé qui perdait ses entrailles comme un cheval de toréador, trois sommiers crevés, des paillasses à moitié vides et un bahut qui n'avait plus ses étagères.

Lorsque ma mère, qui nous attendait à la fenêtre, vit arriver ce chargement elle disparut aussitôt pour reparaître sur le seuil.

— Joseph, dit-elle selon l'usage, tu ne vas pas rentrer toutes ces saletés dans la maison?

— Ces saletés, dit mon père, vont être la base d'un mobilier rustique que tu ne te lasseras pas de regarder. Laisse-nous seulement le temps d'y travailler! Mes plans sont faits, et je sais où je vais.

Nous transportâmes tout le matériel à la cave, où mon père avait décidé d'installer notre atelier.

Nous commençâmes par l'assemblage des chaises. C'était un puzzle, et d'autant plus difficile à résoudre que les barreaux n'entraient pas dans les trous des montants et qu'ils n'étaient pas tous de la même longueur. Nous allâmes revendiquer chez l'antiquaire, qui feignit de s'étonner, puis nous donna une botte de barreaux.

A grand renfort de colle forte, dont je faisais fondre les galettes dans de l'eau tiède, les six chaises furent reconstituées, puis vernies. Avec de la ficelle épaisse, ma mère tissa les sièges. Par un raffinement imprévu, une triple cordelette rouge en cernait le bord.

Ce fut ensuite le tour de la commode, dont les tiroirs étaient si fortement coincés qu'il fallut démonter tout le meuble, et user longuement du rabot.

Ma mère était émerveillée par la beauté de ces meubles, et selon la prophétie de mon père, elle ne pouvait se lasser de les admirer. Elle admira surtout un petit guéridon revêtu par mes soins de trois couches de vernis acajou. Il était vraiment beau à voir, mais il valait mieux le regarder que le toucher, car en posant les mains à plat sur la tablette, on pouvait le soulever et le transporter ailleurs, comme font les médiums. Je crois que tout le monde s'aperçut de cet inconvénient, mais personne n'en dit un seul mot qui eût gâté notre triomphe.

J'eus d'ailleurs le plaisir de constater plus tard qu'une petite erreur peut avoir de grands avantages, car ce guéridon, placé dans un coin bien éclairé, comme un meuble de prix, attrapa tant de mouches qu'il assura le silence et l'hygiène de la salle à manger, tout au moins pendant la première année.

(Marcel Pagnol, *La Gloire de mon Père*,
Éditions Pastorelly, 1957, pp 85 and 92–99)

## La paresse est bonne conseillère

Douze femmes fatiguées sont réunies dans une salle à manger bourgeoise de l'avenue de Wagram. Épouses de cadres moyens, sans profession, elles ont en commun leur lassitude et l'ennui qu'elles éprouvent à accomplir quotidiennement les mêmes tâches ingrates. Mais leur seule présence témoigne de leur volonté de réagir: elles assistent en effet à une séance de perfectionne-ment pour maîtresses de maison.

Ces sessions de huit séances ont lieu une fois par semaine environ. Des animatrices, à Paris et en province, regroupent des mères de famille et leur appliquent la méthode mise au point par le Centre d'études des travaux féminins. Celle-ci ne consiste pas à dispenser des recettes de mieux-vivre. Ce n'est pas non plus un cours d'enseignement ménager.

Dès la première séance, il s'agit de prendre conscience de l'importance de la réflexion dans le travail de la maison. Par exemple, chaque dame apporte le plan de son appartement. L'animatrice en prend un au hasard et dessine la cuisine au tableau noir. Un cas simple est considéré: la préparation d'une purée de pommes de terre. La personne sur la sellette est priée de raconter comment elle procède. «Voilà: je mets de l'eau à bouillir. Je descends chercher mes pommes de terre à la cave (j'habite un pavillon). Je prends le moteur du mixer dans le placard; le bol, lui, est au-dessus de l'évier. Ah! mais, c'est trop bête, je vais les mettre ensemble.» Elle avait compris cette évidence en parlant.

A une autre séance, le repassage est analysé: chaque dame a chronométré chez elle le temps qu'il lui a fallu pour repasser cinq chemises. En général, la première a exigé quinze minutes, la dernière cinq. Il est donc préférable de grouper tout le repassage au lieu d'en faire un petit bout chaque jour.

Toujours à partir d'analyses de cas concrets, les rangements sont étudiés. Pourquoi, par exemple, ranger tout le service de vaisselle au même endroit alors que les assiettes servent d'abord dans la salle à manger et les plats d'abord dans la cuisine?

L'emploi du temps est détaillé. Trop de courses longues et fatigantes la même semaine? On doit pouvoir les étaler ou les faire faire par son mari, une aide.

(Alice Morgaine, *L'Express*, 5–11 avril, 1965)

## Cuisine provençale

Ce matin-là, Suzanne Lambert, pour prendre son petit déjeuner, s'était installée sur le balcon. Entre deux cyprès, un intervalle ménagé à dessein lui montrait le soleil jouant sur les vagues, tandis qu'au loin, au delà de l'aéroport de Nice, le cap d'Antibes, lentement, sortait de la brume. Tout en beurrant ses tranches de pain grillé, elle laissait errer son regard sur ce spectacle merveilleux, dont jamais elle n'était lassée. Léonie, sa bonne, qui l'instant d'avant avait dû s'interrompre pour aller recevoir un garçon livreur, surgit de nouveau et enchaîna:

— Comme je vous disais, Madame, dans ce restaurant, ils servent la salade niçoise sur un plat. Quelle honte!

— Ils pensent peut-être que cela fait mieux, que la présentation en est plus agréable, plus appétissante.

— Mais ce n'est pas appétissant du tout, Madame! Que doivent penser de nous les étrangers quand ils voient des choses pareilles! Ils s'en retourneront chez eux en disant que nous ne savons même pas faire ni présenter notre propre cuisine!

— Vous croyez! C'est épouvantable!

— Moi, je vous dis qu'une vraie niçoise, ça doit être servi dans une belle saladière, large et profonde.

— J'en suis convaincue.

— Et vous savez ce qu'il faut y mettre, Madame?

— Vous allez me le dire.

Léonie Baldelli campa ses mains sur ses hanches et déclama, avec énergie, la recette de la salade niçoise.

— Voilà: vous y mettez de la tomate, des olives vertes et noires, des anchois, du thon, du poivron, du concombre, de la salade verte, des petits oignons, de l'ail, des cornichons, deux ou trois œufs durs découpés en rondelles et des câpres. Puis vous relevez le tout en y ajoutant un brin de basilic. Pour assaisonner votre salade, il vous faudra, en plus du vinaigre, une huile d'olive très épaisse et onctueuse.

Suzanne Lambert avait fermé les yeux. Elle ne prêtait plus aucune attention aux paroles de la volubile Léonie. Déjà, un nombre incalculable de fois, l'excellente femme lui avait récité avec ardeur cette recette de la salade niçoise. Un autre matin, elle lui ferait un cours sur la meilleure manière d'accommoder les crevettes ou les langoustines. Son registre étant naturellement assez limité, la brave Léonie se répétait souvent, donnait et redonnait invariablement les mêmes conseils. Cependant, malgré ce que ces litanies pouvaient avoir de lassant, Suzanne aimait cet intermède gastronomique, cette première conversation de la journée, où Léonie jetait ses expressions imagées et pimentait son langage, à la niçoise, de savoureux vocables.

(Marie-Anne Desmarest, *Les Maisons Adverses*, Denoël, 1961, pp 63–66)

## Père et fils

Dès janvier, il se produisit chez Bruno une sorte de glissement. Je fus d'abord alerté par la fréquence accrue d'une phrase banale:

—Non, dimanche, ne comptez pas sur moi.

Et par l'apparition d'un nouveau ton:

—Quand nous décidons-nous à changer le tacot?

Ou, à propos de mes jugements:

—Tu vois ça comme on le voyait il y a vingt ans ...

Sa franchise prouvait encore sa confiance. Mais l'agacement s'y faisait jour, le regret de ne plus pouvoir penser en tous points comme son père. Toujours serviable, «bon enfant», il ne se montrait vraiment hostile qu'envers certaines de mes propres hostilités. Les palabres du soir, vaguement orientés par le journal télévisé, en devenaient parfois difficiles. Il ne fallait pas trop regretter l'humeur des peuples qui, notre joug secoué, s'attaquait à notre culture même:

—Cinq cents ans de leçons, tu penses, ils en ont assez du prof européen!

Il ne fallait pas enchaîner sur Mlle. Sagan, porte-parole de l'armée blue-jeans:

—Porte-parole de qui, de quoi? s'écriait Bruno. S'il y a deux pour cent de jeunes qui ressemblent aux personnages de Françoise, c'est le bout du monde. Mais voilà: vous êtes ravis de nous croire comme ça.

Il ne fallait pas non plus dénier du génie à Françoise. Un auteur de vingt ans, classé d'emblée parmi les monstres sacrés, preuve de la valeur des cervelles fraîches! Si j'ouvrais la bouche, alors Bruno devançait la remarque: Toi, tu vas dire que c'est la vraie raison de son succès. Et Mozart, et Radiguet, est-ce nous qui les avons faits?

(Hervé Bazin, *Au Nom du Fils*, Éditions du Seuil, 1960, pp 173–175)

## La crise de l'enseignement

Les classes sont plus nombreuses qu'autrefois, et cela rend plus malaisé de connaître personnellement chaque élève, plus malaisé aussi de susciter des discussions qui ne dégénèrent pas en criailleries confuses. Quand j'avais devant moi de vingt à trente élèves je pouvais les laisser s'exprimer à leur guise; elles s'arrachaient la parole, elles s'affrontaient bruyamment: mais je n'avais aucune peine à les reprendre en main; avec quarante élèves, maintenir l'ordre est plus épineux. Mais le facteur numérique n'est pas seul en jeu, loin de là. Il m'est arrivé d'avoir des classes chargées qui se montraient cependant à la fois vivantes et disciplinées. C'est l'attitude de l'auditoire qui a radicalement changé et qui fait obstacle à tout dialogue.

Ce qui me plaisait, quand j'enseignais la philosophie, c'était de trouver devant moi des esprits en ce domaine tout à fait vierges; peu à peu je les voyais s'éveiller, s'ouvrir, s'enrichir et si parfois des élèves me contredisaient, c'était au nom de ce que je leur avais moi-même appris. Aujourd'hui il n'en va plus du tout de même. Plus âgés que de mon temps, suivant depuis des années les émissions de la télévision et lisant les journaux, les lycéens des classes terminales croient tout savoir ou — ce qui revient au même — croient qu'il n'y a rien à savoir sur rien. De toute façon l'homme est conditionné, disent certains d'entre eux: alors à quoi cela peut-il servir d'étudier, de réfléchir?

Ils se méfient des adultes et tout ce qu'un professeur peut leur dire est d'avance déconsidéré. Ils ne se rendent pas compte que les évidences qu'ils lui opposent, ce sont en fait des adultes qui les leur ont inculquées, à travers les mass media. Mais dans l'ensemble ils manquent de curiosité. Selon les lycées, le tableau que me font mes amis est plus ou moins sombre. Mais tous déplorent l'inertie de leur classe, son absence de participation.

Ceux qui enseignent en sixième, en cinquième, ont de meilleurs contacts avec leurs élèves; ils réussissent à capter leur attention, à susciter chez eux des réactions; mais c'est à condition de ne pas s'enfermer dans des programmes qui ne leur conviennent pas et d'inventer avec eux des rapports neufs, sans tenir compte de la discipline ni du règlement. Il en résulte des conflits avec l'administration et avec les parents. Bref, l'enseignement qui était pour moi un plaisir est devenu un travail à tout le moins ingrat et souvent épuisant.

(Simone de Beauvoir, *Tout compte fait*, Gallimard, 1972, pp 232–233)

## Présentation de la nouvelle collection dans une maison de couture

On était trié dès l'entrée impitoyablement par des jeunes femmes aussi exigeantes que des douaniers zélés. Puis il fallait, encore une fois, montrer sa carte d'invitation sur le palier de l'entresol. C'est là qu'une vendeuse interprétant l'inscription faite à la main sur la carte vous conduisait à une place. Je ne connaissais personne. Inutile de demander ma nièce qui devait être occupée.

Le luxe était, à mon sens, trop voyant, trop de miroirs vénitiens, trop de dorure sur un blanc trop cru. L'escalier était joli mais il y avait trop de plâtre contourné. Il faisait chaud. Les femmes, laides et âgées pour la plupart, avaient enlevé leurs manteaux, beaucoup portaient des bijoux.

Le défilé commença. Le premier mannequin portait un petit tailleur de flanelle grise, avec un col montant. Ensuite j'avais l'impression que le rythme du défilé était plus accéléré; sans doute pour éviter la copie. En voyant les modèles imaginés par Délia, je pensais que ces robes n'étaient pas faciles à mettre et que la femme qui les portait ne risquait pas de passer inaperçue. Mais je fus vite incapable de discerner les particularités des modèles. J'avais une effroyable migraine, à cause de la chaleur sans doute, et tout se confondait dans ma tête: les couleurs, les formes. Au fond, je ne m'intéressais pas du tout à la couture, je fus presque heureuse de le constater dans ce lieu.

Autour de moi, on applaudissait. L'attention de l'assistance ne se relâchait pas, au contraire. Je sentais une espèce de frénésie qui gagnait par vagues: on chuchotait, on soupirait d'aise, une connivence s'établissait entre tous ces gens à laquelle j'échappais complètement. Beaucoup d'invités prenaient des notes, il y avait aussi quelques photographes.

—C'est une belle collection, dit-on quand tout le monde se leva en applaudissant après le passage de la mariée, mince fille blonde à la robe couverte d'écailles nacrées.

(Célia Bertin, *Une Femme Heureuse*, Buchet/Chastel, 1957, pp 142–145)

## Il convient de remplir la fiche!

En face de la gare, au delà de la place que coupe une chaussée, il ne pouvait ne pas y avoir un hôtel. Guidé par une lueur assez incertaine, l'homme heurta du pied la première des trois marches d'un perron. Sonnette de nuit. Il sonna, plusieurs fois; personne. Il commença à désespérer, à se demander s'il ne trouverait pas d'autre refuge que la salle d'attente, peut-être fermée du reste, ou un banc dur entre les guichets du hall de départ, quand il entendit traînasser des savates, que l'électricité de la réception s'alluma et que la porte s'entrouvrit.

Une chambre libre? Quelle question! En cette saison, pas de presse. Le plus mauvais moment. Ni le tourisme d'été, ni les sports d'hiver. Le veilleur passablement engourdi, observait d'étranges intervalles de mutisme et se mouvait comme dans un air d'une densité accrue. La fiche! Il convenait de remplir la fiche. La Police ne badine pas. Pour un rien, des histoires. On s'excuse d'embêter les clients.

L'homme, excédé, répondait aux interrogatoires: Né le ... Commerçant: Importation-exportation. Habitant Paris. Venant de Rome, allant à Paris. Pièces d'identité: Passeport n° tant, délivré le tant et tant par la Préfecture de Police. A force de les écrire et de les récrire, l'homme sait les numéros et les dates par cœur; mais il n'ignore pas, l'expérience le lui a appris, qu'il convient de ne pas tenir enfouies dans ses poches les pièces d'identité, de ne pas avoir mine de vouloir les soustraire à la vérification.

Aussi feint-il de recopier attentivement les précisions, les renseignements requis. Le veilleur, avec une comédie de détachement, mais l'œil rapide, aigu et perspicace, se penche pour fournir du papier buvard, et procède à une information discrète à laquelle, usant d'une égale discrétion, se prête le client. Ainsi sans froissements, sans heurts inutiles, tout s'arrange. Le gaillard n'est pas aussi niais qu'il paraît au premier abord.

L'homme griffonne son paraphe. Le veilleur choisit une clef au tableau, s'empare de la valise: «Chambre 47, deuxième étage. L'ascenseur à droite. Seulement, je vous préviens, il ne marche pas ou quand ça lui chante. Plus prudent de prendre l'escalier. Des fois qu'on resterait coincés dans la cage, à cette heure. »

(Alexandre Arnoux, *Pour solde de tout compte*,
Albin Michel, 1958, pp 162–163)

## Un café de Montparnasse

Au carrefour Montparnasse, la vie battait son plein. Il était midi et demi. Malgré l'automne, les terrasses des quatre grands cafés qui s'alignent à proximité du boulevard Raspail regorgeaient de consommateurs. Maigret marcha jusqu'à la «Coupole», avisa l'entrée du bar américain où il pénétra.

Il n'y avait que cinq tables, toutes occupées. La plupart des clients étaient juchés sur les hauts tabourets du bar, ou debout autour de celui-ci. Cela grouillait. Un guichet pratiqué dans le fond de la pièce s'ouvrait et se refermait sans cesse tandis que l'office en envoyait des olives, des «chips», des sandwichs et des boissons chaudes.

Quatre garçons criaient à la fois, dans un bruit d'assiettes et de verres remués, tandis que les clients s'interpellaient dans des langues différentes. Entre les groupes bruyants, il y avait quelques isolés. Et c'était peut-être la caractéristique la plus pittoresque du lieu.

D'une part, des gens qui parlaient haut, s'agitaient, commandaient tournée sur tournée et affichaient des vêtements aussi luxueux qu'excentriques. D'autre part, de-ci de-là, des êtres qui ne semblaient être venus des quatre coins du monde que pour s'incruster dans cette foule brillante.

Il y avait, par exemple, une jeune femme qui n'avait certainement pas vingt-deux ans et qui portait un petit tailleur noir, bien coupé, confortable mais qu'on avait dû repasser cent fois. Une drôle de figure lasse et nerveuse. A côté d'elle, elle avait posé un carnet de croquis. Et au milieu des gens prenant des apéritifs à trois francs pièce, elle buvait un verre de lait et mangeait un croissant. C'était évidemment son déjeuner. Elle en profitait pour lire un journal russe mis à la disposition des clients par l'établissement.

Elle n'entendait rien, ne voyait rien. Elle grignotait lentement son croissant, buvait parfois une gorgée de lait, indifférente à un groupe qui, à sa propre table, en était à son quatrième cocktail.

(Georges Simenon, *L'Homme de la Tour Eiffel*, Presses de la Cité, pp 83–88)

## Grenoble au printemps

La ville avait une grâce délicieuse et insouciante. Une légère brume transparente achevait de s'évaporer au-dessus du fort Rabot. Au loin, les roches du Moucherotte et du Saint-Eynard prenaient des tons d'argent, tandis que les derniers petits nuages blancs qui surplombaient leurs cimes

323

s'effilochaient en lambeaux clairs, doucement chassés par le vent.

Le marché battait son plein sur l'avenue Jean-Jaurès, les cars affluaient de toutes les directions dans les parages de la place Victor-Hugo. Sur la calme place de Verdun, centre gouvernemental, intellectuel et militaire de la ville, des retraités décorés lisaient leur journal sur des bancs. Le cours Berriat déversait, par delà le passage à niveau, son flot de véhicules en direction des ponts du Drac, dont les eaux tumultueuses ont une teinte glauque et plombée.

Le blanc clocher de Seyssinet, surmontant les marronniers de sa placette, étincelait au flanc de la montagne. La plaine d'Échirolles était parcourue de petits frissons d'air qui agitaient son fouillis de jeunes verdures, encore acides à l'œil, avec leurs verts citron. La vallée du Grésivaudan étalait au soleil la magnificence de ses vieilles demeures, de ses arbres séculaires, de ses parcs, la fantaisie de ses villages biscornus, qui ont essaimé des bicoques sur les contreforts, en dessous des grandes arêtes de la roche abrupte.

Plate et macadamisée, Grenoble est par excellence la ville de la bicyclette. Rien n'était plus gracieux à voir que les jeunes Grenobloises, hardies et souples en selle, les reins bien cambrés, le corps penché en avant sur leurs guidons étroits, glissant rapidement sur leurs machines aux couleurs gaies, dans des éclairs de jambes entrevues haut, malgré le petit geste pudique qui rabattait au bon endroit la jupe envolée. Ce matin-là, les jeunes centauresses à cheveux flottants s'en donnaient à cœur joie de sillonner les avenues, prenant au plus long pour le plaisir de multiplier les coups de pédale et les virages penchés. Sur leurs lèvres les sourires s'épanouissaient, assortis aux fleurs des parterres.

(Gabriel Chevallier, *Les Héritiers Euffe*, Presses Universitaires de France, 1945, pp 25–26)

## Le métro aux heures de pointe

Dans les couloirs du métro, le piétinement des quatre Boussardel commença. Le fleuve humain, canalisé entre la muraille et la main courante, progressait avec lenteur.

Un grondement arriva enfin du fond du tunnel; grinçant dans le virage, la rame apparut. «Et maintenant,» lança vaillamment tante Emma, «à l'abordage!» Les wagons qui défilèrent n'étaient pas trop peuplés, mais le quai de la station contenait une foule énorme.

«Nous n'arriverons jamais à monter,» dit Agnès en regardant autour d'elle. «Mais si,» affirma Bernard. «Tu vas voir. Il y a une technique.»

Il se plaça de telle sorte que la poussée même des gens les porta à l'intérieur du wagon. Là, il fit adroitement obliquer et reculer Agnès jusque dans le couloir. Il la tenait par les épaules, serrée contre lui, et Valentin, protégeant tante Emma de la même manière, formait avec elle le même couple étroitement joint.

324

Agnès tenait son sac à main contre sa joue, dans le creux que réservait son épaule. Elle se demandait comment la pression de cette multitude ne faisait pas éclater les parois de verre, comment les femmes ne poussaient pas de cris, comment il n'y avait pas plus de protestations.

Mais les gens montés individuellement dans la voiture semblaient s'y être perdus eux-mêmes et ne plus former qu'un agrégat, traversé de réflexes collectifs. Aux départs, aux arrêts, le bloc ballottait d'un seul tenant, et Agnès remarqua sur les visages une expression d'absence, de vie anesthésiée.

A l'Étoile enfin, où beaucoup de monde descendit, Agnès et ses parents s'échappèrent du wagon comme d'une émeute. Tante Emma s'assit un moment sur un banc du quai, pour se remettre et se rajuster, et si Agnès l'imita, ce ne fut pas que par égard pour elle.

(Philippe Hériat, *Les Grilles d'Or*, Gallimard, 1957, pp 113–117)

## Les supermarchés

Depuis 1954, le nombre des établissements commerciaux en France diminue lentement; environ 50 000 établissements ont disparu, dont 20 000 dans l'alimentation et cela malgré l'augmentation de la consommation.

Le second mouvement de l'appareil commercial français est probablement le plus voyant puisqu'il se traduit par l'agrandissement des unités de vente: les employés salariés y sont plus nombreux, les surfaces de vente plus grandes, l'éventail des produits offerts plus large. Les magasins sont de moins en moins spécialisés.

La meilleure illustration de ce double mouvement de concentration et de «déspécialisation» est le supermarché, magasin d'au moins 400 mètres carrés de surface de vente, distribuant surtout des produits alimentaires, et les vendant en libre service. En présentant au public un très large éventail de produits, les supermarchés font d'une pierre deux coups: ils rendent service et renforcent leurs positions.

L'attraction qu'exercent les supermarchés dans les grandes villes à forte densité commerciale tient beaucoup en effet au nombre des produits alimentaires vendus à bas prix. Mais cette politique «d'appel» (prix choc, prix d'appel, prix réclame) est compensée par des marges bénéficiaires élevées sur les articles non alimentaires. L'on rattrape ici ce que l'on perd là, et globalement les prix de détail ne baissent pas sensiblement.

Dans la mesure où le commerce concentré évolue vers une super-concentration, on peut se demander si dans sa formule actuelle, qui est en grande partie inorganisée, le commerce indépendant n'aura pas des jours de plus en plus difficiles à vivre.

(Alain Vernholes, «*Les supermarchés gagnent du terrain en France*»,
*Le Monde Hebdomadaire*, 25–26 mars, 1962)

## La banlieue parisienne

Le lendemain, je partis dès le jour pour Paris. En ce temps-là, Créteil était encore aux frontières de la nature végétale. Passé la place de l'Église, notre tramway s'engageait sur la longue route d'Alfort. Avec ses ruisseaux, ses rails, ses trottoirs, une telle route sentait la rue; elle était, dans sa substance et sa structure, comme une émanation, un rameau pierreux de la ville.

Pourtant, elle offrait encore, à sa droite et à sa gauche, maintes échappées sur les champs. Le voyageur apercevait aussi les verdures d'un cimetière et de gros bouquets de feuillage. Venaient ensuite les masures et les clos des maraîchers, personnages hybrides, à demi paysans, ouvriers à demi, qui derrière des murs jaloux, torturaient d'étroits lopins et leur faisaient, à force d'eau, de fumier, de cloches et de châssis, rendre d'énormes fardeaux de légumes.

Avant les derniers maraîchers commençait la ville véritable. Elle poussait une avant-garde hideuse de pavillons rabougris, de bicoques disparates, de cabanes titubantes. La nature avait parfois des regains, des fantaisies. On découvrait de vieux jardins plantés d'arbres vénérables ou même un champ prisonnier. Puis revenaient les guinguettes, les tonnelles, les bistrots minuscules à la façade enluminée. Et soudain, présentant aux terrains vagues ses falaises de meulière brute, surgissait un immeuble de quatre étages, avec un épicier perdu, des fenêtres à brise-bise, de la literie rose tendre qui respirait sur des balcons.

(Georges Duhamel, *Vue de la terre promise*, Mercure de France, 1934, pp 35–37)

## Un village écarté

Le 6 juin 1949 fut un grand jour pour Saint-Sère-la-Barre. Le village entier, réuni au cimetière à l'occasion du cinquième anniversaire du débarquement, assista à l'inauguration du nouveau monument aux morts.

La cérémonie fut émouvante encore que sans faste. Saint-Sère-la-Barre ne pouvait prétendre au grandiose, ses dimensions physiques le lui interdisaient comme aussi la simplicité de ses habitants, gens modestes et lents qui vivaient à l'écart des routes à grande circulation et des ambitions excessives.

Les automobilistes pressés — l'adjectif frôle le pléonasme — traversaient le bourg sans s'en apercevoir. Il ne fallait qu'un instant de distraction pour ignorer le tabac-buvette placé en avant-garde du village et déjà l'on était à la hauteur de l'église camouflée derrière les tilleuls de sa place et qui semblaient un bosquet à l'œil négligent. Encore trois tours de roues et c'étaient la mairie son jardinet, puis la campagne à peine interrompue par cette poignée de maisons basses, chacune abritée derrière les grilles fleuries d'un potager à sa mesure.

A l'inverse des cités nouvelles nées qui s'allongent de chaque côté des routes nationales, comme par besoin d'affirmer leur existence trop récente, Saint-Sère-la-Barre s'étendait en profondeur dans les champs et n'offrait au passant qu'un profil pudique, un coin de visage derrière une voilette, le reste du corps n'étant accessible que par des rues étroites et des venelles interdites aux véhicules.

Tous les automobilistes disaient: «Tiens, ça a l'air charmant», mais le temps de dire et ils se trouvaient déjà engagés sur la route de Nantes. Saint-Sère vivait donc ignoré et ignorant du reste du monde, par-là même à l'abri de ses bouleversements.

(Paul Guimard, *L'Ironie du Sort*, Denoël, 1961, pp 59–60)


## Un camion en panne dans le désert

La pente était raide, qui montait du désert et des dunes mouvantes vers le plateau rocailleux. Là, au moins, les tempêtes de sable faisaient trêve, faute d'aliment. Un pâle et triste sourire éclaira le visage de Messouada. Le désert pour elle, depuis des heures, sentait la sueur et l'essence. Quernec toussota pour s'assurer de sa voix et cria:

— Le plus dur est fait. Ça va aller comme sur des roulettes!

Ça n'alla pas loin, en tout cas. Dix secondes plus tard, le moteur fut pris d'une horrible quinte de toux, une fumée noire monta du capot et, après un dernier hoquet, le camion s'immobilisa.

— Cette vieille ferraille! jura Quernec.

— C'est la première fois, répondit le chauffeur.

— Ça m'étonnerait, murmura Messouada.

Ils sautèrent au sol et, comme premier remède, calèrent les roues pour empêcher de reculer ce vieux clou qui ne voulait plus avancer. Ali, comme il avait vu faire par d'autres, ouvrit le capot, et regarda bouche bée le moteur inerte, puis il avoua qu'il n'y connaissait rien.

— Et vous? demanda Messouada à Quernec.

— Moi? Demandez-moi de réparer un chameau, mais pas ça. J'ai horreur du bricolage.

— Et alors?

— Alors, on continue à pied.

— Allons, fit Messouada, je vais voir.

Puis, s'étant penchée, elle affirma, péremptoire:

— C'est le gicleur. C'est presque toujours le gicleur bouché, et avec ce sable, avait des excuses.

Ali déballa les outils et tendit une clef à molette à la jeune fille, avec, il ut le dire, un grand air d'admiration. Elle trouva le carburateur et constata 'il était complètement encrassé; elle souffla dedans, l'essuya. Ali ressouffla dedans à son tour. Elle revissa le carburateur, prit une poignée de sable pour nettoyer ses mains huileuses et noires et déclara:

— Maintenant, on y va.

— Bravo! fit Quernec.

Ali confiant remonta sur son siège, appuya sur le démarreur et le camion resta sourd à son appel du pied.

— J'avais oublié de nettoyer les bougies, dit Messouada, légèrement irritée.

— Ce n'est pas la peine, intervint Quernec, le klaxon est muet. J'ai peur que le circuit électrique ne soit détraqué.

— Aïn Kecher, c'est loin? demanda Messouada.

— Cent dix kilomètres.

Comme elle sursautait, il poursuivit:

— Mais, à trente-cinq kilomètres d'ici, nous allons trouver le campement de notre équipe de piste. Ils nous dépanneront.

(Dominique Farale, *Messouada*, Le Livre Contemporain, 1961, pp 22–24)

## S.N.C.F.

C'est le chemin de fer qui a permis la révolution industrielle moderne. Jusqu'en 1840, les campagnes vivaient sur elles-mêmes. Les villes vivaient sur la campagne environnante, et, pour le reste, elles étaient tributaires de la voie d'eau. Le bois, le fourrage, le blé, les matériaux de construction venaient par le fleuve et plus rarement par le canal, et les villes ne pouvaient exister qu'au bord de l'eau. A la fin du XVIIIᵉ siècle, Paris avait atteint des limites qu'il ne pouvait dépasser sous peine d'asphyxie, faute de bois de chauffage, de matériaux de construction, les forêts de la Haute Seine ayant été pillées.

Trente ans après la naissance du chemin de fer, la population de Paris avait doublé.

Il suffit de rappeler que le chemin de fer assure encore 70% du tonnage des transports, que seul il peut résoudre le problème de la banlieue, celui des départs massifs en vacances, ainsi que celui des transports occasionnels dûs notamment aux intempéries, pour faire comprendre que, s'il n'a plus l'exclusivité du transport terrestre, il reste un outil national au premier chef. Il joue ainsi un rôle de premier plan dans la vie du pays et son trafic est reflet de l'activité économique de la Nation.

Ce rôle, les cheminots français l'ont toujours compris. Souvent obligés de travailler la nuit ou dans des chantiers éloignés de leur domicile, parfois dans des conditions pénibles, tous sont animés par le même «amour du métier». Par le long apprentissage auquel la plupart sont astreints et qui en fait des spécialistes, le cantonnier de la voie, le mécanicien, l'électricien, l'aiguilleur, le chef de gare prennent conscience de leurs responsabilités, acquièrent le remarquable esprit d'équipe de cette corporation qui se place p ses réalisations (retraites, services médicaux, assistance sociale, colonies de vacances, logements) à l'avant-garde du progrès social.

Sous l'occupation, les cheminots participèrent très activement à la résistance et contribuèrent par leur action à avancer la date de la victoire. Au lendemain de la Libération, alors que les ponts étaient détruits, les voies arrachées, les machines crevées, les wagons éparpillés, des quantités de gares et de dépôts inutilisables, les cheminots de tous grades se sont mis aussitôt à déblayer pour rétablir la circulation, partout où cela était possible. En quelques mois, la carte du réseau avait repris une physionomie presque normale.

(D'après Documentation Française)

## L'avion dans l'orage

En même temps qu'un éclair aveuglant, une formidable secousse déséquilibra l'appareil qui sembla chavirer par tribord comme frappé par un aérolithe. Par le hublot de droite, l'avant-dernier avant la cabine de pilotage, M. Morateur avait vu une boule de feu atteindre le bord de l'aile puis s'en détacher. Il y eut des cris. Une hôtesse quitta son siège pour calmer une femme hystérique et l'attacher plus fermement.

L'avion descendait. Ce qui l'obligeait à descendre, à cent kilomètres de Calcutta — quelques minutes de vol — c'était sa blessure, chaque seconde plus béante, chaque seconde plus ourlée de flammes — la blessure de son aile droite, là où, à la place du réacteur arraché, il n'y avait qu'un trou sans cesse élargi par la morsure du feu.

Dans la cabine de pilotage, quatre hommes luttaient, s'agrippaient, multipliaient les appels, les manœuvres, les tentatives d'extinction. Premiers et immédiats effets de l'arrachement du réacteur touché par la foudre: la manette de gaz «R 4» avait échappé à la main du commandant, les paramètres du cadran correspondant au quatrième moteur s'étaient effondrés. Rien à faire pour tenter d'éteindre le feu en le soufflant par l'accélération d'un piqué: le jet était trop éprouvé, les flammes trop menaçantes. Si près de Calcutta, que l'on n'atteindrait jamais, il fallait se poser au plus vite en profitant des rizières. Avec un peu de chance, on le ferait, en perdant beaucoup de plumes sans doute, mais on le ferait.

— La poisse, tout de même! ... Si près! Enfin, on n'a pas le choix. Pourvu que le métal ne chauffe pas trop ... sinon l'aile craque. Allez, on y va!

Le commandant avait dit alors au radio:

— Henry, il faut y aller, mon vieux. Envoyez Mayday!

Le message de détresse envoyé, le commandant avait fait la première annonce d'atterrissage forcé aux passagers: «Mesdames, Messieurs, j'ai une communication importante à vous faire. Le feu s'étant déclaré sur l'aile droite, nous allons être obligés de nous poser dans les délais les plus brefs, soit environ sept minutes. Nous vous demandons de vous conformer strictement à toutes les instructions que va vous donner le personnel de cabine. Votre sécurité dépend de votre calme et de votre discipline. Faites confiance aux membres de l'équipage. De toute façon le plus dur est passé. Nous avons évité l'amerrissage dans le golfe de Bengale et nous abordons au delà des bouches du Gange, une surface plate de plusieurs centaines de kilomètres. Elle doit nous permettre de nous poser sans difficulté majeure.»

(Pierre Daninos, *Ludovic Morateur*, Plon, 1970, pp 203, 205, 206, 220, 221)

## Baignade sous la pluie

Fenns se rua vers la mer. Mouillé de pluie, le sable gris s'arrachait sous ses pieds, découvrant la chair blanche de la plage. L'eau glacée giclait sous les pieds. Fenns freina sa course et se mit à marcher posément. Jamais il ne courait jusqu'à culbuter comme involontairement dans l'eau. S'y plonger devait être une victoire sur soi, non une surprise passivement subie.

L'eau cercla ses chevilles, ses genoux. Pas de vagues: elle était parfaitement plate. Il s'arrêta, se retourna. La pluie avait cessé. Seules, de molles gouttelettes demeuraient en suspension dans l'air; on avait l'impression qu'elles se vaporisaient en touchant le corps chaud et l'enrobaient d'une buée tiède. «Bon Dieu, que tout cela peut être bête!» songeait Fenns. «Pour être heureux tout à l'heure, j'ai besoin de me faire souffrir tout de suite en me flanquant dans l'eau glacée. Une douche tiède ne m'apporterait qu'un plaisir superficiel, suivi de langueur. En somme, pour des animaux à sang chaud, le bonheur tient dans un choc triomphant, mais douloureux, avec le monde ambiant.»

Sur la promenade du front de mer, quelques promeneurs qui pensaient braver les éléments s'étaient arrêtés, contemplant faute de mieux le fou qu osait faire trempette aujourd'hui. Sans presser le pas, il s'avança dans l'eau e se frictionnant l'estomac pour atténuer le choc. La glace l'enserrait de plu en plus haut, les jambes étaient prises, puis le ventre.

La pluie de nouveau se mit à grêler avec force, cinglant le visage, douchan les épaules, criblant de piqûres l'eau lisse de la mer. Fenns passa sa langu sur ses lèvres. Son visage ruisselait d'une eau tiède et douce, que la peau salai Il se laissa glisser et se mit à la nage, tout de suite fait au froid après une secon à peine de panique. En surface, l'eau paraissait grise et trouble; au-dessou la vraie mer était d'une transparence cristalline, d'un vert d'huître net tonique. Au fond, le sable bougeait doucement, brouillé par d'invisibl courants; puis il vacilla, s'effaça dans une ombre noire angoissante: la pente la plage se faisait plus raide.

(Roger Ikor, *La Pluie et la Mer*, Albin Michel, 1962, pp 22–24)

# Acknowledgements

The author and publishers wish to thank the following for permission to reproduce copyright material:

Éditions Albin Michel for the extracts from *Mademoiselle de la Ferté* by Pierre Benoît, from *Un Médecin de Montagne* by Georges Sonnier, from *Pour solde de tout compte* and *Double Chance* by Alexandre Arnoux, from *La Ceinture de Ciel* and *La Pluie et la Mer* by Roger Ikor, from *Saint Naïf* by Paul Guth, from *Quelqu'un d'autre* by Gérard Bauër, and from *La Conférence* by Raymond Jean; Éditions Gallimard for the extracts from *La Vouivre* by Marcel Aymé, from *La Force de l'Age* and *Tout compte fait* by Simone de Beauvoir, from *L'Eau Profonde* by Philippe Diolé, from *L'Ordonnateur des Pompes Nuptiales* by Edward de Capoulet-Junac, from *Un Oubli Moins Profond* by Henri Bosco, from *Le Procès-Verbal* by J. M. G. Le Clézio and from *Les Grilles d'Or* by Philippe Hériat; Librairie Plon for the extracts from *L'Araigne*, *La Grive* and *Tendre et Violente Elisabeth* by Henri Troyat, from *Minuit* by Julien Green, and from *Ludovic Morateur* by Pierre Daninos; Éditions Robert Laffont for the extracts from *L'Ascenseur* by Roger Stéphane, from *Les Beaux Gestes* by François Ponthier, and from *Une Sentinelle attend l'Aurore* by Gilbert Cesbron; Librairie Ernest Flammarion for the extracts from *Une Femme singulière* and *Les Hommes de Bonne Volonté* (Vol IV—'Eros de Paris') by Jules Romains, from *Le Plan du Soleil* by Joseph Peyré, and from *Tournez, jolies gosses* by Paul Vialar; Pierre Daninos for the extracts from his novels *Tout Sonia* and *Vacances à tous prix*; Presses Universitaires de France for the extracts from *Clochemerle-Babylone* and *Les Héritiers Euffe* by Gabriel Chevallier; Éditions Stock for the extract from *Il faut détruire Carthage* by Léna Leclercq; Éditions Denoël for the extracts from *Concerto du Souvenir* and *Les Maisons Adverses* by Marie-Anne Desmarest, and from *L'Ironie du Sort* by Paul Guimard; Éditions du Seuil for the extract from *Au Nom du Fils* by Hervé Bazin; Éditions Julliard for the extract from *C'est pas d'jeu* by Jean-Jacques Gautier; *L'Express* for the extracts from 'Faut que ça roule' by Paule Giron and 'La Paresse est bonne conseillère' by Alice Morgaine; Éditions Buchet/Chastel, Paris for the extracts from *Drôle de Jeu* by Roget Vailland, and from *Une Femme Heureuse* by Célia Bertin; Éditions Bernard Grasset for the extract from *Le Neveu de Parencloud* by André Dhôtel; Les Éditions de Minuit for the extract from *La Modification* by Michel Butor; Air France for the extract 'Service à bord'; *Le Monde* for the extracts from 'Cités sans Passé' by Maurice Denuzière and from 'Les supermarchés gagnent du terrain en France' by Alain Vernholes; Georges Simenon for the extract from his novel *L'Homme de la Tour Eiffel*; Mercure de France for the extract